GONE

5. LA PEUR

G O

N E

5. LA PEUR

MICHAEL GRANT

Traduit de l'anglais (États-Unis)
par Julie Lafon

POCKET JEUNESSE
PKJ·

Directeur de collection :
Xavier d'Almeida

Titre original :
Fear

Publié pour la première fois en 2011 par HarperTeen,
un département de HarperCollins, New York.

L'auteur

Michael Grant a passé la majeure partie de sa vie sur les routes. Élevé dans une famille de militaires, il a fréquenté dix écoles dans cinq États et trois établissements en France. À l'âge adulte, il n'a pas cessé de voyager. À vrai dire, il est devenu écrivain parce que c'était l'une des rares professions qui ne le contraindraient pas à s'enraciner. Son plus grand rêve est de naviguer autour du globe pendant une année entière et de visiter chaque continent. Oui, même l'Antarctique. Il vit en Californie du Sud avec son épouse, Katherine Applegate, et leurs deux enfants.

Déjà parus :
Gone 1.
Gone 2. La faim
Gone 3. Mensonges
Gone 4. L'Épidémie

À paraître :
Gone 6. La Lumière (fin 2013)

Loi n° 49956 du 16 juillet 1949 sur les publications
destinées à la jeunesse : novembre 2012.

ISBN 978-2-266-18425-0

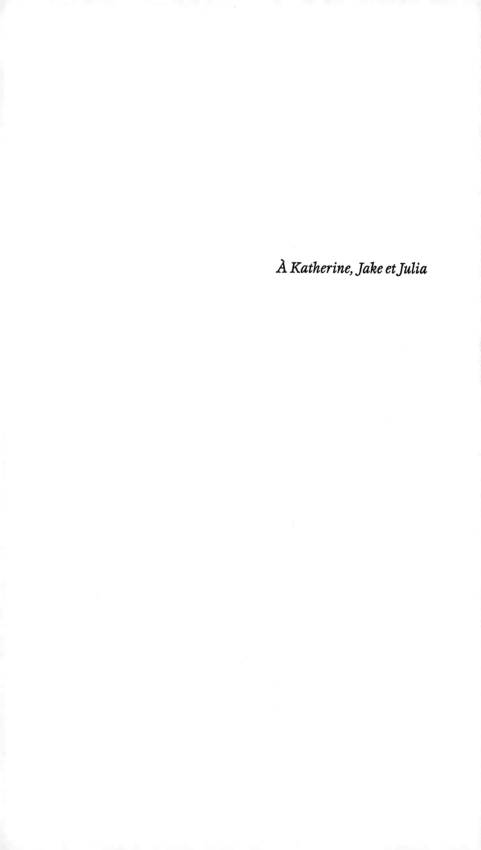

À Katherine, Jake et Julia

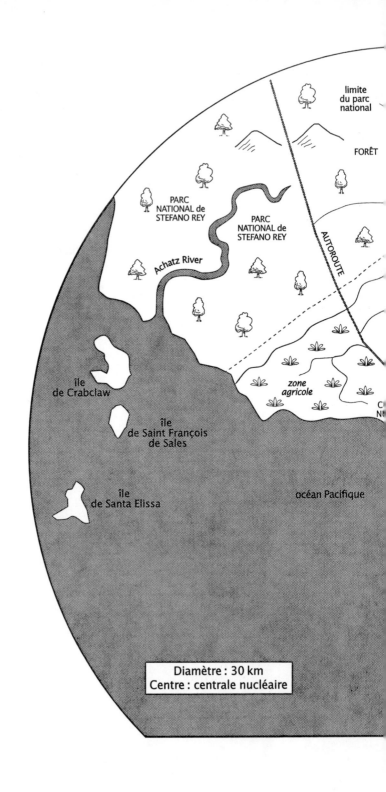

limite
du parc
national

FORÊT

PARC
NATIONAL de
STEFANO REY

PARC
NATIONAL de
STEFANO REY

AUTOROUTE

Achatz River

île
de Crabclaw

zone
agricole

île
de Saint François
de Sales

île
de Santa Elissa

océan Pacifique

Diamètre : 30 km
Centre : centrale nucléaire

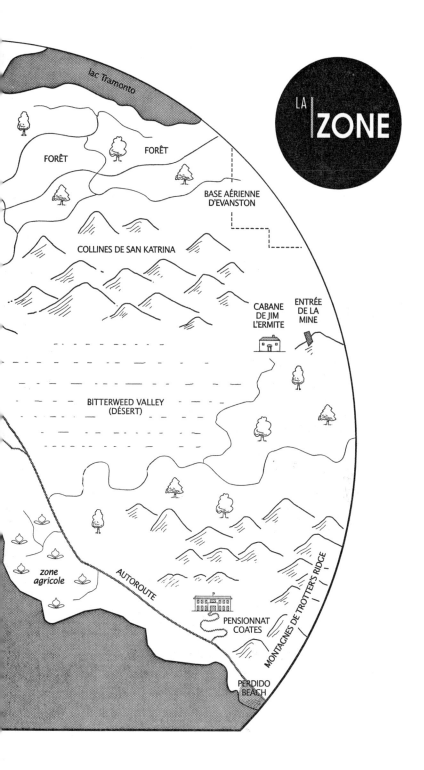

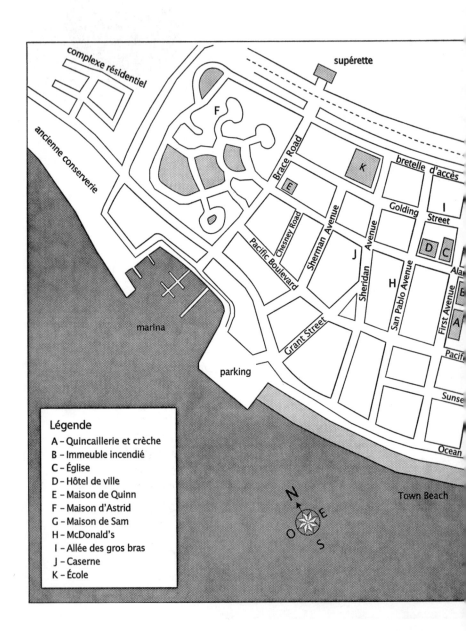

complexe résidentiel

supérette

ancienne conserverie

F

Brace Road

bretelle d'accès

K

E

Chesney Road

Golding

I

Street

Pacific Boulevard

Sherman Avenue

J

Sheridan

D

C

H

San Pablo Avenue

Ala

B

First Avenue

A

Grant Street

Pacif

marina

parking

Sunse

Ocean

Légende

A – Quincaillerie et crèche
B – Immeuble incendié
C – Église
D – Hôtel de ville
E – Maison de Quinn
F – Maison d'Astrid
G – Maison de Sam
H – McDonald's
I – Allée des gros bras
J – Caserne
K – École

N
E
O
S

Town Beach

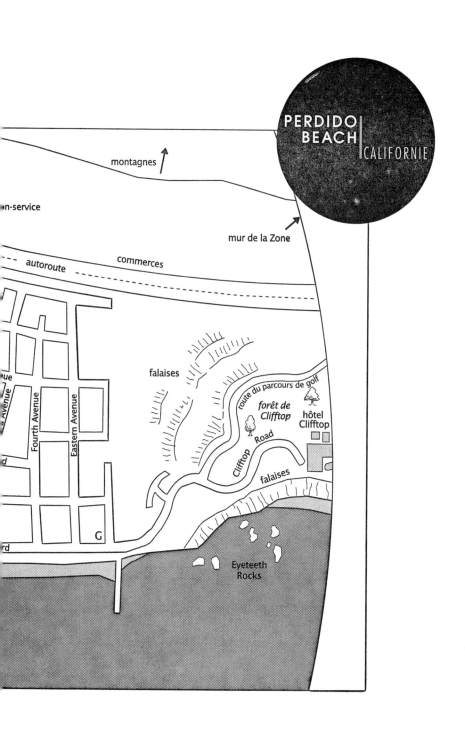

montagnes

n-service

mur de la Zone

autoroute

commerces

PERDIDO
BEACH
CALIFORNIE

falaises

Fourth Avenue

Eastern Avenue

route du parcours de golf

forêt de
Clifftop

Clifftop Road

hôtel
Clifftop

falaises

G

Eyeteeth
Rocks

Dehors

Connie Temple était en train d'écrire son journal intime sur son petit ordinateur portable quand elle avait disparu.

Le temps d'un claquement de doigts.

L'instant d'après, elle s'était retrouvée sur la plage, allongée sur le dos. Quand le phénomène s'était produit, elle était adossée à une chaise devant son bureau ; donc, en se retrouvant en position assise sur le sable, elle avait basculé en arrière, les genoux pliés sous elle.

Elle n'était pas seule sur cette plage. Autour d'elle, des gens de la ville ou de parfaits inconnus, certains en position assise, un volant invisible entre les mains, d'autres en tenue de jogging, encore en train de courir.

Un enseignant de l'école de Sam se tenait debout près d'elle, la main suspendue dans le vide comme s'il écrivait au tableau.

Connie s'était relevée lentement, éberluée, en se demandant si elle était victime d'une attaque... ou d'une hallucination. Était-ce la fin du monde... ou la fin de sa vie ?

Et c'est à ce moment-là qu'elle avait vu un mur gris et

lisse, d'une hauteur inimaginable, qui semblait s'incurver en s'élevant vers le ciel.

Il surgissait de l'océan, coupait en deux la route ainsi que le Clifftop, cet hôtel chic situé en bord de plage, et s'avançait vers l'intérieur des terres jusqu'à l'horizon. Ils apprendraient par la suite qu'il s'agissait d'une sphère de trente kilomètres de diamètre. Des photos aériennes auraient tôt fait d'envahir Internet.

Le monde finirait par accepter, au terme de quelques jours de déni et d'incrédulité, qu'aucun enfant n'avait été emmené ailleurs. Tous les individus de moins de quinze ans avaient purement et simplement disparu.

Parmi la population adulte de Perdido Beach et des environs, il y avait tout de même eu quelques blessés. Certaines personnes s'étaient soudain retrouvées dans le désert, sous l'eau ou en train de dégringoler une pente à vive allure. Une femme s'était matérialisée dans une maison inconnue. Un homme en maillot de bain, ruisselant d'eau chlorée, était apparu au beau milieu d'une autoroute encombrée de voitures qui avaient dû faire une embardée spectaculaire pour l'éviter.

Mais, en fin de compte, il n'y avait eu qu'un seul mort : un commercial de San Luis Obispo parti vendre des assurances à un couple de Perdido Beach. Alors qu'il traversait le parc national de Stefano Rey, il n'avait pas vu le mur en travers de la route, et sa Hyundai l'avait percuté de plein fouet à plus de cent kilomètres/heure.

Connie ne se souvenait plus de son nom. Ces derniers temps, beaucoup de noms apparaissaient et disparaissaient dans sa vie.

Au prix d'un effort, elle s'arracha au souvenir de cette journée funeste. Le colonel Matteu faisait une déclaration importante.

— La signature énergétique a changé.

— La quoi ?

Connie Temple jeta un coup d'œil vers Abana Baidoo. Elles s'étaient liées d'amitié au cours de ces mois terribles. En général, Abana comprenait mieux les détails scientifiques. Mais elle se contenta de hausser les épaules.

George Zellicoe, un des porte-paroles des familles, avait décroché depuis longtemps. Il continuait de venir aux réunions, mais il ne desserrait jamais les lèvres. Connie et Abana avaient vainement tenté d'engager la conversation avec lui. La dépression l'avait vaincu, et il ne restait plus grand-chose de l'homme énergique et décidé du début.

— La signature énergétique, répéta le colonel Matteu. Ce que nous appelons l'onde J.

— Qu'est-ce que c'est ? demanda Connie.

Le colonel ne ressemblait pas beaucoup à un colonel. Évidemment, il portait l'uniforme de l'armée – parfaitement repassé – et les cheveux très courts, mais il avait tendance à se voûter, si bien qu'on n'aurait su dire si ses vêtements étaient trop grands d'une taille ou si c'était lui qui s'était ratatiné depuis qu'il les avait achetés.

Il était le troisième officier à avoir été assigné au commandement des forces mobilisées près du Bocal. Le Bocal. La bulle géante de Perdido Beach. Il était le premier à répondre honnêtement à une question simple.

— On n'en sait rien. Tout ce qu'on sait, c'est qu'on

avait la même signature énergétique depuis le début et que, maintenant, elle est en train de changer.

— Mais vous ne savez pas ce que ça signifie, dit Abana, dont la manière de s'exprimer transformait chaque question en défi.

— Non, madame. On ne sait pas.

Connie perçut un léger manque de conviction dans ses paroles.

— Et quelles sont vos hypothèses ? demanda-t-elle.

Le colonel soupira.

— Je dois d'abord vous rappeler à tous que nous avons exploré des dizaines voire des centaines de théories différentes. Jusqu'à présent, aucune ne s'est vérifiée. Nous avions une probabilité solide lorsque les jumelles sont réapparues saines et sauves. Mais quand le tour de Francis est arrivé...

Nul n'avait besoin qu'on lui rafraîchisse la mémoire. La réapparition de Francis, ou de ce qu'il en restait, avait été filmée par les caméras de télévision et rediffusée encore et encore aux téléspectateurs horrifiés. On en était à soixante-dix millions de visionnages sur YouTube.

Peu après, il y avait eu Mary. Dieu merci, la scène n'avait pas été filmée. On avait emmené la pauvre fille dans un lieu où on la maintenait en vie tant bien que mal. Si l'on pouvait appeler ça la vie.

L'air conditionné se déclencha brusquement. Il faisait chaud dans les caravanes, même par des journées fraîches comme celle-ci, où la brise soufflait de l'océan.

— On sait maintenant qu'il ne faut pas croire tout ce qu'on entend, dit Abana d'un ton tranchant.

Le colonel hocha la tête.

— On assiste peut-être à un... ramollissement de la matière, comme ils disent. (D'un geste, il fit taire les premières réactions enthousiastes.) Non, on n'est toujours pas en mesure de percer l'enceinte. Mais avant, quand on essayait de la bombarder aux rayons X ou gamma, elle réagissait comme un miroir en renvoyant cent pour cent de l'énergie qui la frappait.

— Ça a changé ?

— Les derniers tests montrent que la réfraction est désormais de 98,4 pour cent. Ce n'est pas grand-chose, *a priori*. Et ça ne signifie peut-être rien. Mais depuis le premier jour, on n'obtenait que du cent pour cent. Et aujourd'hui, ce n'est plus le cas.

— Elle faiblit, résuma Abana.

— Peut-être.

Connie, Abana et George (les parents de Sam, de Dahra et d'E.Z.) sortirent de la caravane. Le camp militaire pompeusement baptisé Camino Real se trouvait au bord de l'autoroute, sur une bande de terrain déserte à quelques centaines de mètres du Bocal. Les deux douzaines de caravanes et de tentes avaient été installées avec une précision militaire. Des bâtiments permanents – une caserne, un hangar et un parc de matériel – étaient en construction.

Au début, le camp Camino Real se dressait seul sur les jolies falaises balayées par le vent qui dominaient la mer, mais ensuite, un groupe d'hôtellerie et une chaîne de fast-foods s'étaient installés. Un restaurant Tex-Mex avait vendu son premier burrito quelques jours plus tôt, et un hôtel avait ouvert une aile pendant que la construction du bâtiment se poursuivait.

Il n'y avait plus que deux camions satellite garés au bord de l'autoroute, mais ils avaient rarement droit au direct désormais : le pays et le reste du monde s'étaient progressivement désintéressés du sujet. Deux mille touristes effectuaient encore néanmoins chaque jour le trajet jusqu'au point de vue sur le mur ; leurs voitures s'alignaient le long de l'autoroute sur plus d'un kilomètre.

Une poignée de vendeurs de souvenirs postés derrière des stands parvenaient à gagner leur vie.

George se dirigea sans un mot vers sa voiture. Connie et Abana avaient élu domicile sur les lieux et se partageaient un camping-car garé sur une place privilégiée du parking avec vue sur le Pacifique. Elles avaient un beau barbecue à gaz, offert par une chaîne de magasins d'aménagement, et, tous les vendredis, elles préparaient des burgers ou des côtes de porc pour les militaires ou les policiers qui n'étaient pas en service.

Les deux femmes traversèrent l'autoroute à pied et s'installèrent dans des chaises longues face à l'océan.

— Est-ce que cette réunion mérite une audioconférence ? demanda Abana.

Connie soupira.

— Les familles ont le droit de savoir.

Les « familles ». C'était le mot qui revenait sans cesse dans les médias. D'abord, on les avait désignées comme les « survivants ». Mais cela sous-entendait que les autres, les enfants, étaient tous morts. Or, dès le début, les parents, les frères et sœurs avaient rejeté cette idée.

En contrebas, une vedette de gardes-côtes fendait la houle légère pour surveiller le périmètre marin de l'anomalie. Quelques mois plus tôt, un parent fou de chagrin avait jeté un bateau rempli d'explosifs contre la paroi du dôme. Évidemment, l'explosion n'avait produit aucun effet sur le Bocal.

— J'en étais arrivée au point..., commença Connie.

Abana attendit.

— J'en étais arrivée au point où je me disais qu'il était peut-être temps de passer à autre chose.

Abana hocha la tête.

— Et maintenant, il y a ce « 1,6 pour cent de différence ».

— L'espoir, c'est cruel, observa Connie d'un ton las.

— D'après ce physicien de Stanford, si le mur tombait, ce serait une catastrophe.

— Il n'est pas le premier à le dire.

— Oui, peut-être. Mais il est le premier à avoir le prix Nobel. Il pense que la paroi est une espèce de couche protectrice recouvrant une sphère d'antimatière. Il craint qu'en disparaissant elle ne provoque une explosion assez puissante pour anéantir toute la partie ouest des États-Unis.

Connie partit d'un rire dédaigneux.

— Théorie numéro huit mille sept cent quarante-deux.

— Oui, concéda Abana, mais elle semblait inquiète.

— Ça n'arrivera pas, assena Connie. Et l'enceinte va tomber, ça c'est sûr. On verra mon fils Sam et ta fille Dahra arriver par cette route.

Abana sourit et répéta leur plaisanterie éculée :

— Et ils iront directement s'acheter un burger sans même nous regarder.

Connie lui prit la main.

— C'est exactement ce qui va se passer. Ils nous diront: «Salut, maman, on se voit plus tard? Je vais me chercher un burger.»

Elles se turent un moment et fermèrent les yeux, le visage tourné vers le soleil.

— Si on avait su…, dit Abana.

Elle avait déjà prononcé cette phrase si souvent! Elle regrettait de s'être disputée avec sa fille le matin qui avait précédé la catastrophe. Et, comme chaque fois, Connie fut à deux doigts de répondre: «Moi, je savais.»

«Je savais.»

Mais cette fois, comme chaque fois, Connie Temple ne répondit rien.

1

65 HEURES
11 MINUTES

E LLE PORTAIT UN JEAN et une chemise écossaise en fla-
nelle par-dessus un tee-shirt noir dix fois trop grand.
Sa ceinture en cuir faisait deux fois le tour de sa taille.
C'était une ceinture d'homme, et même d'armoire à glace.
Au moins, elle était assez solide pour supporter le poids
du calibre 38, d'une machette et de sa bouteille d'eau.

Son sac à dos était sale et tombait en lambeaux, mais il
avait le format idéal pour ses frêles épaules. À l'intérieur,
elle avait glissé trois précieux sachets de macaronis dés-
hydratés trouvés dans des campements abandonnés aux
confins de la Zone. Il suffisait d'y verser de l'eau. À cela
s'ajoutaient un pigeon rôti conservé dans un Tupperware,
une douzaine d'oignons sauvages, un flacon de vitamines
– qu'elle prenait à raison d'un comprimé tous les trois
jours –, du papier et un crayon, trois livres, un petit sachet
d'herbe et une pipe, du fil et une aiguille, deux briquets
et une bouteille d'eau supplémentaire. Elle avait aussi
emporté un kit de premiers secours contenant quelques
pansements, un tube de crème antiseptique quasiment

vide, une douzaine de précieux comprimés de paracétamol et quelques tampons plus précieux encore.

Astrid Ellison avait changé.

Elle portait les cheveux courts ; elle les avait coupés grossièrement avec un couteau et sans miroir. Son visage était brûlé par le soleil, ses mains calleuses et couvertes des innombrables coupures qu'elle s'était faites en ouvrant des moules avec ses doigts. Elle s'était arraché un ongle en s'agrippant *in extremis* à des broussailles après avoir glissé sur une pente raide.

Astrid ôta le sac de ses épaules et y prit une paire de gants épais. Elle chercha des mûres sur le buisson de ronces. Elles ne mûrissaient pas toutes en même temps, et elle ne s'autorisait jamais à les cueillir tant qu'elles n'étaient pas arrivées à point. C'était son coin à mûres, le seul qu'elle avait repéré, et elle était décidée à faire preuve de patience.

L'estomac d'Astrid gargouillait tandis qu'elle écartait les tiges hérissées d'épines incroyablement pointues, si pointues qu'elles traversaient parfois les gants. Elle ramassa deux douzaines de baies, qui seraient son dessert plus tard.

Elle se trouvait au nord de la Zone, à l'endroit où la paroi scindait en deux le parc national de Stefano Rey. Là, les arbres – séquoias, chênes noirs et peupliers faux-trembles – étaient très hauts. Certains avaient été sectionnés par le mur. Astrid se demanda s'ils avaient continué à pousser de l'autre côté.

Elle ne s'était pas aventurée très loin à l'intérieur des terres ; elle était à quelques centaines de mètres à peine de l'endroit où elle venait souvent ramasser des huîtres, des palourdes, des moules et des crabes pas plus gros que des cafards.

Astrid avait faim, comme d'habitude, mais elle n'était pas affamée. La pénurie d'eau l'inquiétait davantage. Elle avait trouvé une citerne chez le garde-forestier, et une minuscule source d'eau fraîche et claire, mais dans les deux cas c'était loin de son campement. Et comme l'eau était lourde à porter, elle devait rationner la moindre goutte...

Soudain, un bruit.

Astrid s'accroupit, dégaina son fusil et, d'un geste vif car maintes fois répété, pointa le canon dans la direction du bruit. Elle tendit l'oreille, le cœur battant, et s'efforça de calmer sa respiration bruyante. Elle parcourut lentement les arbres du regard, dans un sens puis dans l'autre. Rien.

Un autre bruit! Le craquement de feuilles mortes sur la terre humide. Un son à peine audible, qui ne pouvait provenir ni de Drake ni d'un coyote. Astrid se détendit un peu et remua les épaules pour éviter une crampe.

Un petit animal détala près d'elle. Un opossum, sans doute, ou un putois. Mais pas Drake. Pas le monstre avec un tentacule en guise de bras. Pas le sadique. Pas le psychopathe, le meurtrier autrement connu sous le sobriquet de Fouet.

Astrid se redressa et remit son arme dans son sac.

Combien de fois par jour éprouvait-elle la même terreur? Combien de centaines de fois avait-elle scruté la lisière des arbres, les broussailles ou les rochers en craignant d'apercevoir le visage étroit au regard froid? Jour et nuit. En s'habillant. En se préparant à manger. En cherchant le sommeil. Et combien de fois s'était-elle imaginé lui coller une balle en pleine poire, le défigurer, voir jaillir son sang… tout en sachant que rien ne pouvait l'arrêter ?

Elle aurait beau le cribler de balles, ce serait elle qui devrait s'enfuir, elle qui s'essoufflerait, elle qui trébucherait dans les broussailles, elle qui pleurerait toutes les larmes de son corps.

Drake était un démon invincible.

Un démon qui tôt ou tard aurait sa peau.

Après avoir mis les mûres dans son sac, Astrid reprit la direction de son campement. Il se composait de deux tentes, la beige dans laquelle elle dormait, et la verte aux coutures marron dont elle se servait pour entreposer tous les objets qu'elle avait récupérés dans les aires de camping, les locaux du garde-forestier et les poubelles du parc de Stefano Rey.

Une fois rentrée, elle transversa les baies et les restes de la nourriture qu'elle avait emportée avec elle dans une glacière en plastique rouge et blanc, et la déposa dans le trou qu'elle avait creusé contre l'enceinte.

Au cours des quatre mois qui avaient suivi son départ dans les bois, elle avait beaucoup appris, notamment que les animaux évitaient l'enceinte. Même les insectes se tenaient à l'écart. Par conséquent, en stockant sa nourriture contre cette paroi trompeuse d'un gris nacré, elle était certaine qu'aucune bête n'y toucherait.

Le fait de camper aussi près du mur, à deux pas de la falaise, limitait par ailleurs les possibilités pour un prédateur de l'approcher.

Elle avait tendu un fil autour du camp, auquel elle avait accroché des bouteilles remplies de billes ainsi que des boîtes de conserve. Quiconque toucherait le fil manifesterait bruyamment sa présence.

Elle ne pouvait pas dire qu'elle se sentait en sécurité. Un monde où Drake était potentiellement toujours en vie ne serait jamais un lieu sûr. Mais elle se sentait autant à l'abri ici que dans n'importe quel autre endroit de la Zone.

Astrid se laissa choir sur son siège pliant, posa ses pieds fatigués sur un autre siège, et ouvrit un livre. Désormais, la vie se résumait à une quête presque constante de nourriture, et, sans lampe pour s'éclairer, il ne lui restait plus qu'une heure pour lire avant le coucher du soleil.

L'endroit où elle avait élu domicile offrait une vue magnifique sur l'océan. Mais elle se tourna vers les rayons rougeoyants du soleil couchant pour éclairer la page de son livre.

J'essayais de rompre le charme, le charme pesant, muet de la jungle, qui semblait l'attirer dans son sein impitoyable en réveillant en lui des instincts brutaux oubliés, en lui rappelant ses monstrueuses passions assouvies. Cela seul, j'en étais sûr, l'avait attiré jusqu'au fond de la forêt, jusqu'à la brousse, vers l'éclat des feux, la pulsation des tam-tams, le bourdonnement d'étranges incantations. Cela seul avait séduit son âme maudite hors des limites des aspirations permises.

Astrid leva les yeux vers la cime des arbres. Son campement se trouvait dans une petite clairière autour de laquelle la végétation se resserrait. À cette distance de la côte, les arbres n'étaient pas aussi hauts que dans les terres. Ils semblaient moins hostiles que ceux du cœur de la forêt.

«*Le charme pesant, muet de la jungle*», lut Astrid à voix haute.

Pour elle, ce charme relevait davantage de l'oubli. La vie rude qu'elle menait à présent était toujours plus douce que la réalité de Perdido Beach. Là-bas, c'était vraiment la jungle. Cette jungle qui avait réveillé en elle des instincts brutaux oubliés.

Ici ce n'était que la nature qui tentait de l'affamer, de lui rompre les os, de lui égratigner les doigts ou de l'empoisonner. La nature était impitoyable mais dépourvue de malice. La nature ne la haïssait pas.

Ce n'était pas la nature qui l'avait poussée à sacrifier la vie de son frère.

Astrid ferma les yeux, et s'efforça de calmer le flot d'émotions qui la submergeaient. La culpabilité était une chose fascinante : elle ne semblait pas se dissiper avec le temps. Au contraire, elle se renforçait alors même que les circonstances exactes disparaissaient de la mémoire, et que la peur et la nécessité devenaient des données abstraites. Désormais, seules ses propres actions se détachaient avec une netteté limpide.

Elle avait poussé son petit frère malade vers les créatures monstrueuses qui les menaçaient, elle et tous les autres humains de la Zone.

Son frère avait disparu, et les créatures avec lui.

Le sacrifice avait marché.

Elle avait assassiné le petit Pete.

Assassiné, oui. Elle n'avait pas l'intention de dissimuler ses actes derrière de jolis mots. Elle voulait que ce verbe hideux soit le papier de verre frotté sur sa conscience à vif, qu'il efface ce qu'il restait d'Astrid le Petit Génie.

Ses mains se mirent à trembler. Reposant le livre sur

ses genoux, elle sortit de son sac le sachet d'herbe. Elle acceptait l'idée de la drogue sous le prétexte que c'était le seul moyen pour elle de trouver le sommeil. Dans un monde normal, on lui aurait peut-être prescrit des somnifères. Et ça n'aurait pas été mal, pas vrai?

Or, elle était obligée de se lever à l'aube pour la chasse et la pêche, et elle avait besoin de repos.

Elle approcha un briquet du fourneau de la pipe. Deux bouffées, c'était la règle. Deux, pas plus.

Elle hésita soudain, assaillie par l'impression persistante qu'un détail important lui avait échappé.

Les sourcils froncés, elle passa en revue ses dernières actions. Après avoir posé l'herbe et le livre, elle retourna vers la paroi et sortit de terre son garde-manger enfoui. Comme il faisait trop sombre pour distinguer l'intérieur du trou, elle décida de gaspiller quelques précieuses secondes de lumière et alluma sa lampe de poche.

Elle s'agenouilla au bord du trou. En temps normal rien n'adhérait à la paroi, et pourtant quelques mottes de terre étaient restées collées dessus.

Astrid se servit de son couteau pour gratter la terre, qui s'effrita sous la lame.

Était-ce son imagination qui lui jouait des tours? Aux abords du trou, la paroi avait un aspect différent. L'illusion de la transparence n'opérait plus. Elle avait pris une teinte opaque, plus sombre.

Astrid promena son couteau le long du mur au-dessus du trou, de haut en bas. C'était une sensation subtile, à peine perceptible : la lame glissait sans offrir la moindre résistance jusqu'à ce qu'elle rencontre la partie basse, plus sombre. Là, elle accrochait un peu. Comme si elle était passée du verre poli à l'acier bruni.

Astrid éteignit sa lampe et poussa un profond soupir.

La paroi en train de muter.

La jeune fille ferma les yeux et resta immobile un long moment avant de remettre la glacière dans le trou. Elle devrait attendre le lever du soleil pour en savoir davantage. Mais elle pressentait qu'elle ne se trompait pas. Le jeu touchait à sa fin. Et elle ne savait toujours pas en quoi il consistait.

Elle alluma sa pipe, en prit une grande bouffée, puis une autre après quelques minutes, et sentit ses émotions se brouiller. Sa culpabilité se dissipa. Une demi-heure plus tard, les paupières lourdes, elle se faufila sous sa tente, se glissa dans son sac de couchage et s'étendit en serrant son fusil dans ses bras.

Lors de la dernière nuit, le démon Drake viendrait la chercher.

Elle courrait de toutes ses forces. Mais jamais elle ne parviendrait à le distancer.

2

— Patrick, on va devenir des hommes ! s'écria Terry d'une voix de fausset.

— Ouaaaais ! hurla Philip d'une voix grave de benêt.

Des rires s'élevèrent dans le public.

C'était la fête au lac Tramonto. Chaque vendredi, les enfants s'offraient une soirée de détente. Dans le cas présent, Terry et Philip rejouaient un épisode de *Bob l'Éponge*. Terry arborait un tee-shirt jaune avec des taches de peinture évoquant les trous d'une éponge, et Phil un tee-shirt d'un rose douteux pour endosser le rôle de Patrick Étoile.

La «scène» avait été installée sur le pont supérieur d'une grosse péniche qui avait été halée à quelques mètres de la berge. Becca, qui jouait Sandy Écureuil, et Darryl, qui incarnait un très bon Carlo Tentacule, attendaient leur tour dans une cabine.

Sam Temple regardait le spectacle de son bureau dans la marina, une petite tour grise à un étage qui offrait une vue dégagée sur la scène et l'assistance en contrebas.

La foule des spectateurs et des acteurs se composait de quatre-vingt-trois enfants âgés de un à quinze ans.

«En général, un public de gamins ne ressemble pas à ça», songea-t-il tristement. Passé cinq ans, personne ne se déplaçait sans armes. Les habitants du lac transportaient avec eux des couteaux, des machettes, des battes de base-ball, des bâtons hérissés de pointes, des chaînes et des pistolets. Tous portaient des tee-shirts en lambeaux et des jeans dix fois trop grands. Certains étaient affublés de ponchos découpés dans des couvertures, d'autres arboraient des plumes ou des fleurs en plastique dans les cheveux, de grosses bagues serties de brillants qu'ils faisaient tenir avec du scotch, des peintures de guerre, des bandanas, des cravates, ou de grosses ceintures. La plupart allaient pieds nus.

Mais, au moins, ils étaient propres. Bien plus propres en tout cas que du temps de Perdido Beach. Le lac Tramonto était une source inépuisable d'eau douce. Ils n'avaient plus ni savon ni détergent depuis des lustres, mais l'eau seule faisait des merveilles. Il leur était désormais possible de se rassembler sans être asphyxiés par la puanteur des corps.

Dans le soir tombant, Sam distingua çà et là la braise rougeoyante d'une cigarette. Malgré tous leurs efforts, il y avait encore des bouteilles d'alcool qui circulaient parmi les petits groupes d'enfants et, sans doute qu'en cherchant un peu, il aurait pu sentir les effluves de la marijuana.

Toutefois, dans l'ensemble, la situation s'était améliorée. Entre les cultures, le poisson qu'ils pêchaient dans le lac et la nourriture qu'ils échangeaient avec la population de Perdido Beach, personne ne mourait de faim. C'était un progrès énorme. Sans compter le projet de Sinder, qui avait un potentiel incroyable.

Alors pourquoi avait-il l'impression persistante qu'un détail clochait? C'était plus qu'une impression. Il lui semblait avoir loupé quelque chose qu'il aurait vu s'il avait tourné la tête assez vite. Ce quelque chose se trouvait à la limite de son champ de vision.

Ce quelque chose le regardait en ce moment même.

— Parano, marmonna Sam. Tu perds lentement la tête, mec.

Il soupira et se força à sourire. Il n'était pas habitué à tant de... paix. Ça durait depuis quatre mois.

Sam perçut des bruits de pas dans l'escalier en fer. La porte s'ouvrit derrière lui.

— Diana, fit-il en se levant pour lui offrir sa chaise.

— Ce n'est vraiment pas la peine. Je suis enceinte, pas handicapée.

Mais elle prit la chaise quand même.

— Comment ça va?

— J'ai les seins gonflés et douloureux.

Elle pencha la tête de côté pour le dévisager et une lueur d'affection brilla dans son regard.

— Sans blague? Ça te fait rougir?

— Non, c'est...

Faute d'une excuse valable, il se tut.

— Dans ce cas, je vais t'épargner les détails les plus perturbants de ma transformation physique. Le bon côté, c'est que je ne vomis plus le matin.

— Oui, c'est une bonne nouvelle, convint Sam.

— Le mauvais côté, c'est que j'ai tout le temps envie de faire pipi.

— Ah.

Cette conversation le mettait définitivement mal à l'aise. À vrai dire, le seul fait de regarder Diana le mettait mal à l'aise. Son ventre saillait sous son tee-shirt, mais elle n'en était pas moins belle et elle avait toujours ce sourire narquois qui le mettait au défi.

— Est-ce que je t'ai dit que mes aréoles sont plus foncées ? le taquina-t-elle.

— S'il te plaît, je t'implore à genoux : arrête.

— Le problème, c'est que certains changements surviennent trop tôt, poursuivit-elle en s'efforçant vainement de prendre un ton désinvolte.

— Hmm ?

— Je ne devrais pas être aussi grosse. J'ai lu tous les livres de grossesse que j'ai pu trouver, et d'après eux je ne devrais pas être aussi grosse à quatre mois.

— Tu as l'air en bonne santé, pourtant, objecta Sam d'une voix où perçait le désespoir. Mieux que ça, même. Tu es... très belle.

— Sérieux, c'est de la drague ?

— Non ! s'écria Sam. Non, non, non. Ce n'est pas ça... Il se mordit la lèvre. Diana éclata de rire.

— Dis donc, c'est facile de te déstabiliser. (Redevenue sérieuse, elle ordonna :) Donne-moi ta main.

Sam n'avait aucune envie d'obéir. Il avait un pressentiment désagréable, mais il ne voyait pas comment refuser.

Diana l'observa d'un air faussement candide.

— Voyons, Sam, toi qui trouves toujours un moyen de te sortir d'une situation dramatique, tu ne sais pas comment me dire non ?

Il sourit malgré lui.

— J'ai essayé, mais mon cerveau s'est arrêté.

— Allez, donne-moi ta main.

Il s'exécuta et elle posa sa paume sur son ventre.

— Ça c'est un bide, commenta-t-il maladroitement.

— Oui, j'espérais bien que tu en arriverais à cette conclusion. J'avais besoin d'un deuxième avis, répliqua-t-elle d'un ton dédaigneux. Attends... Là, maintenant ! Il l'avait senti. Un léger mouvement sous la peau tendue. Il retira sa main avec un sourire gêné.

— Ça bouge...

— Oui, fit Diana qui n'avait visiblement plus envie de plaisanter. C'est même carrément un coup de pied. Et tu sais quoi ? Ça a commencé il y a trois semaines, à ma treizième semaine. Et là, tu vas me dire : « Bah, je ne vois pas le problème. » Sauf qu'en théorie les bébés humains grandissent tous au même rythme. C'est réglé comme une horloge. Or, les bébés humains ne commencent pas à donner des coups de pied à partir de la treizième semaine.

Sam hésita. Il n'était pas sûr de vouloir s'appesantir sur l'usage du mot « humain ». Quelles que soient les craintes de Diana – à moins qu'elle n'ait tout imaginé – ce n'était pas son problème.

Il en avait déjà plein d'autres à régler. Un container rempli de roquettes avait atterri sur un bout de plage déserte. D'après ce qu'il en savait, Caine, son frère, n'avait pas encore mis la main dessus. Si Sam essayait de les déplacer et que Caine l'apprenne, ça déclencherait une guerre avec Perdido Beach.

Sam avait aussi des soucis plus personnels : Brianna avait découvert la cachette d'Astrid dans le parc de Stefano

Rey. Sam avait entendu dire qu'après la bataille contre les insectes géants elle s'était installée pendant quelques jours à proximité de la centrale.

Il savait également qu'elle avait dormi quelque temps dans un camping-car renversé sur une petite route de la zone cultivée. Il avait attendu patiemment son retour mais elle n'était pas revenue, et il n'avait plus entendu parler d'elle durant trois mois.

La veille au matin, Brianna l'avait enfin localisée. Sa vitesse supersonique facilitait les recherches sur les routes, mais il lui avait fallu plus longtemps pour passer la forêt au peigne fin : il ne faisait pas bon trébucher sur une racine à plus de cent kilomètres/heure.

Évidemment, la recherche d'Astrid n'était pas prioritaire. Son premier but était de retrouver la créature mi-Drake mi-Brittney. Bien qu'il n'y ait plus aucun signe de Drake, personne ne voulait croire à sa mort.

À contrecœur, Sam revint au problème de Diana.

— Tu l'as évalué ?

— Il a trois barres, répondit-elle. La première fois que je l'ai fait, il en avait deux. Tu vois, il grandit.

Sam en resta bouche bée.

— Trois barres ?

— Oui, Sam. Il ou elle est un mutant, dont la puissance ne fait qu'augmenter.

— Tu en as parlé à quelqu'un d'autre ?

Diana secoua la tête.

— Je ne suis pas idiote, Sam. Caine s'en prendrait à lui s'il l'apprenait. Il irait jusqu'à nous tuer tous les deux s'il le fallait.

— Il tuerait son propre enfant?

Sam avait du mal à y croire : même Caine n'était pas mauvais à ce point.

— Peut-être pas, concéda Diana. Quand je lui ai annoncé la nouvelle, il a très clairement dit qu'il ne voulait rien savoir de cet enfant. À mon avis, l'idée même le rendait malade. Mais un mutant hyper puissant ? Ça changerait tout. Il se pourrait bien qu'il veuille soit exercer son emprise sur le bébé soit le tuer. Pour lui il n'y aurait pas d'autre choix. Toute autre possibilité serait trop... (Elle scruta le visage de Sam comme si le mot exact y était gravé.) Humiliante.

Sam sentit son estomac se nouer. Ils avaient eu quatre mois de répit. Au cours de ces quatre mois, Sam, Edilio et Dekka avaient entrepris de bâtir une espèce de ville semi-aquatique. Ils avaient réparti les péniches, les voiliers, les bateaux à moteur, les caravanes et les tentes. Ils avaient fait creuser une fosse septique à bonne distance du lac pour éviter les bactéries. Par souci de sécurité, ils avaient mis au point un système permettant de dévier une grande quantité d'eau à l'est, vers ce qu'ils appelaient les terres basses, et interdit à tous les enfants de boire l'eau dans laquelle ils se baignaient.

Ç'avait été incroyable de voir l'autorité et le calme dont Edilio avait fait preuve pour mener à terme ces projets. Bien que Sam fût nominalement désigné comme le responsable, il ne lui serait jamais venu à l'esprit de s'occuper d'un système sanitaire.

Les bateaux de pêche, dont les équipages avaient été formés par Quinn à Perdido Beach, fournissaient chaque jour des quantités suffisantes de poisson. Ils avaient planté des carottes, des tomates et des courges sur un terrain situé aux abords de l'enceinte, et grâce aux bons soins de Sinder les légumes poussaient tranquillement.

Ils avaient mis sous clé leur précieuse provision de Nutella, de nouilles déshydratées et de Pepsi, dont ils se servaient comme monnaie d'échange pour acheter du poisson supplémentaire et des coquillages à Perdido Beach.

Ils avaient aussi négocié le contrôle d'une partie des terres cultivées, donc ils mangeaient encore des artichauts, du chou et à l'occasion du melon.

Dans les faits, c'était Albert qui s'occupait de toutes les transactions entre le lac et PB, comme ils l'appelaient, mais la gestion quotidienne des ressources du lac revenait à Sam. Donc, dans les faits, à Edilio.

Depuis le début de la Zone ou presque, Sam avait vécu dans la crainte d'une espèce de jugement dernier. Il s'imaginait debout face à ses juges qui l'examineraient sous toutes les coutures en lui ordonnant de justifier tous ses actes.

Tous ses échecs.

Toutes ses erreurs.

Tous les corps enterrés sur la place de l'hôtel de ville à Perdido Beach.

Depuis quelques mois, il y pensait moins. Il commençait à croire que peut-être, en mettant tous les éléments dans la balance, ils s'apercevraient qu'il avait parfois bien agi.

— Ne le dis à personne, conseilla-t-il à Diana. (Après un silence, il poursuivit:) Et si... Eh bien, je suppose qu'on ne peut pas savoir quels seront les pouvoirs du bébé.

Diana eut un sourire narquois.

— Tu veux dire: et si le bébé pouvait brûler des choses

comme toi, Sam ? Ou s'il avait hérité des pouvoirs télékinésiques de son père ? Non, Sam, je n'ai pas réfléchi à ce qui se passerait si cette chose décidait sur un coup de tête de percer un trou dans mon ventre.

Sam soupira.

— Ce n'est pas une chose, Diana.

Il s'attendait à une repartie cinglante. Au lieu de quoi, le visage de Diana, qui pourtant contrôlait toujours ses émotions, se décomposa.

— Son père est malfaisant. Sa mère aussi, murmura-t-elle en se tordant les mains. Comment il pourrait être différent ?

— Avant que je prononce la sentence, quelqu'un a quelque chose à dire pour la défense de Cigare ? demanda Caine.

Caine ne pouvait pas donner à sa chaise le nom de trône. Ç'aurait été trop ridicule, bien qu'il tienne à son titre de roi. C'était une lourde chaise en bois sombre qu'il avait trouvée dans une maison vide. Il croyait pouvoir dire qu'elle était de style mauresque. Il l'avait installée à quelques pas de la dernière marche de l'escalier qui menait à l'église en ruines.

Si ce n'était pas le cas en apparence, dans les faits c'était bel et bien un trône. Caine s'efforçait de se tenir droit sur son siège pour avoir l'air d'un souverain. Il portait un polo violet, un jean et des bottes de cow-boy noires au bout carré. L'un de ses pieds reposait sur un tabouret bas recouvert de tapisserie.

Penny s'était postée à sa gauche. Lana la Guérisseuse avait soigné ses jambes cassées. Penny portait une robe à bretelles qui pendait sur ses frêles épaules. Elle marchait pieds nus : pour une raison inexplicable, elle refusait de porter des chaussures depuis qu'elle avait retrouvé l'usage de ses jambes.

À la droite de Caine se tenait Turk, qui était censé assurer sa sécurité. Caine aurait pu faire léviter Turk et s'en servir comme d'un club de golf s'il en avait eu envie. Mais il était essentiel pour un roi d'avoir des gens à son service. Ça lui donnait l'air plus royal.

Turk était une brute stupide à l'air maussade. Il portait un fusil à canon scié jeté sur l'épaule et une grosse clé à tuyau pendue à la ceinture.

Turk surveillait Cigare, un garçon de treize ans au visage doux qui avait les mains calleuses et la peau tannée d'un pêcheur.

Vingt-cinq enfants environ se tenaient au pied des marches. En théorie, tout le monde était supposé se présenter à la cour, mais Albert avait suggéré – une suggestion qui avait la force d'un décret – que ceux qui avaient du travail puissent s'en dispenser. Le travail passait en premier dans le monde d'Albert, et Caine savait qu'il resterait roi aussi longtemps qu'Albert veillerait à ce que ses sujets aient à boire et à manger.

Au cours de la nuit, une bagarre avait éclaté entre un garçon prénommé Jaden et celui que tout le monde avait rebaptisé Cigare depuis qu'il avait été malade comme un chien en en fumant un.

Jaden et Cigare avaient tous deux bu de l'alcool illégalement distillé par Howard, et personne ne savait au juste sur quoi portait la dispute. Mais ce qui était certain, et il y avait trois enfants pour en témoigner, c'est qu'elle avait commencé par des injures et qu'elle avait dégénéré quelques instants plus tard.

Jaden avait frappé Cigare avec une barre de fer et manqué son coup. Cigare avait riposté au moyen d'un gros pied de table en chêne hérissé de clous et lui n'avait pas raté sa cible. Personne ne pouvait croire que Cigare, qui était un bon garçon et comptait parmi les pêcheurs de Quinn, avait eu l'intention de tuer Jaden. Mais ça n'avait pas empêché la cervelle de celui-ci de finir sur le trottoir.

Il existait quatre châtiments à Perdido Beach depuis l'avènement du roi Caine : l'amende, l'emprisonnement, Penny ou la mort.

Une petite infraction, comme le fait de manquer de respect au roi, de sécher ses heures de travail ou de duper quelqu'un lors d'un marchandage, était punie par une amende. Il pouvait s'agir de la suppression d'une journée de nourriture, de deux jours de travail sans solde ou de la confiscation d'un objet de valeur.

La prison était une pièce de l'hôtel de ville qui avait tenu lieu de chambre de confinement à un dénommé Roscoe jusqu'à ce que les insectes lui dévorent les entrailles. Ce châtiment consistait en général en deux jours ou plus d'emprisonnement avec juste un peu d'eau, et s'appliquait aux vandales ou aux bagarreurs.

Caine avait déjà distribué de nombreuses amendes et plusieurs peines d'emprisonnement. Il n'avait eu recours à Penny qu'une seule fois.

Penny était une mutante qui détenait le pouvoir de créer des illusions si réelles en apparence qu'il était impossible de ne pas y croire. Elle possédait une imagination terrifiante et perverse. La fille qui avait un jour écopé de trente minutes de Penny s'était mise à hurler en se frappant le corps. Deux jours plus tard, elle n'était toujours pas en mesure de travailler. Le châtiment ultime était la mort. Et jusqu'alors, Caine n'avait jamais dû envisager de l'appliquer.

— Je vais parler pour Cigare.

Quinn, évidemment. Autrefois, Quinn était l'ami le plus proche de Sam, son compagnon de surf. C'était un garçon faible, indécis, peu sûr de lui. Un de ceux qui n'avaient pas bien supporté l'apparition de la Zone.

Mais Quinn avait trouvé sa place en devenant pêcheur. Il avait développé les muscles de son cou, de ses épaules et de son dos à force de ramer pendant des heures. Sa peau était devenue acajou.

— Cigare n'a jamais été un type à problèmes, déclara-t-il. Il est toujours arrivé à l'heure au travail et il n'a jamais manqué une journée. C'est un brave gars et un très bon pêcheur. Quand Alice est tombée à la mer après avoir été assommée par une rame, il a été le premier à sauter pour la sauver.

Caine hocha pensivement la tête. Il affectait un air à la fois sage et sévère, mais, en son for intérieur, il était terriblement contrarié. Cigare avait tué Jaden. Ce n'était ni un acte de vandalisme ni un larcin. Si Caine n'ordonnait pas la peine de mort dans ce cas-là, quand le ferait-il ?

Quelque part, il en avait envie… En fait, il avait même très envie d'appliquer la peine de mort. Ce n'était pas après Cigare en particulier qu'il en avait. N'importe qui aurait fait l'affaire. Il s'agissait seulement de tester son pouvoir, d'envoyer un message.

Mais, d'un autre côté, il ne s'agissait pas de se mettre Quinn à dos. Il pouvait décider de faire la grève et tout le monde aurait très vite faim.

Et puis il y avait Albert. Quinn travaillait pour lui. C'était bien beau de se proclamer roi, songea Caine. Mais à quoi bon quand le véritable pouvoir était aux mains d'un garçon noir et malingre armé d'un livre de comptes.

— C'est un meurtre, dit Caine pour gagner du temps.

— Personne n'a dit que Cigare ne devait pas être puni, rétorqua Quinn. Il a merdé. Il n'aurait pas dû boire.

Cigare baissa la tête.

— Jaden était un brave gars, lui aussi, dit une fille qui répondait au nom improbable d'Alpha Wong. (Elle étouffa un sanglot.) Il ne méritait pas d'être tué.

Caine serra les dents. Génial. Une petite amie.

Inutile de chercher encore à gagner du temps. Il devait prendre une décision. Il valait mieux mettre Alpha en rogne que Quinn ou Albert.

Caine leva la main.

— J'ai promis, en tant que roi, de rendre la justice. S'il s'était agi d'un homicide volontaire, je n'aurais pas eu d'autre choix que d'appliquer la peine de mort. Mais Cigare est un bon travailleur et il n'avait pas l'intention de tuer le pauvre Jaden. Je le condamne donc à Penny. Normalement, c'est une demi-heure. Mais ça ne suffit pas pour un crime aussi grave. Voici donc le verdict royal.

Il se tourna vers Penny, qui tremblait déjà d'impatience.

— Cigare sera aux mains de Penny pendant une journée entière. Demain, quand le jour se lèvera sur les collines, le châtiment débutera, et il prendra fin quand le soleil aura disparu à l'horizon.

Caine lut de la résignation dans le regard de Quinn. Comme un murmure d'approbation parcourait la foule, il poussa un soupir silencieux. Même Cigare semblait soulagé. Cependant, ni lui ni Quinn ne mesuraient le degré de folie qu'avait atteint Penny pendant son long calvaire. Cette fille avait toujours été cruelle, mais la souffrance et la soif de pouvoir avaient fait d'elle un monstre.

Par chance, ce monstre était aux ordres de Caine. Pour le moment, en tout cas.

— Tu vas bien t'en tirer, Cigare, cria Quinn en s'éloignant.

— Oui, répondit Cigare. Pas de problème.

Penny ne put s'empêcher d'éclater de rire.

3

D RAKE S'ÉTAIT HABITUÉ à l'obscurité. L'unique et faible source de lumière verte était dispensée par son maître le gaïaphage.

Ils se trouvaient à une quinzaine de kilomètres sous terre. À cet endroit, la chaleur était intense. Elle l'aurait probablement tué, ainsi que l'absence d'eau et d'air, s'il avait été vivant au sens habituel du terme. Il n'était pas facile de tuer une créature qui n'était pas tout à fait en vie.

Du temps s'était écoulé, il en avait conscience. Mais combien ? Il pouvait s'agir de mois comme d'années. Il n'y avait ni jours ni nuits en ce lieu. Seule existait la présence éternelle de l'esprit frustré et furieux du gaïaphage. Drake s'était intimement lié à cet esprit. Il était toujours présent dans sa conscience. Comme une faim tenaillante. Comme un besoin qui ne faiblissait jamais.

Le gaïaphage avait besoin de Némésis.

Amène-moi Némésis.

Or, Némésis – Peter Ellison – demeurait introuvable.

Drake avait affirmé au gaïaphage que le petit Pete était mort. Disparu. C'était sa sœur, Astrid, qui l'avait jeté en pâture aux insectes et, dans un accès de panique, il avait non seulement fait disparaître l'insecte le plus proche et le plus menaçant, mais aussi éliminé l'espèce entière. Quelle démonstration choquante de son incommensurable pouvoir ! Cet enfant de cinq ans souffrant d'un autisme sévère, ce petit morveux apparemment insignifiant était la créature la plus puissante de l'immense bulle. Sa seule limite était son cerveau malade. Le petit Pete était puissant sans le savoir. Incapable de planifier ou de comprendre, il pouvait seulement réagir avec une force inimaginable.

Némésis effrayait le gaïaphage, et cependant il lui était nécessaire.

Un jour, Drake avait demandé :

— Pourquoi, maître ?

Je dois naître.

Ensuite le gaïaphage lui avait infligé des douleurs fulgurantes pour le punir d'avoir eu l'outrecuidance de le questionner.

Sa réponse avait contrarié Drake plus encore que la souffrance. Son dieu n'était donc pas tout-puissant ?

Cette découverte avait été un énorme choc pour Drake. Cela signifiait que le gaïaphage pouvait encore échouer. Et alors, qu'adviendrait-il de son serviteur ?

Avait-il prêté allégeance à un dieu mourant ?

Drake s'efforçait de dissimuler ses craintes. Le gaïaphage risquait de les sentir si son attention se portait sur lui.

Mais à mesure que les jours passaient sans qu'il puisse en tenir le compte, le doute s'insinuait en lui. Quelle place avait-il dans un univers sans gaïaphage ? Demeurerait-il invincible ? L'échec du gaïaphage entraînerait-il sa propre destruction ?

Drake aurait voulu pouvoir en discuter avec Brittney. Mais étant donné la nature des choses, il ne le pourrait jamais. Brittney émergeait de temps à autre en se contorsionnant pour s'extraire de sa chair en train de se dissoudre et prenait le pouvoir.

Dans ces moments-là, Drake cessait de voir, d'entendre ou de ressentir. Il flottait dans un monde encore plus sombre que le repaire souterrain du gaïaphage, et si confiné qu'il étouffait son âme.

Drake tuait le temps en évoquant des images merveilleuses. Il se rejouait les souvenirs des souffrances qu'il avait causées. À Sam, par exemple, qu'il avait laissé pour mort. Et il se figurait dans les moindres détails les supplices qu'il infligerait à Diana, à Astrid, mais aussi à Brianna qu'il haïssait.

Ces derniers temps, le sol de la caverne souterraine – ou plus exactement le fond de la bulle – avait changé. De gris perle, il était devenu noir. Drake avait aussi remarqué que la matière sous ses pieds était moins lisse, et que le gaïaphage, qui s'appuyait contre la paroi, virait progressivement au noir. Pour l'instant, il s'agissait seulement d'une tache semblable à du café renversé sur une énorme éponge verte radioactive.

Drake s'était souvent demandé ce que ça signifiait mais n'avait pas osé poser la question.

Soudain, il sentit le gaïaphage tressaillir.

Je sens...

— Némésis, maître ? s'enquit Drake en se tournant vers les parois vertes de la caverne.

Pose ton bras sur moi.

Drake eut un mouvement de recul. Il avait touché le gaïaphage quelquefois, et ce n'était jamais une expérience agréable. Son pouvoir télépathique était beaucoup plus puissant quand il établissait un contact physique.

Mais Drake n'avait pas la volonté suffisante pour refuser. Après avoir déplié son long tentacule enroulé autour de sa taille, il s'avança vers un gros amas de substance verte, la partie qu'il ne pouvait s'empêcher de considérer comme le centre, la tête de cette créature informe. Il posa maladroitement son tentacule dessus.

— Aaaah !

La douleur, aiguë et soudaine, le fit tomber à genoux. Il s'efforça d'ouvrir grand les yeux et eut l'impression qu'on lui arrachait la peau du visage. Des images firent irruption dans son esprit. Un jardin. Un lac sur lequel des bateaux flottaient paisiblement. Une fille séduisante aux cheveux sombres et au sourire désabusé.

Ramène-la-moi !

Drake ne parlait pas beaucoup depuis des mois. Il avait la gorge sèche, et la langue comme paralysée. Le nom de la fille franchit ses lèvres dans un murmure.

— Diana.

Quinn se sentait triste. Il prit les rames et commença à s'éloigner du rivage en tournant le dos à l'horizon noir, le regard fixé sur les montagnes au-dessus desquelles le soleil se lèverait bientôt.

Les membres de son équipage n'étaient guère plus enjoués. En temps normal, ils râlaient gentiment, se taquinaient, échangeaient des plaisanteries éculées, s'insultaient joyeusement d'un bateau à l'autre, chacun dénigrant la technique de l'autre pour ramer ou son accoutrement.

Mais aujourd'hui, personne n'avait le cœur à plaisanter. On n'entendait que les grognements d'effort, le grincement des rames, le clapotis musical de l'eau le long de la coque et le murmure des vaguelettes venant se briser contre la proue.

Quinn savait que ses camarades étaient furieux au sujet de Cigare. Tous s'accordaient à dire qu'il avait commis un acte très grave. Mais l'autre gamin avait frappé le premier. Si Cigare n'avait pas riposté, Jaden aurait bien pu le tuer.

Ils s'attendaient que Cigare soit condamné à payer une amende, à faire un séjour en prison, voire à quelques minutes de Penny pour lui apprendre à ne pas s'emporter.

Mais une journée entière sous la torture mentale de cette fille... c'était trop. Cigare avait les mêmes peurs que n'importe quel gosse normal, et avec une journée entière pour exercer son vice, Penny les identifierait toutes.

Quinn se demandait s'il devait intervenir. Cette histoire l'affligeait beaucoup, mais que dire ? Quels mots pourraient calmer l'inquiétude de ces enfants ?

Il était inquiet, lui aussi. Et il partageait leur colère vis-à-vis de lui-même et d'Albert. Il avait espéré que celui-ci interviendrait. Il en avait le pouvoir, après tout. Caine avait beau se proclamer roi, tout le monde savait qu'Albert était l'empereur.

Les bateaux se séparèrent. Les pêcheurs armés de harpons partirent de leur côté, tandis que ceux qui étaient équipés de filets se dirigeaient vers l'enceinte. La veille, ils avaient repéré une nuée de chauves-souris bleues qui longeaient la paroi.

Après leur avoir indiqué de s'arrêter, Quinn fit signe à Élise de préparer les filets. Aujourd'hui, son équipage comprenait Élise, Jonas et Annie. Élise et Annie se débrouillaient moins bien que Quinn et Jonas avec les rames, mais elles manipulaient adroitement les filets qu'elles jetaient dans l'eau en formant des cercles parfaits, et dès qu'elles sentaient le poids des prises les entraîner vers le fond, elles refermaient leur piège d'un geste sûr.

Quinn s'assit à la poupe et, au moyen d'une rame et du gouvernail, il veilla à ce que l'embarcation reste stable tandis que les filles et Jonas hissaient à bord deux chauves-souris bleues et un poisson mesurant une quinzaine de centimètres.

C'était une tâche harassante, mais Quinn avait l'habitude, et il manœuvrait le gouvernail et la rame avec des gestes automatiques. Il regarda au loin les autres bateaux se mettre en position.

Des éclaboussures lui firent tourner la tête vers la paroi. Il vit un poisson volant – une prise pas très bonne mais pas immangeable non plus – jaillir de l'eau.

Soudain, un détail lui fit plisser les yeux dans la lumière matinale.

Élise et Annie se préparaient à lancer de nouveau leurs filets.

— Attendez, ordonna Quinn.

— Quoi ? fit Élise avec une pointe d'impatience.
Elle était d'humeur grincheuse le matin, et ce matin-là en particulier.

— Jonas, attrape une rame, ordonna Quinn.

Pendant qu'Élise repliait son filet en arrachant des débris d'algue au passage, le bateau vogua dans la direction de la paroi. À quelques mètres de distance, ils rentrèrent les rames.

— Qu'est-ce que c'est ? demanda Jonas.

Tous quatre regardaient l'enceinte avec des yeux ronds. Au-dessus d'eux, elle se confondait avec le ciel, mais quand ils regardaient droit devant, elle était d'un gris nacré, et ce depuis l'apparition de la Zone.

Pourtant, juste au niveau de la ligne de flottaison, elle avait noirci. La zone plus foncée formait sur la paroi des vagues irrégulières semblables à des montagnes russes.

Quinn jeta un coup d'œil en direction du soleil qui pointait au-dessus des montagnes. Les flots s'illuminèrent en quelques minutes. Il attendit que la lumière ait touché l'étendue d'eau entre le bateau et la paroi.

— Elle a changé, dit-il.

Il ôta son tee-shirt et le jeta sur le banc de nage, puis sortit d'un casier un tuba et un masque de plongée, cracha dedans pour nettoyer le verre, l'ajusta sur sa tête, et, sans un mot, plongea par-dessus bord. Le contact de l'eau froide chassa instantanément de sa tête les dernières brumes matinales.

Il nagea jusqu'à la paroi en prenant soin de ne pas la toucher. Jusqu'à environ deux mètres sous la surface, elle était noire.

Quinn remonta, prit une grande inspiration et plongea de nouveau. Il regretta de ne pas avoir emporté ses palmes ; il avait du mal à descendre. Il alla jusqu'à cinq ou six mètres de profondeur puis se laissa flotter jusqu'à la surface et remonta dans le bateau avec l'aide de Jonas.

— C'est comme ça jusqu'au fond, d'après ce que j'ai pu voir, annonça-t-il.

Les quatre adolescents échangèrent un regard.

— Et alors ? fit Élise après un silence. On a du pain sur la planche. Les poissons ne vont pas s'attraper tout seuls.

Quinn réfléchit. Il devait en parler à quelqu'un. Caine ? Albert ? Il n'avait pas vraiment envie d'avoir affaire à l'un ou à l'autre. Et ils avaient des chauves-souris bleues à capturer.

Caine comme Albert étaient bien capables de lui reprocher le fait d'avoir négligé son travail pour les informer d'un fait potentiellement insignifiant.

Ce n'était pas la première fois qu'il regrettait l'absence de Sam. Quoiqu'en y réfléchissant, s'il y avait quelqu'un à qui il aurait voulu en parler, c'était Astrid. Dommage que personne ne sache où la trouver. Il se pouvait bien qu'elle soit morte. Astrid était la seule personne qui, en voyant ce fait étrange, aurait essayé de comprendre ce qu'il signifiait.

— Allez, remettons-nous au boulot, dit-il. On gardera un œil sur la paroi histoire de vérifier si elle change d'aspect au cours de la journée.

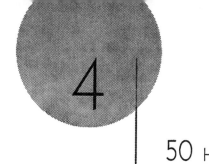

4

PENDANT LES CINQ ANNÉES de sa vie, Pete Ellison avait vécu enfermé dans un cerveau malade, mais c'était fini.

Il avait anéanti son corps brûlant de fièvre, à l'agonie. Pouf. Disparu.

Et maintenant il se trouvait... Où, au fait? Il n'avait pas de mot pour le définir. Il avait été délivré de ce cerveau qui faisait hurler les couleurs et transformait le moindre son en un bruit de cymbales.

Il dérivait maintenant dans un espace habité par un silence merveilleux. Finis les bruits assourdissants, les couleurs criardes, les émotions complexes et violentes. Plus de sœur aux cheveux jaunes et aux yeux bleus perçants.

Mais l'Ombre, elle, était toujours là.

Elle continuait à le chercher et à lui murmurer à l'oreille: *Viens à moi. Viens à moi.*

Maintenant qu'il était débarrassé de la cacophonie dans son cerveau, Pete la distinguait plus nettement. C'était une masse luisante au fond d'une bulle.

La bulle de Pete.

Ce constat le surprit. Mais oui, à présent il se souvenait: tout ce bruit, tous ces gens qui hurlaient, son père affolé, tout cela se déversait comme de la lave brûlante à l'intérieur de son crâne.

Il n'avait pas compris ce qui se passait, mais il voyait clairement la cause de toute cette panique. Un tentacule vert avait touché les espèces de longs bâtons brillants, il les avait caressés avec avidité. Puis ce bras de l'Ombre avait pénétré des esprits faibles, malléables, et exigé d'être nourri avec l'énergie que contenaient ces bâtons.

Cela devait entraîner la libération d'une quantité phénoménale de lumière qui anéantirait toutes les créatures vivantes à l'exception de la créature.

«Fusion du cœur.» C'était l'expression exacte. Elle avait déjà commencé et il était déjà trop tard pour l'arrêter tandis que le père de Pete courait dans tous les sens et que Pete se balançait en gémissant.

Il était trop tard pour stopper la fusion du cœur. Avec les moyens normaux, du moins.

Alors Pete avait créé la bulle.

Savait-il ce qu'il faisait à ce moment-là? Non. Maintenant il regardait en arrière avec un sentiment de perplexité. Il avait agi sur un coup de tête, poussé par la panique.

Par la suite, il s'était produit plein de choses qu'il n'avait pas prévues.

L'univers de Pete n'était que souffrance, maladies, chagrin. Mais l'ancien monde n'était-il pas déjà ainsi?

Il avait perdu sa console portable. Il n'avait plus de corps. Il s'était délivré de son cerveau détraqué. Il ne se balançait plus en équilibre sur la paroi de verre.

Il flottait dans une espèce de brume, un monde vaporeux d'images déconnectées et de rêves. Ce monde-là était calme, et Pete aimait le calme. Dans ce monde, personne ne venait lui dire qu'il était temps de faire telle ou telle chose, d'aller à tel endroit, de presser le pas.

Dans ce monde, il n'y avait pas de sœur aux cheveux jaunes et aux yeux bleus perçants.

Mais à mesure que le temps s'écoulait – et il était certain que, quelque part à défaut d'ici, le temps s'écoulait –, il repensait à sa sœur sans se sentir écrasé par son image.

Il en était surpris. Il pouvait aussi repenser à cette journée à la centrale, aux sirènes assourdissantes, à la panique et à la confusion sans s'affoler ni perdre le contrôle de lui-même.

Se pouvait-il que ses souvenirs soient plus sereins? À moins que quelque chose ait changé en lui?

C'était l'explication la plus probable, car Pete se sentait différent. Pour commencer, il avait l'impression, pour la première fois de sa vie, d'être capable de se questionner sur lui-même.

Une chose était sûre, il en avait assez de son existence déconnectée. Toute sa vie ou presque, la seule paix, le seul plaisir qu'il avait connus, c'était avec sa console de jeux. Or, il n'avait pas de console pour jouer ici.

Il avait cherché un autre jeu, mais rien n'égalait sa vieille console. Il n'y avait que des avatars qui flottaient autour de lui. Des symboles avec des spirales à l'intérieur, seuls ou en groupe.

Il sentait qu'il existait peut-être un jeu, mais, sans boutons de contrôle, comment jouer? Il avait observé à plusieurs reprises les formes qui passaient près de lui, et il lui avait presque semblé qu'elles le regardaient.

Il examina de plus près les avatars. Intéressant. Ces petites formes géométriques avaient tellement de détails à l'intérieur qu'elles semblaient receler tout un univers.

Il se demanda si c'était l'un de ces jeux où il fallait juste... toucher. Il les trouvait cruels et dangereux.

Mais comme Pete s'ennuyait, il toucha l'un des avatars.

Son nom, c'était Terrel Jones, mais tout le monde l'appelait Jonesie. Il n'avait que sept ans mais il était grand pour son âge.

Jonesie était ramasseur d'artichauts. C'était une tâche très pénible. Chaque jour pendant six heures, il devait arpenter les rangées de plants qui lui arrivaient à hauteur de poitrine, un couteau dans sa main gantée et un sac sur l'épaule.

Les plus gros artichauts se trouvaient haut sur la plante, les plus petits près du sol. Ceux du haut devaient mesurer au minimum dix centimètres pour être cueillis et ceux du bas six. C'était la consigne qui avait été donnée aux ramasseurs pour éviter de gâcher la récolte.

Jonesie ne comprenait pas grand-chose à cette règle, mais il ne voyait aucune raison de la contester. Il se contentait de couper les artichauts d'un geste mécanique et de les jeter dans son sac. Quand il avait fini un rang, il passait au suivant puis il allait vider son sac dans le vieux chariot en bois branlant qui reposait sur quatre pneus de voiture.

C'était tout ce que Jonesie avait à faire. Sauf qu'en ce moment même il trouvait sa tâche de plus en plus harassante. Il avait du mal à reprendre haleine.

Arrivé au bout de la rangée, il tituba jusqu'au chariot. Et pourtant, il n'était pas plus chargé que d'habitude. Jamilla, la responsable du chariot, avait un boulot plutôt facile car elle était petite pour ses huit ans. Son rôle consistait à ramasser les artichauts tombés par terre, à les répartir en couche égale dans le chariot et à inscrire le nombre de sacs remplis sur une feuille de papier destinée à Albert afin de tenir le compte de la récolte quotidienne.

— Jonesie! s'emporta-t-elle en le voyant peiner pour verser le contenu de son sac et faire tomber des artichauts par terre autour de lui.

Jonesie voulut protester mais il avait perdu la voix. Quand il essaya d'inspirer de l'air, il ressentit une douleur fulgurante, comme si on venait de lui trancher la gorge d'une oreille à l'autre.

— Jonesie! cria Jamilla alors qu'il tombait face contre terre en suffoquant.

Il voulut porter les mains à sa gorge mais ses bras étaient comme paralysés. Jamilla sauta au bas du chariot et se précipita vers lui. Jonesie distingua à travers un brouillard sa silhouette penchée sur lui et son visage terrifié, sa bouche grande ouverte en un cri silencieux.

Derrière elle, il vit aussi une forme indistincte, transparente sans être invisible, qui approchait de lui une main énorme au doigt tendu. Ce doigt lui traversa le corps mais il ne le sentit pas.

Car à présent, il ne sentait plus rien.

Les hurlements de Jamilla alertèrent Eduardo et Turbo qui travaillaient dans les champs voisins. Ils accoururent chacun d'une direction différente, et Jamilla ne remarqua pas tout de suite leur présence. Les yeux fixés sur le cadavre, elle ne cessait pas de crier.

Brusquement, elle s'enfuit à toutes jambes. Après l'avoir rattrapée, Turbo dut la ceinturer puis la soulever de terre pour l'immobiliser.

— Qu'est-ce qu'il y a ? C'est les vers ?

Il faisait référence aux créatures carnivores qui avaient colonisé la plupart des champs et qu'il fallait amadouer avec des chauves-souris bleues et du poisson.

Une fois calmée par la présence de ses collègues et amis, Jamilla s'arma de courage pour leur expliquer ce qui s'était passé. Mais avant qu'elle ait pu retrouver sa voix, Eduardo demanda :

— Qu'est-ce que c'est que ça ?

Turbo reposa Jamilla par terre et parcourut les quelques mètres qui le séparaient d'Eduardo.

— C'est ce truc qui t'a fait peur, Jammy ?

— On dirait un poisson, observa Eduardo.

— Un gros poisson bizarre, ajouta Turbo. J'ai travaillé quelques jours avec Quinn et je n'en ai jamais vu des comme ça.

— Un poisson avec une armure. Mais qu'est-ce qu'il fabrique au milieu d'un champ d'artichauts ?

Jamilla n'osait pas s'approcher mais elle avait retrouvé la voix.

— C'est Jonesie, répondit-elle.

Les deux garçons se tournèrent lentement vers elle.

— Hein ?

— Il... Quelque chose l'a touché, et tout son corps s'est...

Elle tordit ses mains jointes pour mimer la façon dont le corps de Jonesie s'était disloqué pour former cette... chose.

Ils la dévisagèrent sans comprendre, soulagés, probablement, d'avoir trouvé un prétexte pour ne pas regarder la créature qui selon elle était Jonesie.

— Quelque chose l'a touché? Quelle chose?

— Dieu, répondit Jamilla. La main de Dieu.

Turk amena Cigare les mains liées derrière le dos.

— Détache-le, ordonna Penny.

Cigare était nerveux. Penny lui sourit et il parut se détendre un peu.

— Je ne pense pas que j'aurai des problèmes avec Cigare, dit Penny à Turk. Dans le fond, c'est un bon gars.

Cigare avala péniblement sa salive avant de hocher la tête.

Les fenêtres avaient été condamnées avec des planches. La pièce était vide. Avant de quitter la ville, Sam avait laissé un petit soleil briller dans un coin. Cette unique source de lumière donnait à la pièce un aspect lugubre. L'aube s'était levée mais il était impossible de savoir s'il faisait jour au-dehors. Même les rayons de midi ne pénétraient pas entre ces quatre murs.

— Je regrette vraiment ce qui s'est passé, dit Cigare. C'est vrai, t'as raison: je ne suis pas un mauvais gars.

— Bien sûr que non, déclara Penny. Mais t'es quand même un assassin.

Cigare pâlit et sa main gauche se mit à trembler. « Pourquoi seulement la gauche ? » songea-t-il. Réprimant l'envie de la serrer dans son autre main, il la glissa dans sa poche et s'efforça de respirer calmement.

— C'est quoi, tes goûts, Cigare? demanda Penny.

— Mes goûts?

Elle haussa les épaules. Elle tournait autour de lui à pas de loup.

— C'est quoi, les choses d'avant qui te manquent?

Cigare se tortilla, mal à l'aise. Il n'était pas si bête. Il sentait bien que Penny jouait au jeu du chat et de la souris avec lui. Il connaissait sa réputation. Et sa façon de lui tourner autour en lui jetant des regards inquisiteurs n'augurait rien de bon.

Il opta pour une réponse inoffensive.

— Les bonbons.

— Quel genre de bonbons?

— Les Skittles. Les Red Vines. Et tous les autres aussi.

Penny sourit.

— Regarde dans ta poche.

Cigare tâta les poches de son jean et, sentant quelque chose sous ses doigts, il sortit de l'une d'elles un sachet neuf de Skittles qu'il contempla d'un air éberlué.

— Vas-y, prends-en un.

— Ils n'existent pas pour de vrai, si?

— Goûte, tu verras bien.

Cigare ouvrit le sachet de ses doigts tremblants et fit tomber une demi-douzaine de pastilles colorées par terre avant de parvenir à en verser quelques-unes dans sa main. Il les fourra dans sa bouche.

Il n'avait jamais mangé quelque chose d'aussi merveilleux.

— Où... où tu les as trouvés ?

Penny cessa de faire les cent pas et, se rapprochant de lui, elle braqua brusquement l'index sur sa tête.

— Là-dedans. À l'intérieur de ton crâne.

Cigare considéra d'un air dubitatif les Skittles dans le sachet. Il salivait. Le sucre était un souvenir quasiment oublié, mais il était presque sûr que ces bonbons n'avaient jamais été à ce point délicieux. Il aurait pu en manger des tonnes. Peut-être qu'ils n'étaient pas réels mais leur goût et leur contact dans sa main étaient bien réels, eux.

— C'est bon, hein ? fit Penny tout près de lui.

— Super bon.

— Les gens s'imaginent, parce que ce n'est pas réel, que le plaisir est moins grand. Moi aussi, je le croyais. Mais les images dans ta tête, elles peuvent être plus vraies que la réalité.

Cigare s'aperçut qu'il avait fini le paquet. Il en voulait plus. Il n'avait jamais rien désiré autant que ces Skittles.

— Je peux en avoir d'autres ?

— Si tu me le demandes gentiment, peut-être.

— S'il te plaît. S'il te plaît, je peux en avoir d'autres ?

Rapprochant ses lèvres de son oreille, elle susurra :

— À genoux.

Cigare réfléchit à peine. Plus les secondes passaient, plus il avait envie de ces bonbons. C'était un besoin impérieux. Il avait du mal à respirer tellement il les lui fallait.

Il tomba à genoux.

— Je peux en avoir d'autres ?

— C'est facile de se faire obéir avec toi, lâcha Penny avec un sourire narquois.

Soudain, une poignée de Skittles se matérialisa dans la paume de Cigare. Il les fourra immédiatement dans sa bouche.

— Encore, s'il te plaît.

— Tu veux des Red Vines ?

— Oh oui !

— Lèche-moi les pieds. Non, pas le dessus, idiot.

Elle leva le pied pour qu'il puisse en lécher la plante couverte de terre, et des serpentins rouges et acidulés apparurent dans le creux de sa main. Il roula sur le dos, n'en fit qu'une bouchée, lécha de plus belle les pieds de Penny et obtint d'autres Red Vines. La tête lui tournait, le goût des bonbons l'enivrait. Il n'avait jamais rien mangé d'aussi bon. Il en voulait encore, désespérément.

Les Red Vines étaient toujours dans sa main, mais soudain il avait du mal à les attraper. C'était comme s'ils s'enfonçaient sous sa peau, qu'il devait labourer de ses ongles pour les libérer.

Tout à coup, avec un sursaut d'horreur, il constata que les Red Vines n'étaient plus des bonbons. C'étaient les veines de ses poignets.

Cigare poussa un hurlement d'épouvante et Penny frappa dans ses mains.

— Ha, ha, ha, fit-elle. Cigare, je crois qu'on va beaucoup s'amuser ensemble.

ASTRID RANGEA toutes ses denrées périssables dans son sac à dos. Il ne lui restait pas grand-chose, mais elle risquait de s'absenter longtemps et elle ne pouvait pas supporter l'idée que ce soit gâché.

Elle vérifia son arme. Il y avait quatre cartouches dans son chargeur et cinq autres dans son sac. Neuf au total, susceptibles de tuer n'importe quelle créature terrestre. Excepté Drake.

Drake la terrorisait. Il avait été la première personne à lever la main sur elle. Elle se souvenait encore de la violence de sa gifle. À ce moment-là elle avait su avec certitude qu'il passerait vite aux coups de poings, et que la frapper lui procurerait du plaisir, si bien que rien de ce qu'elle pourrait dire ne l'arrêterait.

Il l'avait forcée à insulter son propre frère et à le trahir.

Pete s'en fichait pas mal, évidemment, mais ç'avait été une torture pour elle. À présent, la culpabilité qu'elle avait éprouvée lui semblait presque cocasse. Elle ne pouvait pas se douter alors qu'elle commettrait un acte bien pire par la suite.

La peur que lui inspirait ce psychopathe était en partie ce qui l'avait poussée à manipuler Sam. Elle avait besoin de sa protection, que ce soit pour elle ou pour le petit Pete. Drake n'était pas Caine. D'accord, Caine était un sociopathe sans cœur capable de tout pour accroître sa domination, mais il n'avait pas de goût particulier pour la violence. Bien qu'amoral, Caine agissait de façon rationnelle.

Aux yeux de Caine, Astrid n'était qu'un pion sur l'échiquier. Aux yeux de Drake, elle était une victime qu'il massacrerait pour son seul plaisir.

Astrid savait pertinemment qu'elle ne viendrait pas à bout de Drake avec un fusil. Elle pouvait lui faire exploser la cervelle sans qu'il meure pour autant. Cependant, cette image lui procurait un certain réconfort.

Elle mit son fusil en bandoulière. Le poids de l'arme et son sac chargé de bouteilles d'eau la ralentissaient un peu et entravaient ses mouvements. Elle n'avait jamais mesuré la distance qui séparait son campement du lac Tramonto, mais elle ne devait pas dépasser les dix kilomètres. Elle suivait la paroi pour ne pas se perdre. Elle devrait marcher à un bon rythme pour arriver avant la nuit et voir Sam.

Sam.

Ce nom seul lui donnait mal au ventre. Il aurait des questions à lui poser. Il lancerait des accusations. Il se mettrait en colère. Mais elle s'en remettrait. Elle était forte, après tout.

Et s'il l'accueillait à bras ouverts? S'il lui avouait qu'il l'aimait encore? Elle était beaucoup moins préparée à ce genre de situation.

Elle avait changé. La fille moralisatrice et pleine de certitudes était morte avec le petit Pete. Elle avait commis l'impardonnable. Et à cette occasion, elle avait découvert celle qu'elle était vraiment : égoïste, manipulatrice, impitoyable. Elle n'était pas digne d'être aimée de Sam. Elle ne pouvait pas l'aimer en retour.

C'était peut-être une erreur d'aller le trouver. Mais en dépit de ses échecs et de sa sottise, elle avait toujours un cerveau. Elle était encore, dans une certaine mesure, Astrid le Petit Génie.

— Ouais, un génie, marmonna-t-elle.

C'était pour ça qu'elle vivait dans les bois, qu'elle avait des piqûres de puces sur les aisselles, qu'elle empestait la fumée et la charogne, qu'elle était couverte de cals et de cicatrices, qu'elle sursautait au moindre bruit, qu'elle était devenue experte dans le maniement d'un fusil. Ça, c'était sans aucun doute la vie d'un génie.

Le sentier se rapprochait de la paroi. Elle le connaissait bien ; à un endroit, il disparaissait de l'autre côté. C'était là que les choses se corseraient sur plus d'un demi-kilomètre, puis elle emprunterait un autre chemin. À moins qu'il ne s'agisse du même sentier qui formait une boucle.

Tout à coup, elle s'aperçut que la partie sombre du mur avait gagné du terrain. Deux taches noires en forme de doigts surgissaient de la terre. La plus haute des deux s'élevait à cinq ou six mètres du sol.

Astrid s'arma de courage puis posa la main sur la partie noire. Elle poussa un cri et jura entre ses dents. Ça faisait toujours très mal au toucher. Rien de nouveau de ce côté-là.

Après s'être frayé un chemin parmi des buissons épais, elle pénétra dans une clairière et, là, elle réfléchit aux moyens de mesurer la tache. À cet endroit aussi, elle voyait des doigts noirs ramper sur la paroi ; ils n'étaient pas aussi hauts que ceux qu'elle avait vus précédemment, et plus fins. Elle examina l'un d'eux pendant près d'une demi-heure, inquiète de laisser filer le temps mais décidée à pousser plus loin ses observations. Si d'autres aspects de sa personnalité avaient disparu ou s'étaient étiolés, sa rigueur scientifique, elle, était restée intacte.

La tache s'étendait. Au début, elle n'avait rien remarqué parce qu'elle s'attendait qu'elle monte, mais elle s'était élargie.

— Tu sais encore calculer l'aire d'une sphère ? songea-t-elle tout haut. Quatre pi r au carré.

Tout en marchant, elle fit le calcul dans sa tête. Le diamètre de la zone était de trente kilomètres, donc son rayon mesurait quinze kilomètres.

— Quatre fois pi, ça fait à peu près douze. R au carré, ça fait deux cent vingt-cinq. Donc la surface de la paroi est de deux mille sept cents mètres carrés environ. Bien sûr, la moitié est sous la terre ou sous l'eau, donc ça fait mille trois cent cinquante mètres carrés de dôme poursuivit-elle en se délectant de la précision des chiffres. Après, tout dépend de la vitesse à laquelle la tache s'étend.

Combien de temps restait-il avant que le dôme ne devienne entièrement noir ? Car Astrid était à peu près certaine que la tache continuerait à s'étendre.

Un vieux souvenir surgit du fond de ses pensées : Sam lui avouant qu'il avait peur du noir. C'était dans sa chambre, dans son ancienne maison, celle qu'il avait partagée avec sa mère. C'était peut-être la raison pour laquelle, dans un élan de panique, il avait créé le premier de ses soleils. Depuis, Sam avait affronté beaucoup d'autres peurs bien plus grandes. Il avait sûrement appris à surmonter sa vieille phobie. Du moins l'espérait-elle. Car elle avait le pressentiment terrible qu'une très longue nuit se préparait.

Le bébé refusait de la regarder. Diana, elle, le regardait, même si cela la remplissait de terreur.

Il savait déjà marcher. Mais c'était un rêve, donc, évidemment, il n'obéissait pas forcément à la logique. C'était un rêve, oui. Elle en était certaine parce qu'elle savait que le bébé ne pouvait pas encore marcher.

Cette chose était à l'intérieur d'elle. Un corps enfermé dans le sien. Elle se le représentait les yeux fermés, ses jambes minuscules ramenées contre sa poitrine.

Il était aussi dans sa tête, maintenant. Dans son rêve, plus précisément, et il refusait de la regarder.

« Tu ne veux pas me montrer tes yeux », disait-elle.

Il tenait quelque chose à la main. Ses petits doigts palmés de fœtus agrippaient une peluche noir et blanc. « Non », gémit Diana. La peluche avait une petite bouche rouge et boudeuse.

« Non », répéta Diana, la peur au ventre.

Le bébé, qui semblait avoir entendu sa voix, lui tendit la peluche comme s'il voulait qu'elle la prenne. Mais Diana ne s'en sentait pas capable ; ses bras pesaient comme du plomb.

«Non, gémissait-elle. Je ne veux pas la voir.»

Mais le bébé, lui, voulait qu'elle la regarde. Il insistait et elle restait là, incapable de détourner les yeux ou de fuir et, oh! comme elle avait envie de s'en aller!

Qu'est-ce que c'est, maman? La voix n'en était pas une, ce n'étaient que des mots comme ceux qu'on tape sur un clavier. Elle pouvait les entendre mais aussi les voir en toutes lettres. Bam bam bam, chaque lettre lui martelait le cerveau.

Le bébé lui mit la peluche noir et blanc sous le nez et demanda de nouveau: *Qu'est-ce que c'est, maman?*

Il fallait qu'elle lui réponde. Elle n'avait pas le choix.

«Panda», dit-elle, et une immense tristesse la submergea.

Panda, répéta le bébé en lui adressant un sourire sans dents, le sourire de la bouche rouge du panda.

Diana s'éveilla brusquement et ouvrit les yeux.

Les larmes lui brouillaient la vue. Elle roula hors du lit. La caravane était minuscule, mais propre et bien rangée. Elle avait de la chance, étant la seule personne avec Sam à ne pas être obligée de partager sa chambre.

Panda.

Le bébé savait. Il savait qu'elle avait mangé un morceau du garçon surnommé Panda. Son âme était exposée à sa vue. Il savait tout d'elle.

Comment pourrait-elle être mère alors qu'elle portait ce crime terrible en elle?

Elle méritait l'enfer. Et elle avait l'impression horrible que ce bébé dans son ventre était le démon envoyé pour l'y conduire.

— Je n'aime pas l'idée de laisser ces roquettes sans surveillance, dit Sam.

Edilio ne répondit pas. Il se tortilla, l'air mal à l'aise, et jeta un regard vers le ponton pour s'assurer que personne ne les écoutait.

Sam, Edilio, Dekka et Mohamed Kadeer s'étaient rassemblés sur le pont supérieur de la Péniche Blanche. Elle n'était pas blanche à proprement parler – plutôt d'un rose sale – mais on la nommait ainsi en référence à la Maison Blanche, parce que c'était là que se réunissaient les chefs de la communauté.

C'était aussi là que logeait Sam avec Dekka, Sinder, Jezzie et Mohamed.

Mohamed était membre non votant du Conseil du lac Tramonto. Mais surtout, il était le représentant d'Albert au sein de la communauté. Certains disaient «représentant», d'autres «espion». Ça ne faisait pas grande différence. Sam avait vite décidé de ne pas faire de cachotteries à Albert. Il devait être tenu au courant de ce qui se passait. De toute façon, il finissait toujours par tout savoir: Albert était l'équivalent d'un milliardaire dans la Zone, bien que ses richesses se comptent en bertos, la monnaie locale créée à partir de jetons McDonald's, en nourriture ou en force de travail.

La Péniche Blanche comprenait deux cabines à l'arrière, chacune équipée d'une mezzanine et d'un lit double. Sinder et Jezzie se partageaient la première cabine, Mohamed et Dekka la seconde. Quant à Sam, il avait la petite cabine à l'avant pour lui tout seul.

— Si les gens de Caine découvrent leur existence…

Dekka laissa sa phrase en suspens.

— Alors on risque d'avoir un problème, dit Sam. Mais il n'est pas question d'utiliser ces machins. Il faut juste nous assurer que Caine ne s'en servira pas non plus.

— Oui, et Caine gobera bien sûr nos explications vu qu'il n'est tellement pas du genre à se méfier ! lâcha Dekka d'un ton cassant.

À l'origine, ces roquettes faisaient partie d'un stratagème désespéré visant à gagner la côte au départ de la base aérienne d'Evanston. En privant de sa gravité le container renfermant les roquettes, Dekka l'avait utilisé comme une plate-forme pour se propulser le long de la paroi.

Ce plan avait presque réussi. Presque, car les armes avaient échoué dans un endroit où on pourrait bien les retrouver et décider de s'en servir.

La cinquième personne présente sur le pont de la péniche n'était pas membre du Conseil. Le dénommé Toto avait été trouvé au milieu du désert, dans un complexe militaire dont la majeure partie se trouvait de l'autre côté de l'enceinte. On l'avait enfermé là pour observer les mutations qui se manifestaient à Perdido Beach et dans les environs.

Les baraquements avaient été construits avant la Zone. Le gouvernement savait, ou du moins soupçonnait, que des choses très étranges s'étaient produites dans les mois qui avaient précédé l'apparition du dôme.

Toto n'était probablement pas loin d'être cliniquement fou. Il était resté seul – trop seul, sans doute – pendant sept mois. Il avait encore tendance à parler à Spiderman, ou du moins à son fantôme depuis que Sam avait brûlé le buste en polystyrène du superhéros dans un élan de colère.

Ce n'était clairement pas le signe d'une bonne santé mentale. Mais, fou ou pas, Toto avait le pouvoir de dissocier instantanément la vérité du mensonge. Même quand on ne lui demandait rien.

— Sam ne dit pas la vérité, annonça-t-il.

— Je n'ai pas envie de me servir de ces roquettes ! protesta Sam avec véhémence.

— C'est vrai, dit Toto d'un ton conciliant. Mais tu mens quand tu prétends que tu ne t'en serviras jamais. (Il ajouta précipitamment en aparté :) Sam pense qu'il y sera peut-être obligé.

Sam serra les dents. Toto était une personne extrêmement utile. En général, du moins.

— Je crois qu'on l'avait tous deviné, Toto, intervint Dekka.

Si Dekka avait récupéré physiquement du calvaire que lui avaient infligé les insectes, elle ne s'était toujours pas remise de sa confession à Brianna alors qu'elle se croyait mourante. Les deux filles étaient mal à l'aise en présence l'une de l'autre.

Dekka n'avait jamais explicitement raconté à Sam ce qu'elle avait murmuré à l'oreille de Brianna, mais il était quasiment sûr de le savoir. Dekka était amoureuse de Brianna. Et, à l'évidence, ce n'était pas réciproque.

— Oui, elle l'a peut-être deviné, dit Toto en s'adressant à sa manche.

— Mohamed, que pense Albert de tout ça ?

Mohamed avait pour habitude d'observer un long silence avant de répondre à une question, même quand on lui demandait comment il allait. C'était probablement l'une des caractéristiques qu'Albert appréciait chez lui. Ces derniers temps, il devenait suspicieux, voire paranoïaque, et il avait développé une manie du secret.

— Albert ne m'en a jamais parlé. Je ne sais même pas s'il est courant pour les roquettes.

Dekka leva les yeux au ciel.

— Ne te donne même pas la peine de nous renseigner, Toto. On sait tous qu'il raconte des salades.

— Il dit la vérité, déclara Toto.

Mohamed marqua une autre pause. C'était un garçon séduisant avec une ombre de moustache sur la lèvre supérieure.

— Bien sûr, maintenant que je suis au courant, il faudra que je lui en parle.

— Si on les laisse là où elles sont, tôt ou tard quelqu'un va tomber dessus, dit Sam.

— Avec tout le respect que je te dois, c'est ce dont tu essaies de te convaincre, lança Edilio.

— Pourquoi je ferais ça ? répliqua Sam, et, se penchant, il ouvrit les bras pour signifier qu'il n'avait rien à cacher.

Edilio lui sourit avec affection.

— Parce qu'on a la paix depuis quatre mois, mon pote. Et que tu t'ennuies.

— Ce n'est pas...

Sam s'interrompit en jetant un regard vers Toto.

— Mais si les roquettes doivent être quelque part, il vaut mieux que ce soit ici, conclut Edilio à contrecœur.

— Bon, on va les chercher, annonça Sam. Dekka, ce sera à toi et à Jack de les déplacer. On demandera à Brianna de sécuriser le périmètre et de s'assurer qu'il n'y a personne dans les parages. Les roquettes sont sur le territoire de Caine, juste après la frontière. Il faudra les transporter le plus vite possible sur nos terres, et les charger sur une camionnette.

— Tu veux gaspiller de l'essence pour ça ? s'étonna Mohamed.

— Ça se justifie, non ?

Mohamed ouvrit les bras comme pour s'excuser.

— L'essence, c'est Albert qui la contrôle.

— Écoute, si Albert nous en donne, c'est qu'il nous soutient. Et si, pour une fois, on ne lui disait rien ? Il ne nous faudra pas plus de quelques litres. On siphonnera plusieurs réservoirs pour que ça ne se voie pas sur tes livres de comptes.

Mohamed observa un silence encore plus long que d'habitude.

— Tu n'as rien dit et je n'ai rien entendu.

— Ce n'est pas vrai, dit Toto.

— Oui, fit Dekka en levant les yeux au ciel. On sait.

— Bon, ce soir, Brise part devant. Dekka, Jack et moi on prend le camion, on le gare pas trop près de la plage puis on fait le reste du chemin à pied. Espérons qu'on sera rentrés demain matin.

— Et moi, patron ? demanda Edilio.

— Le poste de maire-adjoint, c'est un lourd fardeau, quelquefois.

Sam sourit. Il se sentait excité à l'idée d'une mission nocturne. Edilio avait raison : diriger la communauté du lac s'avérait ennuyeux une fois l'agitation du premier mois retombée. Dans le fond, Sam détestait gérer les petits détails et prendre des décisions insignifiantes. Il passait le plus clair de son temps à arbitrer des conflits stupides au sujet de tout et de rien : des gamins qui se disputaient la propriété d'un jouet ou qui séchaient les heures de travail qu'ils devaient à la ville, des idées folles pour s'échapper de la Zone, des plaintes concernant la répartition des logements, des violations des règles sanitaires. De plus en plus, et non sans culpabilité, il se tournait vers Edilio pour régler ces questions.

Cela faisait des mois que Sam n'avait pas eu à s'occuper d'un problème sérieux, et cette mission était l'occasion de mettre un peu de piment dans leur existence sans s'exposer à de grands dangers.

La réunion s'acheva. Sam se leva en s'étirant et aperçut Sinder et Jezzie qui couraient le long de la berge. Elles revenaient de l'extrémité est du lac, où elles faisaient pousser un petit carré de légumes irrigué.

À leur attitude, il comprit que quelque chose ne tournait pas rond.

La péniche de Sam était amarrée au bout du seul ponton encore debout. Il attendit que Sinder et Jezzie s'arrêtent en-dessous de lui.

— Sam ! hoqueta Sinder, hors d'haleine.

Elle essayait encore de cultiver un look gothique : même si le maquillage se faisait rare, elle trouvait toujours des vêtements noirs.

— Quoi de neuf, Sinder ? Salut, Jezzie.

Sinder rassembla ses esprits et reprit son souffle avant de répondre :

— Ça va te paraître dingue mais la paroi... a changé.

— On était en train de désherber les plants de carottes, ajouta Jezzie.

— Et on a remarqué une espèce de tache noire.

— Hein?

— La paroi. Elle change de couleur.

6

HEURES
17 MINUTES

QUINN LAISSA SES ÉQUIPAGES décharger le poisson sur la jetée. En temps normal, il allait directement chez Albert pour lui faire le compte rendu de la pêche du jour, mais il avait des préoccupations plus urgentes. Il voulait vérifier que Cigare allait bien.

Il restait encore une heure avant la tombée de la nuit, et il tenait au moins à prodiguer quelques encouragements à son ami.

La place était vide. Les enfants travaillaient encore dans les champs.

Avachi sur les marches de la mairie, Turk dormait, une casquette de base-ball rabattue sur les yeux, son fusil calé entre ses jambes croisées.

Une fille traversa la place en pressant le pas. Elle jeta un regard craintif en direction de l'hôtel de ville. Quinn, qui la connaissait un peu, lui adressa un petit signe de la main. En le voyant, elle secoua la tête et s'éloigna rapidement.

Soudain inquiet, Quinn entra dans la mairie et gravit les marches qui menaient à la cellule de Cigare.

Il trouva facilement la porte et tendit l'oreille. Aucun bruit ne lui parvint de l'intérieur.

— Cigare? T'es là-dedans?

La porte s'ouvrit et Penny s'avança sur le seuil.

— Ce n'est pas encore l'heure, dit-elle en lui barrant le passage.

Baissant les yeux, Quinn vit des taches de sang sur sa robe à bretelles et sur ses petits pieds nus. Ses yeux brillaient d'une lueur fiévreuse. Extatique.

— Écarte-toi, dit-il.

Penny le jaugea du regard comme si elle essayait de lire dans ses pensées ou de prévoir ses réactions.

— Qu'est-ce que t'as fait, espèce de sorcière?

Soudain, il eut du mal à trouver son souffle et son cœur se mit à tambouriner dans sa poitrine. La peau de ses bras brûlés par le soleil se craquela comme de la boue séchée et prit une teinte cadavérique.

— Tu me menaces, Quinn?

La peau de Quinn retrouva son aspect normal.

— Je veux voir Cigare, dit-il, refoulant sa peur.

Penny hocha la tête.

— C'est d'accord. Entre.

Quinn la poussa pour s'engouffrer dans la pièce. Cigare était recroquevillé dans un coin. D'abord, Quinn crut qu'il dormait, mais sa chemise était trempée de sang.

— Cigare... Ça va?

Comme Cigare ne bougeait pas, Quinn s'agenouilla près de lui et lui releva le menton. Il lui fallut quelques secondes pour comprendre ce qu'il voyait.

À la place des yeux, deux trous vides et sanguinolents fixaient Quinn.

Soudain, Cigare poussa un hurlement. Quinn recula d'un bond.

— Qu'est-ce que tu lui as fait? Qu'est-ce que tu lui as fait?

— Je ne l'ai pas touché, répondit Penny en riant. Regarde ses mains! Regarde ses poignets! Il s'est fait ça tout seul. Je me suis bien marrée à le regarder faire.

Sans même réfléchir, Quinn décocha un coup de poing dans le nez de Penny, qui fut projetée en arrière et tomba sur les fesses. Puis, agrippant fermement le bras couvert de sang de Cigare, il dit:

— On va voir Lana.

Penny poussa un rugissement et, tout à coup, le corps de Quinn s'embrasa. Il poussa un hurlement de frayeur. Les flammes se propagèrent rapidement à ses vêtements et dévorèrent sa chair.

Quinn avait beau savoir que ce n'était pas réel, il n'arrivait pas à ne pas le croire. Il sentait l'odeur de la chair carbonisée et entendait le bruit qu'elle faisait en éclatant. Il donna un coup de pied à l'aveuglette, qui atteignit Penny en pleine tête.

Le feu cessa instantanément.

Penny roula sur le sol et se releva péniblement en s'efforçant de reprendre le contrôle de son cerveau désorienté. En un éclair Quinn se glissa derrière elle et étreignit sa gorge de son bras musclé.

— Je vais te rompre le cou, Penny. Je te jure que je vais

te rompre le cou. Et tu peux faire ce que tu veux, tu ne m'en empêcheras pas.

Penny s'affaissa contre lui.

— Tu crois que le roi te laissera t'en tirer comme ça, Quinn ? siffla-t-elle.

— Si on s'en prend à moi, Penny, que ce soit toi ou un autre, je me mets en grève. On verra comment vous vous en sortirez pour bouffer sans moi et mon équipe.

À ces mots, Quinn la repoussa brusquement et, prenant de nouveau le bras de Cigare, il le traîna vers la sortie.

Certaines tâches étaient plus dures que d'autres. Blake et Bonnie avaient hérité de la pire : l'entretien de la fosse septique aussi surnommée le Trou.

Dekka avait eu recours à ses pouvoirs pour les aider à creuser, mais il avait encore fallu une vingtaine d'autres enfants pour évacuer la terre qu'elle avait fait léviter. Le résultat était un fossé de trois mètres de profondeur, de sept mètres de long et d'un mètre de large. Enfin, c'était une estimation : personne n'avait pris la peine de mesurer.

La tranchée avait été recouverte avec une tôle en acier prélevée sur l'un des wagons du train transportant le Nutella. C'était Sam qui l'avait découpée. Dekka et Orc l'avaient transportée jusqu'aux abords du lac, puis Sam avait percé cinq trous de soixante centimètres de diamètre dedans.

C'est là que Blake et Bonnie étaient entrés en scène. Pris séparément, ils n'avaient aucun talent particulier pour la construction, mais ensemble ils possédaient une espèce de génie bizarre qu'avait repéré Edilio, leur supérieur direct.

Avec son aide, ils avaient construit cinq petites cabanes perchées au-dessus des trous avec des caisses dont ils avaient ôté le dessus et dans lesquelles ils avaient pratiqué une ouverture. Le résultat final, c'étaient cinq cabines à ciel ouvert avec une entrée étroite masquée par un rideau de douche pour préserver un peu d'intimité.

L'ennui, avec ces toits ouverts, c'est que la tête des plus grands dépassait, mais, d'un autre côté, c'était un bon moyen d'évacuer en partie la puanteur de la fosse septique.

Les cabines étaient équipées de bancs fabriqués avec les planches des bureaux de la base aérienne. Sam avait percé un trou dans chacun, et Blake et Bonnie avaient eu la bonne idée d'y fixer de vrais sièges de toilettes.

Une fois qu'on en avait pris l'habitude, il y avait une certaine poésie dans le fait de se soulager sous les étoiles. Si l'on passait outre l'absence de papier toilettes. Blake et Bonnie avaient partiellement résolu le problème en vendant les rapports officiels et autres dossiers trouvés dans les baraquements militaires, ainsi que de vieux ouvrages de référence.

Bien entendu, les deux B étaient responsables de la propreté des lieux. D'habitude, ce n'était pas bien difficile, car Bonnie n'avait aucun scrupule à dénoncer vertement ceux qui ne laissaient pas les toilettes dans l'état où ils les avaient trouvées.

Quant aux horaires, ils n'étaient pas très contraignants. Absolument personne ne voulant de leur travail, on leur laissait plein de temps libre et, comme ils n'étaient encore que des enfants, ils l'occupaient à nager, à ramasser des cailloux et à jouer à un jeu de guerre impliquant diverses figurines, des têtes de poupées Barbie et des insectes dignes d'intérêt.

Ils y jouaient en ce moment même. Ils avaient formé un tas de sable à une trentaine de mètres du Trou et ils se disputaient à propos d'une tête de Barbie pour savoir si oui ou non elle avait le dessus sur un trio de scarabées en piteux état.

Deux cabinets étaient occupés : le numéro un par Patrick et le numéro quatre par Diana, qui passait beaucoup de temps aux toilettes depuis qu'elle était enceinte.

Blake s'empara avec colère de la tête de Barbie.

— Bon, si tu veux pas suivre les règles...

Ce genre de dispute survenait au moins six fois par jour. Il n'y avait pas vraiment de règles à ce jeu.

Bonnie était sur le point de protester avec véhémence qu'elle ne trichait pas quand les traits de son visage se brouillèrent comme un portrait pas encore sec auquel on aurait donné un coup d'éponge.

Blake observa avec des yeux ronds le visage le plus familier de son petit monde et le vit s'aplatir comme une image en deux dimensions. Puis une silhouette, transparente sans être invisible, sembla passer à travers.

Bonnie eut un soubresaut, comme une marionnette agitée par des fils. Ses yeux s'écarquillèrent, ses traits se brouillèrent à nouveau et sa bouche parut dégouliner le long de son menton.

Un doigt haut comme un arbre et qui semblait léger comme l'air passa au-dessus d'elle, revint pour la toucher et disparut.

Un spasme terrible secoua Bonnie puis elle s'immobilisa et tomba de tout son long sur sa petite armée.

Blake regarda bouche bée la chose étendue dans la terre, qui n'avait plus rien de Bonnie : elle ne possédait plus qu'un bras et la moitié d'un visage. Quant au reste de son corps, qui ne mesurait pas plus de soixante centimètres, on aurait dit une souche d'arbre en décomposition.

Blake se mit à hurler et, ne sachant que faire, il saisit par son unique bras la souche au visage humain et la jeta vers le Trou.

Il la ramassa de nouveau sans cesser de s'époumoner et la traîna vers le cabinet numéro cinq, tandis que Diana et Pat, alertés par le bruit, lui criaient d'arrêter. Mais Blake ne pouvait pas s'arrêter, il devait se débarrasser de ce monstre qui avait pris la place de son amie.

Diana l'avait presque rejoint quand il jeta la chose dans le trou du cabinet numéro cinq.

— Qu'est-ce qui se passe ? cria Pat en accourant vers eux. Blake garda le silence.

— Il tenait une espèce de…, répondit Diana avec une grimace avant d'ajouter : Je ne sais pas ce que c'était.

— C'était un monstre, dit Blake.

— Tu m'as fait une peur bleue ! rugit Patrick. C'est vrai, quoi, joue à ton jeu si ça te chante mais ne te mets pas à hurler comme ça pendant que je fais mon affaire.

Sur ces mots, il s'éloigna au pas de charge vers le lac.

— Où est ton amie ? demanda calmement Diana.

Blake secoua la tête d'un air morne et son regard se voila.

— Je ne sais pas, répondit-il. Je crois qu'elle est partie.

Orc lisait.

Cette vision d'Orc assis sur un rocher avec un livre à la main, Howard ne se l'expliquait toujours pas.

Orc et Howard avaient suivi Sam au lac Tramonto lors du Grand Chamboulement. Sam était un enquiquineur, mais, contrairement à Caine, il n'était pas capable de les jeter contre un mur.

Le seul problème avec le lac, c'est que la plupart des enfants qui buvaient et se droguaient étaient restés à Perdido Beach. Howard fabriquait encore du whisky à Coates mais le trajet du lac jusqu'au pensionnat n'était pas à proprement parler une partie de plaisir, et Howard ne pouvait pas transporter plus d'une douzaine de bouteilles chaque fois.

Orc pouvait porter beaucoup plus, bien sûr, mais il refusait désormais de l'aider. Il s'était mis à lire la Bible.

À présent, la tâche d'Orc consistait à surveiller la petite ferme de Sinder, ce qui revenait pour l'essentiel à lire, assis sur un rocher.

La ferme de Sinder n'était guère plus grande qu'une arrière-cour. Son lopin de terre était le lit d'une rivière à l'époque où il pleuvait encore sur les montagnes et où les cours d'eau voisins alimentaient le lac. Orc l'avait aidée à creuser un réseau de canaux peu profonds permettant d'irriguer les rangs de fruits et de légumes avec l'eau du lac.

Sinder et Jezzie y passaient leurs journées à planter et à prendre soin de leurs cultures. Orc y passait lui aussi le plus clair de son temps. Il avait installé une petite tente à côté de son rocher, où il dormait la plupart des nuits.

Howard était venu y dormir quelquefois dans le dessein d'entretenir son amitié avec Orc et de le détourner de sa nouvelle sobriété.

Non qu'Howard aimât voir Orc soûl. Orc n'avait pas d'argent, donc tout ce qu'il buvait, Howard devait le déduire de ses profits. Mais depuis qu'il avait décidé d'arrêter l'alcool et de lire la Bible, Orc n'était plus d'aucune utilité pour Howard en matière d'intimidation, de recouvrement de dettes et de transport de bouteilles.

— Ça veut dire quoi, «simple d'esprit»? demanda-t-il à Howard en épelant le dernier mot.

— Je sais comment ça s'écrit, aboya Howard. Ça veut dire mauviette. Faible. Pathétique. Naze. Victime. Débile qui lit la Bible... Voilà ce que ça veut dire.

— Là, ça dit qu'ils sont heureux.

— Ouais, répliqua Howard avec férocité, parce que c'est toujours comme ça que ça se passe : ce sont les faibles qui finissent par gagner.

— Le royaume des cieux leur appartient, poursuivit Orc d'un ton dubitatif. Qu'est-ce que ça veut dire ?

— Tu sais que tu me gonfles, Orc ?

Orc orienta son livre pour mieux y voir ; le soleil se couchait à l'horizon.

— Où sont passées la gothique et sa copine l'emo ? s'enquit Howard.

— Elles sont allées chercher Sam, grommela Orc.

— Sam ? Pourquoi tu ne m'as rien dit ?

Howard chercha des yeux une planque pour son sac à dos. Il s'apprêtait à faire sa tournée. Sam n'irait pas jusqu'à fermer le petit commerce d'Howard, mais il pouvait bien se mettre en tête de confisquer sa production.

— Je crois que ça veut dire qu'ils prennent le pouvoir, reprit Orc.

Howard cacha son sac derrière un buisson et recula de quelques pas pour s'assurer qu'il n'était pas visible.

— C'est ça. Les faibles prendront le pouvoir. Et les lapins flanqueront une raclée aux coyotes. Ne sois pas bête, Orc.

Avant, à l'époque où Orc était encore lui-même, Howard ne l'aurait jamais insulté. Il le vit cependant plisser les yeux, une des rares parties de son corps encore humaines. Orc n'était plus qu'un gros tas de gravier vivant avec une petite parcelle de peau au niveau de la bouche et d'une joue. Howard regretta presque qu'il ne le frappe pas. Au moins, ça lui aurait ressemblé. Mais Orc se contenta de répondre :

— Tu sais, il y a beaucoup plus de lapins que de coyotes.

— Pourquoi les filles sont allées chercher Sam ?

Howard jeta un œil vers la marina, le centre de la vie communautaire au bord du lac, et vit Sam, Jezzie et Sinder se presser dans leur direction.

— « Bénis soient ceux qui ont faim et soif de justice », lut Orc à voix haute de son ton laborieux.

— Tu vas me demander ce que ça veut dire, Orc ? s'emporta Howard. Si tu veux mon avis, la justice, c'est pas quelque chose dont tu devrais t'occuper.

Le visage d'Orc n'était pas capable d'exprimer beaucoup d'émotions, mais Howard comprit qu'il avait tapé dans le mille. Dans un accès de rage éthylique, Orc avait tué un gamin par accident à Perdido Beach. Personne n'était au courant hormis Howard.

— Qu'est-ce que c'est que ça ? demanda-t-il en montrant quelque chose derrière Orc.

Il venait d'apercevoir une tache sur le dôme.

— C'est pour ça qu'elles sont allées chercher Sam.

À cet instant, Sam et les filles les rejoignirent. Sam adressa un signe de tête à Howard et lança :

— Ça va, Orc ?

Puis il se dirigea droit sur la paroi et observa la tache qui émergeait tel un pic derrière le rocher d'Orc.

— Vous avez vu ça ailleurs ? demanda Sam à Sinder.

— On ne va jamais nulle part, répondit-elle.

— J'apprécie votre dévouement, lâcha-t-il, mais il ne prêtait aucune attention à Sinder et à Jezzie.

Il longea l'enceinte en direction du lac et Howard lui emboîta le pas, soulagé qu'il n'ait pas repéré son sac à dos.

— C'est quoi, à ton avis ?

— Là, une autre tache, dit Sam en en montrant une beaucoup plus petite qui s'élevait du sol.

Il poursuivit sa route et ils atteignirent le bord du lac. Là encore une tache noire s'étirait sur la paroi en formant des ondulations.

— Qu'est-ce que… ? marmonna Sam. Tu avais remarqué, Howard ?

Howard haussa les épaules.

— Non. Je ne m'approche pas beaucoup de ce mur.

— C'est vrai. Tu te contentes d'aller et venir entre ici et le pensionnat.

Howard sentit un frisson lui parcourir le dos.

— Tu penses bien que je suis au courant pour ton alambic, reprit Sam. Tu sais que c'est de l'autre côté de la frontière, sur le territoire de Caine. S'il t'attrape là-bas, tu vas passer un sale quart d'heure, à moins que tu acceptes de partager tes bénéfices avec lui.

Howard fit la grimace et prit le parti de ne pas répondre.

— Ça s'étend, marmonna Sam sans quitter la tache des yeux. Ça a changé de forme à l'instant.

— Moi aussi, j'ai vu, dit Sinder en cherchant sur le visage de Sam un signe qui pourrait la rassurer.

«Bizarre», songea Howard. Lui aussi aurait aimé que Sam le rassure. Bien qu'ils aient parfois été ennemis par le passé et qu'ils le soient encore à l'occasion, il attendait de lui une réponse rapide à cette histoire de tache. Mais l'air préoccupé de Sam n'augurait rien de bon.

— Qu'est-ce que c'est? demanda Howard.

Sam secoua la tête. Soudain, son visage hâlé sembla bien plus vieux que ses quinze ans. Howard eut la vision d'un Sam âgé avec des cheveux blancs et un visage émacié creusé de rides. Un visage marqué par les souffrances et les soucis qu'il avait endurés.

Howard éprouva l'envie soudaine et ridicule de lui offrir un verre. Visiblement, il en avait bien besoin.

7

POSTÉE SUR LES HAUTEURS à l'ouest, Astrid contemplait le lac que le mur coupait en deux. Elle ne pouvait plus le suivre sans s'éloigner de sa destination. De toute manière, bientôt il ferait trop sombre pour voir les taches. Il était grand temps de retourner à la civilisation.

Le soleil se couchait et, au loin, un petit feu brûlait au centre d'un cercle formé par des tentes et des caravanes. Astrid n'apercevait pas d'enfants autour du feu, mais elle voyait de temps à autre des silhouettes passer devant les flammes.

Maintenant qu'elle était là, elle ne pouvait plus maîtriser ses émotions. Elle allait revoir Sam. Et tous les autres, aussi. Elle devrait sans doute essuyer des regards noirs et des insultes.

Ça, elle pouvait le supporter. Mais elle allait revoir Sam. C'était le plus important. Sam.

Sam. Sam. Sam.

— Arrête, se dit-elle à voix haute.

Une catastrophe se préparait et elle devait aider ses amis à comprendre ce qui se passait.

— Tu parles.

Astrid avait l'impression de plus en plus tenace qu'elle cherchait juste une excuse pour voir Sam. En même temps, elle était peut-être aussi à l'affût d'un prétexte pour rebrousser chemin et se soustraire à son devoir d'aider les autres.

Après avoir changé son arme d'épaule, elle se dirigea vers le feu.

En chemin, elle trouva une méthode simple pour mesurer l'étendue de la tache noire sur la paroi. Si quelqu'un possédait un appareil photo numérique encore en état de marche, ce serait facile. Elle réfléchit. Un échantillon de cinq lieux, peut-être. En calculant chaque jour la progression, elle obtiendrait des données assez précises.

— Qui est là ? cria une voix dans l'obscurité.

— Pas de panique, répondit Astrid.

— Réponds ou je tire, fit la voix.

— C'est Astrid.

— Pas possible !

Un garçon âgé d'une dizaine d'années tout au plus émergea d'un buisson. Il la tenait en joue avec son fusil, un doigt posé sur la détente.

— C'est toi, Tim ? demanda Astrid.

— Waouh, c'est vraiment toi, dit le gamin. Je croyais que t'étais morte.

— Tu sais ce que disait Mark Twain ? «L'annonce de ma mort est grandement exagérée.»

— Ça oui, c'est bien toi.

Tim remit son fusil en bandoulière.

— C'est bon, tu peux y aller. Je suis pas censé laisser passer les gens que je connais pas, mais toi je te connais.

— Merci. Contente de constater que tu es guéri. La dernière fois que je t'ai vu, tu avais la grippe.

— La grippe, c'est terminé. Espérons qu'elle va pas revenir.

Astrid se remit en marche. Elle passa devant quelques tentes et une vieille caravane avant d'atteindre le campement autour du feu. Des rires lui parvinrent.

Elle s'approcha, en proie à une grande nervosité. La première personne à l'apercevoir fut une fille qui donna un coup de coude à sa voisine plus âgée. Astrid reconnut immédiatement Diana.

Celle-ci la dévisagea sans manifester la moindre surprise.

— Tiens, salut, Astrid. Où tu étais passée ?

Les conversations et les rires se turent, puis une trentaine de visages nimbés d'une lueur orangée se tournèrent vers elle.

— J'ai... pris le large, répondit Astrid.

Diana se leva et Astrid s'aperçut avec stupéfaction qu'elle était enceinte. En voyant l'expression de son visage, Diana eut un sourire narquois.

— Oui, il s'est passé beaucoup de choses intéressantes en ton absence.

— Il faut que je voie Sam, annonça Astrid.

Cette déclaration suscita l'hilarité de Diana.

— Ça, je m'en doute. Je vais t'accompagner.

Diana la conduisit à la péniche. Malgré son ventre, elle se déplaçait toujours avec la même grâce désinvolte. Astrid aurait bien aimé savoir bouger comme elle.

— Au fait, tu n'aurais pas croisé une fille en chemin ? Une dénommée Bonnie. Sept ans, je dirais.

— Non.

Installé dans un fauteuil pliant sur le pont supérieur de la péniche, Edilio surveillait les tentes, les caravanes, les camping-cars et les bateaux amarrés sur les berges. Il avait un fusil automatique posé sur les genoux.

— Salut, Edilio, lança Astrid.

Edilio se leva d'un bond, traversa le pont et, après avoir mis son fusil en bandoulière, serra Astrid dans ses bras.

— Dieu merci. Il était temps.

Astrid sentit les larmes lui monter aux yeux.

— Tu m'as manqué.

— Je suppose que tu es ici pour voir Sam.

— Oui.

Edilio renvoya Diana d'un signe de tête et conduisit Astrid vers la cabine à l'avant. Elle était vide.

— Il y a un petit problème, dit-il dans un souffle.

— Il ne veut pas me voir ?

— Il... euh... Il est sorti.

Astrid rit.

— Je suppose, à ton air de conspirateur, qu'il s'est embarqué dans une mission dangereuse ?

Edilio haussa les épaules en souriant.

— Sam reste Sam. Il devrait être rentré d'ici demain matin. Viens, on va te donner à manger et à boire. Tu n'as qu'à passer la nuit ici.

La camionnette se traînait sur la route. Non seulement il fallait économiser l'essence, mais ils conduisaient tous phares éteints pour ne pas se faire repérer de loin. Et puis, la route qui reliait le lac à la quatre-voies était étroite et bétonnée par intermittence seulement.

Enfin, Sam n'avait jamais vraiment appris à conduire. Dekka était assise à l'avant à côté de lui. Pelotonné dans l'espace étroit derrière les sièges, Jack le Crack s'emportait.

— Ne le prends pas mal, Sam, mais tu sors de la route ! Sam ! Tu sors de la route !

— Mais non, tais-toi ! répliqua Sam en donnant un coup de volant pour éviter le fossé.

— C'est comme ça que je vais mourir, gémit Jack. Coincé à l'arrière d'une bagnole au fond d'un fossé.

— Oh, arrête ! Tu es assez costaud pour te sortir de là si on a un accident.

— Fais-moi une faveur, sors-moi de là aussi, dit Dekka.

— Tout va bien, répliqua Sam. Je me débrouille nickel.

— Les coyotes vous nous bouffer, reprit Jack. Ils vont nous ouvrir les entrailles et… (Son regard croisa celui de Sam dans le rétroviseur.) Désolé.

Dekka poussa un soupir.

— Je déteste quand vous vous comportez comme ça. Je ne suis pas en sucre !

Pour sauver Dekka des insectes, il avait fallu l'ouvrir en deux. Malgré les soins prodigués par Lana, elle n'en était pas sortie indemne. Elle faisait bonne figure, mais elle n'était plus la guerrière indestructible et sans peur qu'elle était auparavant.

Après cet épisode et le rejet de Brianna, elle s'était repliée sur elle-même.

— J'espère que Brianna va bien, lança Jack. Je n'aime pas la savoir dehors à la nuit tombée.

— Tant qu'elle reste sur la route et qu'elle y va doucement, elle ne risque rien, dit Sam dans l'espoir de clore le sujet.

Jack était très intelligent dans tous les domaines qui touchaient à la technologie, mais avec les humains il pouvait se montrer extrêmement maladroit.

Évidemment, une fois de plus, il mit les pieds dans le plat.

— Elle est bizarre depuis qu'on s'est installés au bord du lac. On dirait qu'elle...

Sam ne prit pas la peine de lui demander de poursuivre.

— On dirait qu'elle quoi, Jack ? lança Dekka en jetant un regard en coin à Sam.

— Je sais pas. On dirait qu'elle a envie de... Tu vois ?

— Non, je ne vois pas, grommela Dekka. Si tu as quelque chose à dire, crache le morceau.

— Je ne sais pas. D'être gentille avec moi, quoi. L'autre jour, elle m'a embrassé.

— Pauvre petit, lâcha Dekka d'un ton qui aurait glacé n'importe quelle personne un peu plus perspicace.

Jack ouvrit les bras.

— Mais moi j'étais occupé. Elle voyait bien que j'étais occupé.

À ce stade de la conversation, Sam décida qu'il vaudrait peut-être mieux sortir de la route et percuter une clôture.

— Sam ! Sam, Sam, Sam ! cria Jack avec un sursaut de frayeur.

Il s'agrippa si violemment au siège du conducteur qu'à cause de sa force herculéenne Sam se retrouva coincé contre le volant.

— Aïe! s'écria-t-il en freinant brusquement. Bon, ça suffit. Est-ce que l'un de vous veut conduire? Non? Alors fermez-la! J'ai la tête qui va exploser.

Ils se remirent en route et, bientôt, la camionnette s'engagea sur la quatre-voies. Sam parcourut quelques centaines de mètres puis, avisant un point de repère dans le paysage, il se gara sur le bas-côté de la route.

— On va couper par là, OK?

Dekka scruta le pare-brise avant d'acquiescer.

— Oui, je crois que c'est bon.

Ils descendirent de voiture et s'étirèrent. Ils se trouvaient encore à un demi-kilomètre du rivage. Pour l'atteindre, il leur faudrait traverser un champ infesté de vers.

Ces créatures n'ennuyaient plus personne depuis qu'un accord avait été passé avec elles. Dès lors qu'on jetait des chauves-souris bleues et d'autres animaux non comestibles – pour les humains, s'entend – dans le champ pour les nourrir, on pouvait pénétrer sur leur territoire. Au cas où, Dekka avait emporté des entrailles de poissons, de la viande de raton-laveur et des tendons de chevreuil. Elle vida le contenu de son sac à ses pieds. Aussitôt, les vers jaillirent de terre et se précipitèrent sur la nourriture.

— On s'habitue à de ces trucs, observa Jack en secouant la tête.

— Bon, vous l'apprendrez bien assez tôt, alors autant vous en parler maintenant, déclara Sam. Il y a quelque chose de bizarre avec la paroi.

— C'est peut-être à cause des pouvoirs de Sinder, suggéra Jack quand il eut terminé son récit.

Sam hocha la tête.

— C'est possible. Demain, on fera un peu d'exploration, histoire de vérifier si ce phénomène s'est produit ailleurs.

Ils avaient traversé le champ et devaient se frayer un chemin parmi les touffes de mauvaises herbes et de plantes marines qui poussaient au sommet de la butte surplombant la mer.

Sam n'avait pas vu l'océan depuis leur installation au bord du lac. Il était d'un noir de jais à l'exception çà et là d'un vague miroitement. La lune ne s'était pas encore levée. Le murmure des vagues n'était plus qu'un lointain souvenir : il n'y en avait plus depuis l'apparition de la Zone. Mais même le clapotis de l'eau venant lécher la plage touchait le cœur de Sam.

Ayant commis une erreur de localisation de quelques centaines de mètres, ils durent longer la côte vers le nord pour retrouver le container en acier marqué des lettres MAERSK. Il avait fait une chute vertigineuse quand Dekka en avait perdu le contrôle à plusieurs dizaines de mètres du sol.

Son contenu – une série de longues caisses – s'était éparpillé dans le sable. L'une d'elles s'était ouverte. Sam décida de gaspiller un peu de pile et alluma sa lampe torche. Des traces de palmes étaient visibles sur le sable.

Il éteignit, s'immobilisa.

Quelque chose ne tournait pas rond.

— Que personne ne bouge, dit-il en braquant le faisceau de sa lampe sur le sol. Quelqu'un a lissé le sable.

— Hein ? fit Jack.

— Regardez, il est tout plat ici. Comme quand on ratisse

les plages la nuit et qu'au matin toutes les traces de pas ont disparu.

— Tu as raison, dit Dekka. Quelqu'un est venu ici et a effacé les traces de son passage.

Personne ne parla pendant quelques minutes ; tous réfléchissaient aux implications de cette découverte.

— Caine pourrait facilement faire léviter ces trucs pour les déplacer, observa Sam.

— Alors pourquoi ils sont toujours là ? demanda Jack, posté devant la caisse éventrée. (Il trouva lui-même la réponse à sa question.) Ils ont peut-être emporté les autres roquettes et laissé celles-là. On devrait vérifier le contenu des caisses.

Sam s'avança prudemment et éclaira de sa torche le ruban adhésif jaune vif qui scellait chaque caisse. Il avait été tranché avant d'être remis soigneusement en place.

— Elles ne sont plus là, dit-il d'une voix blanche. C'est Caine qui les a.

— Alors pourquoi avoir laissé celles-là derrière lui ?

Sam poussa un soupir.

— Pour nous piéger.

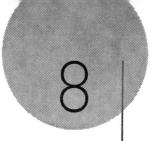

8

36 HEURES
10 MINUTES

— IL NE PEUT PAS s'en tirer comme ça ! s'écria Penny.
Caine ne se laissa pas impressionner.

— Espèce d'idiote ! cria-t-il. Personne ne t'avait demandé d'aller jusque-là !

— Il était à moi pour toute la journée, siffla-t-elle en tamponnant avec un chiffon son nez qui s'était remis à saigner.

— Il s'est arraché les yeux. Tu t'attendais à quoi de la part de Quinn ? Et maintenant, Albert va faire quoi, à ton avis ?

Caine se mordit sauvagement l'ongle du pouce – un de ses tics nerveux.

— Je croyais que c'était toi le roi !

Le poing de Caine partit et, s'il manqua son but, son pouvoir se chargea d'envoyer valser Penny à l'autre bout de son bureau comme si elle avait été percutée par un bus. Elle heurta violemment le mur.

Le choc la laissa sonnée et Caine la rejoignit avant qu'elle ait pu retrouver ses esprits.

Turk fit irruption dans la pièce, son arme braquée sur eux.

— Qu'est-ce qui se passe?

— Penny a trébuché, répondit Caine.

Le visage constellé de taches de rousseur de Penny était blême de rage.

— N'essaie même pas, dit Caine.

Soudain, une main invisible se resserra autour de la tête de Penny et son cou se tordit.

Quand Caine se décida enfin à la relâcher, elle était hors d'haleine. Elle lui jeta un regard noir, mais aucun cauchemar atroce n'assaillit Caine.

— Tu ferais mieux de prier pour que Lana guérisse ce garçon, Penny.

— Tu te ramollis, on dirait, hoqueta-t-elle.

— Être roi, ce n'est pas se comporter comme un malade sanguinaire, déclara Caine. Les gens ont besoin d'être gouvernés. Ce sont des moutons à qui il faut un gros chien de berger pour dire quoi faire et où aller. Mais si tu te mets à dégommer les moutons, ça ne marche pas.

— Tu as peur d'Albert, s'exclama Penny avec un rire moqueur.

— Je n'ai peur de personne. Et surtout pas de toi, Penny. Si tu vis, c'est parce que je t'ai laissée vivre, souviens-t'en. Tu sais, ces gosses, là dehors... (Il montra la fenêtre d'un geste vague pour désigner la population de Perdido Beach.) Ils te détestent. Tu n'as pas un seul ami. Maintenant, dégage d'ici. Je ne veux pas te revoir si ce n'est pour implorer mon pardon à genoux.

— Va te faire voir, cracha Penny.

Caine rit.

— Je crois que tu voulais dire : « Allez vous faire voir, Altesse. »

Et, d'une légère torsion du poignet, il fit léviter Penny et la jeta dans le couloir.

— Elle pourrait nous créer des problèmes, Altesse, dit Turk.

— Elle nous en crée déjà, répliqua Caine. D'abord Drake, et maintenant elle. Je suis entouré de psychopathes et d'idiots.

Turk parut vexé.

— Fais-moi une promesse, Turk. Si un jour tu me voies péter les plombs comme si Penny me jouait un de ses tours, tu me descends cette sorcière, compris ?

— Compris, Votre Altesse, répondit Turk.

— Tu as compris que toi tu faisais partie des idiots, pas vrai, Turk ?

— Euh...

Caine sortit de la pièce d'un pas rageur en marmonnant :

— Comme Diana me manque...

Quinn n'avait toujours pas décoléré quand il arriva au Clifftop. Il avait peur, aussi. En arrachant Cigare des griffes de Penny, il s'était fait un ennemi très dangereux. Voire deux. Ou même trois : ça dépendait du camp que choisirait Albert.

Tandis qu'il tâtonnait dans l'obscurité du couloir moquetté pour trouver son chemin, Quinn s'étonna d'entendre des bruits de voix en provenance d'une pièce à l'autre bout du couloir.

Il s'arrêta et tendit l'oreille.

— T'as perdu! T'as perdu, Peace.

— C'est parce que t'as triché, espèce de petit voleur!

— Mettez une sourdine, OK?

La voix qu'il venait d'entendre, Quinn la reconnut immédiatement. C'était celle de Virtue, aussi appelé Choo. Sanjit avait donc installé ses frères et sœurs au Clifftop? Quand cela s'était-il produit? Tous les enfants de l'île avaient déménagé au bord du lac avec Lana, mais au bout de quelques jours elle était rentrée. L'hôtel Clifftop était devenu son refuge, le seul endroit où elle se sentait en sécurité.

Quinn comprit avec un pincement de jalousie que Lana avait autorisé Sanjit et ses frères et sœurs à s'installer à l'hôtel. Personne ne s'opposait à Lana. Or, jusqu'à présent, elle s'était catégoriquement refusée à céder ne serait-ce qu'un recoin de sa forteresse à qui que ce soit.

Il savait que Lana sortait plus ou moins avec Sanjit, le nouveau. Mais le laisser emménager avec toute sa famille au Clifftop?

Il y avait eu un temps où Quinn avait cru que Lana et lui… Mais les événements et les réalités de la vie avaient mis fin à ses espoirs. Quinn n'était qu'un pêcheur, un modeste travailleur manuel. Lana, elle, était la Guérisseuse. Par conséquent, elle était la personne la plus protégée et la plus respectée – voire révérée – de la Zone. Même Caine n'aurait jamais songé à s'en prendre à elle.

Et, comme si ce n'était pas assez intimidant, Lana était une vraie dure à cuire. Aux yeux de Quinn, elle était inaccessible.

En l'entendant approcher, Pat se mit à aboyer bruyamment.

Quinn frappa. Le judas s'obscurcit puis la porte s'ouvrit sur Sanjit.

— C'est Quinn, cria-t-il par-dessus son épaule. Entre, mon pote.

Quinn s'avança sur le seuil. À la lueur fantomatique d'un soleil de Sam, il constata à quel point la pièce avait changé : elle était propre. Le lit était fait et la table basse débarrassée de son éternel cendrier débordant de mégots. Il ne put s'empêcher d'avoir un choc.

Même Pat semblait avoir été baigné et brossé. Il accourut vers Quinn et se frotta contre lui, sans doute pour s'imprégner de l'agréable odeur de poisson qu'il dégageait et remplacer toutes les odeurs dont on l'avait privé sans ménagement.

Sanjit, un garçon mince de type indien au sourire contagieux et aux longs cheveux noirs, s'aperçut de la surprise de Quinn mais ne fit pas de commentaire.

Lana, qui se trouvait sur le balcon, retourna à l'intérieur. Elle au moins n'avait pas beaucoup changé. Elle avait toujours un énorme semi-automatique glissé dans la grosse ceinture de son pantalon. Elle était toujours aussi jolie sans être renversante, et l'expression de son visage oscillait toujours entre la défiance et la vulnérabilité, comme si, d'un instant à l'autre, elle pouvait aussi bien fondre en larmes que vous tirer une balle dans l'estomac.

— Salut, Quinn, qu'est-ce qu'il y a ?

Le ton de sa voix ne trahissait aucune gêne. Si elle avait deviné que Quinn était jaloux, elle n'en montra rien. «Ce 'est pas pour ça que tu es venu», se dit Quinn en se sentant soudain coupable de laisser ses sentiments prendre le pas sur le sort du pauvre Cigare, alors que son image était encore vive dans son esprit.

— C'est Cigare, dit-il. Il est chez Dahra.

Il lui raconta brièvement ce qui s'était passé. Lana hocha la tête et ramassa son sac à dos.

— Ne m'attends pas pour te coucher, dit-elle à Sanjit.

À ces mots, Quinn sentit une boule se former dans sa gorge. Sanjit vivait avec Lana? Dans la même pièce? Quinn avait-il mal compris? Et pourtant, ça en avait tout l'air.

Sentant une aventure se profiler, Pat suivit sa maîtresse. Lana marcha devant dans le couloir, puis dans l'escalier menant au rez-de-chaussée. Elle traversa le hall plongé dans l'obscurité et sortit dans la nuit qui semblait claire en comparaison.

— Bon, fit Quinn.

— Je me sentais seule, dit Lana. Je faisais des cauchemars. Des fois, ça aide, d'avoir quelqu'un.

— Ce ne sont pas mes affaires, marmonna-t-il.

Lana s'arrêta pour le dévisager.

— Mais si, Quinn. Toi et moi... (Ne sachant pas trop comment finir sa phrase, elle poursuivit d'un ton bourru:) Mais ça ne regarde pas les autres.

Ils reprirent leur marche d'un pas vif.

— À qui tu veux que je le dise? demanda Quinn.

— Tu devrais avoir quelqu'un à qui te confier, répliqua Lana. Je sais, ça paraît bizarre venant de moi.

— Un peu, oui, admit-il.

Il avait beau s'efforcer de nourrir son ressentiment, la vérité c'était qu'il aimait bien Lana, et depuis longtemps.

Il ne pouvait pas rester fâché contre elle. Et puis, elle méritait d'avoir un peu de paix dans sa vie.

— Il essaie encore de me contacter de temps à autre, dit-elle.

Quinn comprit qu'elle parlait de l'Ombre, la créature qui se faisait appeler le gaïaphage.

— Qu'est-ce qu'il te veut ?

Le seul fait de parler du gaïaphage jetait une ombre sur lui, accélérait son souffle et les battements de son cœur.

— Il veut Némésis. Il le cherche.

— Némésis ?

— Tu n'es pas très au courant des potins, toi !

— Je passe le plus clair de mon temps avec mes équipages.

— Le petit Pete, expliqua Lana. Némésis. Il pense à lui nuit et jour, et quelquefois sa voix hurle à l'intérieur de ma tête. Dans ces cas-là, j'ai besoin de quelqu'un pour me faire revenir à moi.

— Mais le petit Pete est mort, objecta Quinn.

Lana partit d'un rire cruel, impitoyable.

— Ah oui ? Va le dire à la voix dans ma tête, Quinn. Cette voix-là a peur. Le gaïaphage a peur.

— C'est probablement une bonne chose, non ?

Lana secoua la tête.

— Je ne crois pas, Quinn. Quelque chose de terrible se prépare.

— J'ai vu... (Il fit la grimace : il avait prévu d'en parler d'abord à Albert. Trop tard !) La paroi : on dirait qu'elle change de couleur.

— Comment ça ? demanda Lana.

— Noire. Elle devient noire.

9

35 HEURES
25 MINUTES

JUSQUE-LÀ, PETE S'ÉTAIT PEU SERVI de son nouveau jeu. C'était un jeu très compliqué avec plein de pièces. Il y avait des avatars, au nombre de trois cents environ, ce qui était beaucoup. Ils ne lui avaient pas semblé très intéressants jusqu'à ce qu'en les observant de plus près il s'aperçoive que chacun d'eux était une spirale complexe formée de deux échelles elles aussi en spirale, reliées l'une à l'autre puis tordues et compressées de sorte que, si l'on regardait l'avatar de loin, on ne distinguait qu'un symbole.

Il en avait touché deux : ils étaient devenus fous puis ils s'étaient cassés avant de disparaître. Donc ce n'était peut-être pas la chose à faire.

Mais la véritable question, c'était l'intérêt de ce jeu. Il ne voyait aucun score.

Il savait seulement que tout se jouait à l'intérieur de la bulle. On ne voyait pas ce qui se passait à l'extérieur. C'était dedans que ça se jouait, avec l'Ombre tout en bas. Ni lui ni elle n'étaient affectés par le jeu. Il avait essayé de la déplacer mais ses boutons de contrôle n'avaient aucun effet sur elle.

Par certains aspects, ce n'était pas un très bon jeu. Pete choisit un avatar au hasard et zooma sur lui jusqu'à ce qu'il distingue les spirales à l'intérieur des spirales. Elles étaient vraiment jolies. Et délicates. Pas étonnant que ses précédentes tentatives aient détruit les avatars ; il avait dû abîmer leur treillage complexe. Cette fois, il s'y prendrait différemment. Et cet avatar, qui se transportait d'un endroit à l'autre d'un coup de baguette magique, était l'occasion rêvée.

Taylor avait obtenu le meilleur des deux mondes. Grâce à son pouvoir, elle pouvait se transporter tour à tour dans l'île, à Perdido Beach ou au bord du lac. Tout bien considéré, ce pouvoir était le plus utile qui fût. Brianna pouvait garder sa vitesse supersonique, ses baskets usées et ses poignets fracturés à cause de ses nombreuses chutes.

Il suffisait à Taylor d'imaginer un endroit où elle s'était déjà rendue, et hop ! elle y était transportée. Depuis que Caine lui avait fait visiter l'île de Saint François de Sales, qui appartenait autrefois à Jennifer Brattle et Todd Chance, elle pouvait y retourner quand bon lui semblait. Ce qui signifiait que Taylor pouvait dormir dans une chambre fabuleuse d'une magnifique propriété. Elle aurait aussi pu porter les vêtements sublimes de Jennifer Brattle mais elle n'était pas assez bien pourvue à certains égards.

Et puis, si elle se sentait seule, il lui suffisait de penser à Perdido Beach.

Grâce à son pouvoir très utile, elle avait fini par travailler à la fois pour le roi Caine et pour Albert. Caine voulait des renseignements sur Sam et sur ce qui se passait au lac, et Albert voulait la même chose plus des renseignements sur Caine.

Taylor connaissait tous les potins de la Zone. Elle était à la fois un paparazzi et un agent de la CIA. La vie était douce quand on était maligne comme elle et qu'on détenait le pouvoir d'apparaître à sa guise. Et surtout, de disparaître aussi facilement.

En ce moment même, elle se prélassait dans son lit. La pièce qu'elle occupait avait été baptisée la «chambre amazonienne» à cause des murs peints en vert végétal et de l'imprimé léopard des draps. Il y avait beaucoup de chambres dans la maison et, miracle! certaines avaient encore des draps propres.

Des draps propres! L'équivalent de la vie de château comparé à l'existence misérable qu'on menait partout ailleurs dans la Zone, où on avait de la chance si on parvenait à dormir sur un matelas sec.

Allongée dans son lit, elle regardait un DVD en se gavant de biscuits salés un peu rances. Elle devait néanmoins se montrer prudente quand elle se servait dans le garde-manger: Albert en avait fait l'inventaire. Quant au fuel qui alimentait le groupe électrogène, il était rationné, lui aussi. Mais, à titre de salaire, elle avait le droit d'utiliser l'électricité de temps à autre.

Soudain, Taylor eut l'impression qu'il y avait quelqu'un d'autre dans la pièce. Elle sentit ses cheveux se dresser sur sa nuque.

— Qui est là?

Pas de réponse. Pouvait-il s'agir de Bug? Elle l'aurait su si Bug avait été emmené sur l'île.

Rien. Son imagination devait lui...

Quelque chose avait bougé juste devant elle. L'espace d'une seconde, l'écran de télé s'était brouillé comme si un objet à la fois transparent et déformant était passé devant.

Taylor se prépara à disparaître. Elle tendit l'oreille. Rien. La chose n'était plus là. Ou, plus vraisemblablement, elle n'avait jamais existé. Taylor avait dû avoir la berlue.

En se penchant pour ramasser la télécommande, elle s'aperçut que sa peau était comme recouverte d'or. Elle crut d'abord que c'était le reflet du dessin animé diffusé sur l'écran de télé. Elle se leva du lit et alla à la fenêtre. Au clair de lune, sa peau était toujours dorée.

Impossible.

En tâtonnant dans le noir, elle trouva une bougie, alluma un briquet d'un geste maladroit et l'approcha de la mèche.

Oui, elle avait la peau dorée.

La bougie à la main, elle alla s'examiner dans le miroir de la salle de bains. Hormis ses cheveux noirs, chaque centimètre de sa peau était de la couleur de l'or. Elle se pencha pour regarder le reflet de ses yeux et poussa un cri : ses iris étaient d'un or plus sombre.

— Oh mon Dieu, murmura-t-elle.

Les jambes flageolantes, elle ôta sa chemise de nuit et enfila un jean et un tee-shirt. C'était peut-être juste une hallucination, elle avait besoin d'un autre avis.

Taylor pensa à Lana, au couloir de son hôtel, et se téléporta.

La douleur arriva un instant plus tard, intolérable. Inimaginable. Il lui sembla qu'on brûlait au fer rouge sa main gauche et la chair de son mollet.

Elle poussa un hurlement, griffa l'air de ses mains. La douleur s'intensifia. Elle était suspendue par sa main et sa jambe. Pas debout, suspendue à... Elle poussa un autre cri en s'apercevant qu'elle n'était pas au Clifftop mais dans une forêt, pendue à un arbre immense. Sa main gauche et la partie charnue de son mollet avaient fusionné avec l'arbre.

Elle se balançait dans le vide sans cesser de hurler, et sa chair dorée luisait faiblement au clair de lune.

Quant à la douleur...

Ce devait être un rêve. Ça ne pouvait pas être vrai. Elle n'avait pas demandé à se téléporter ici. Non, c'était juste un horrible cauchemar. Elle devait se téléporter ailleurs même si c'était un rêve, retrouver la quiétude de sa chambre.

Taylor se concentra pour visualiser la pièce, s'efforçant d'oublier la souffrance pendant quelques instants...

Et se téléporta.

Sa main n'était plus là. Elle avait été sectionnée au niveau du poignet. Proprement, sans la moindre goutte de sang. Quant à son mollet, Taylor ne le voyait ni ne le sentait plus.

Elle n'était pas dans sa chambre. Elle se trouvait sur le toit d'une voiture, dans l'allée de l'hôtel Clifftop. Ses jambes étaient prisonnières de la tôle poussiéreuse d'une voiture de sport. Elle s'était matérialisée les jambes enfoncées dans le toit du véhicule.

Elle poussa un hurlement de terreur et de souffrance et tomba à la renverse. Ce qui restait de ses jambes ne l'aidait pas beaucoup à garder l'équilibre. Elle fit la culbute et atterrit sur le ventre.

Tremblante de frayeur, elle se redressa en s'agrippant à la poignée de la portière et parvint tant bien que mal à s'asseoir.

Comme sa main gauche, ses jambes avaient été sectionnées au-dessus des genoux sans qu'une seule goutte de sang soit versée. Mais la douleur, elle, ne se fit pas attendre. Taylor poussa un cri, tomba sur le dos et perdit connaissance.

Astrid avait trouvé le spectacle d'une Diana manifestement enceinte pour le moins dérangeant. Dans n'importe quel contexte, c'était déjà bizarre de voir une fille de quinze ans enceinte. Dans la Zone, c'était encore plus choquant. La Zone était un piège, une prison. Pas une nursery !

Depuis le jour fatidique de son apparition, chaque semaine qui passait voyait diminuer le nombre d'enfants encore en vie. La Zone était le théâtre de morts soudaines et horribles. Ce n'était pas un endroit où l'on donnait la vie.

Qui avait bouleversé la donne ? Une fille cruelle à la langue acérée et un garçon qui n'avait jamais fait que causer du mal aux autres.

Astrid avait ôté une vie. Diana en apportait une nouvelle.

Astrid était assise sur la banquette, les coudes posés sur la minuscule table de la cabine, la tête dans les mains. Edilio entra, lui adressa un signe de tête et se versa un verre d'eau du pichet posé sur le comptoir. Il se montrait discret, avare de questions, sans doute pour ne pas l'effrayer.

— Tu aimes l'ironie, Edilio ? demanda Astrid de but en blanc.

D'abord, elle crut qu'elle l'avait mis mal à l'aise en employant un mot qu'il ne comprenait pas. Mais, au terme d'un long silence réfléchi, il répondit :

— Tu parles du fait qu'un clandestin venu du Honduras finisse par occuper la place que j'occupe ?

Astrid sourit.

— Oui, plus ou moins.

Edilio lui lança un regard perçant.

— Ou du fait que Diana soit enceinte ?

Astrid eut un rire forcé et secoua tristement la tête.

— Tu es la personne la plus sous-estimée de la Zone.

— C'est mon super pouvoir, répliqua sèchement Edilio.

Astrid l'invita à s'asseoir. Après avoir rangé son arme, il prit un siège en face d'elle.

— À ton avis, qui sont les dix personnes les plus puissantes de la Zone, Edilio ?

Edilio leva un sourcil sceptique.

— Tu tiens vraiment à le savoir ?

— Oui.

— En numéro un, Albert. Puis Caine. Sam. Lana. (Il réfléchit quelques instants avant de poursuivre :) Quinn. Drake, malheureusement. Dekka. Toi. Moi. Diana.

Astrid croisa les bras sur sa poitrine.

— Et pas Brianna ? Ni Orc ?

— Ils sont tous les deux puissants, bien sûr. Mais ils n'ont pas le genre de pouvoir qui fait bouger les autres, tu vois ? Brianna est cool, mais ce n'est pas quelqu'un que les gens ont envie de suivre. Pareil pour Jack. Et c'est encore plus vrai pour Orc.

— Tu n'as pas remarqué quelque chose au sujet des dix personnes que tu viens de nommer ? (Répondant à sa propre question, elle ajouta :) Quatre d'entre elles n'ont pas de pouvoir et n'ont subi aucune mutation. Quant à l'importance de Diana, elle ne réside pas dans son pouvoir mais dans son bébé. Diana Ladris va être mère.

— Elle a changé, objecta Edilio. Comme toi.

— Oui, j'ai bronzé un peu, dit Astrid d'un ton évasif.

— Je crois que ça va plus loin que ça. L'Astrid d'avant n'aurait jamais disparu comme tu l'as fait. Elle ne serait jamais restée seule aussi longtemps.

Astrid soupira.

— C'est vrai, j'ai changé.

Edilio parut soudain très triste.

— Edilio, reprit-elle. Il faut que tu croies ce qui est bon pour toi, et que tu te fies à ce que tu ressens. C'est ce que j'essaie de faire. C'est dur pour la fille qu'on surnommait le Petit Génie d'admettre qu'elle s'est trompée. (Elle eut un sourire las.) Mais j'ai découvert qui j'étais... Je ne me sens peut-être pas plus heureuse ; ce n'est pas le mot qui convient. Ce n'est pas d'être heureux qu'il s'agit. (Un silence.) Honnête. Je me sens honnête avec moi-même.

— Alors tu crois que je me mens à moi-même ? demanda doucement Edilio.

Astrid secoua la tête.

— Je n'ai jamais pensé ça de toi. Mais de moi, oui.

Edilio se leva.

— Il faut que j'y retourne.

Il la serra dans ses bras.

— C'est bien que tu sois revenue, Astrid. Tu devrais dormir un peu. Tu n'as qu'à prendre le lit de Sam.

Astrid sentit la fatigue l'envahir. Elle alla s'étendre sur la couchette de Sam. Ses draps sentaient l'iode et son odeur corporelle, qu'elle avait toujours associés.

Elle se demanda avec qui il s'était casé. Il avait forcément quelqu'un depuis tout ce temps. Tant mieux pour lui. Sam avait besoin qu'on prenne soin de lui, et elle espérait qu'il avait trouvé la bonne personne pour ça.

Elle tâtonna autour d'elle à la recherche d'un oreiller. Elle n'avait pas dormi avec un oreiller depuis longtemps, et cette idée lui semblait à présent un luxe incroyable. Sa main tomba sur un bout de tissu soyeux qu'elle ramena contre sa joue. Elle avait immédiatement reconnu la nuisette blanche qu'elle portait à l'époque où elle n'avait pas besoin de dormir habillée de pied en cap, son fusil serré contre sa poitrine.

Sa vieille chemise de nuit. Sam la gardait avec lui dans son lit.

10

— JE VAIS FAIRE un peu de lumière, annonça Sam.

— Je crois que c'est une bonne idée, dit Dekka.

Sam leva les mains, et une boule de lumière semblable à un pâle soleil verdâtre se forma dans l'air. Comme elle créait plus d'ombres que de clarté, il se pencha à sa droite et suspendit un autre soleil dans le vide, qui bannit en partie l'obscurité.

— Bon, que tout le monde s'agenouille tout doucement et inspecte le sable autour de ses pieds, ordonna-t-il.

— Aaah! cria Jack.

— Ne bouge pas!

— Je ne bouge pas, je ne bouge pas, j'ai le pied posé sur un câble, je ne bouge pas. Oh, je vais mourir!

Sam forma un troisième soleil aux pieds de Jack. À présent il voyait sans mal le fil tendu sous le talon de sa chaussure.

— Dekka, tout va bien de ton côté?

— Je crois. En tout cas, je vois le fil maintenant.

— Bon, alors va te mettre en sécurité.

— Où ça?

— Loin d'ici. Bon, Jack, tiens-toi tranquille. Je vais creuser le sable sous ton pied pour détendre le fil.

Sam se servit de ses index pour repousser délicatement le sable. Ensuite, s'aidant de deux autres doigts de chaque main, il dégagea la chaussure de Jack d'un demi-centimètre. Puis d'un autre.

— Bien, maintenant recule ton pied.

— Tu es sûr?

— Je suis juste à côté de toi, pas vrai? répliqua Sam.

Jack obéit et rien ne se produisit.

— Maintenant on va tous reculer.

— Hé, qu'est-ce que vous faites, les gars? s'exclama Brianna du haut de la butte. C'est quoi, toute cette lumière? Je croyais qu'on...

— Ne bouge pas! cria Dekka.

— Ça va, t'es pas obligée de hurler.

Sam lui expliqua ce qui se passait.

— On ne peut pas laisser le piège en place. Un innocent pourrait débarquer ici. Soit on désamorce la bombe, soit on la fait exploser.

— Étant donné que c'est moi l'expert technique et que désamorcer une bombe relève un peu de mes compétences, je vote pour qu'on la fasse exploser à distance, dit Jack.

— Allez, Jack, ne fais pas ta mauviette, le taquina Dekka.

— Brise, appela Sam. Trouve-nous une corde ou une longue ficelle.

Brianna se volatilisa.

— Bien, on va tous se diriger vers l'eau, dit Sam.

Ils n'eurent pas à attendre longtemps. Cinq minutes plus tard, Brianna se matérialisait à côté d'eux.

— J'imagine que tu peux aller plus vite qu'une explosion ? demanda Sam.

Jack leva les yeux au ciel et poussa un soupir condescendant.

— Arrête ! Brianna court à un peu moins de deux cents kilomètres/heure. Une explosion parcourt plus d'un mètre par seconde. Ne crois pas ce que tu vois dans les films.

— Il a raison, Sam, renchérit Dekka.

— Avant, j'avais toujours Astrid pour m'humilier quand je posais une question stupide, déclara Sam. Apparemment, Jack a pris le relais.

Sa remarque se voulait désinvolte, mais le nom d'Astrid suscita un silence gêné.

— Je ne peux pas aller plus vite qu'une explosion, dit Brianna, mais je peux nouer la ficelle autour du fil.

En un rien de temps, elle avait joint le geste à la parole.

— Qui va tirer sur la ficelle ?

— Celle qui la tient, répondit Sam. Mais avant toute chose...

BOUM !

Les containers, le sable, des bouts de bois et les broussailles sur la butte se transformèrent en une boule de feu. Sam sentit le souffle chaud de l'explosion lui balayer le visage, ses oreilles tintèrent et des grains de sable l'aveuglèrent.

Les débris mirent un certain temps à retomber sur le sol.

— J'allais dire : avant toute chose, on va s'allonger par terre pour ne pas se prendre le souffle de l'explosion en pleine figure, reprit Sam une fois le silence revenu. Mais ça s'est bien passé aussi, Brianna.

Il regarda en direction du sud. De là où il était, il distinguait mal Perdido Beach. La seule lumière provenait de ses éternels soleils, et la nuit ils se cachaient derrière les rideaux tirés.

Là-bas en ville, Caine, son frère… Que faisait-il exactement ? Bonne question. Était-ce son idée, ce piège ? Avait-il entendu l'explosion ? Se réjouissait-il à l'idée que Sam ait été tué ?

Que ferait Caine s'il le croyait mort ? Lancerait-il une attaque sur le lac ? Albert saurait-il l'en empêcher ? Caine n'oserait jamais attaquer le lac tant que Sam était en vie et qu'il pouvait unir ses forces à celles d'Albert.

Mais Sam ne pouvait s'empêcher de se demander quand Caine se retournerait contre eux. Allait-il vraiment laisser Diana avoir son enfant auprès de son frère ennemi ?

Sam était sûr et certain que c'était Caine qui avait pris les roquettes. Pourtant, il existait une autre possibilité.

Non, ridicule. C'était bien Caine qui les avait volées, ce qui signifiait que ces quatre mois de paix touchaient à leur fin. Comme il faisait noir et que personne ne le regardait, Sam se laissa aller à sourire.

Cigare sentait des mains le toucher.

Des mains ? Peut-être. Il pouvait aussi s'agir des pattes de quelque monstre qui finirait par enfoncer ses griffes dans la chair de son bras.

Il poussa un cri. Enfin, peut-être. Même de ça, il n'était pas sûr. Avait-il jamais cessé de crier ?

Il entendit une plainte lointaine. Venait-elle de lui ?

— Je n'ai jamais pu faire repousser un organe.

La dernière fois que j'ai essayé... Espérons que tu ne vas pas finir avec des tentacules à la place des yeux.

Cigare reconnut la voix de Lana. Elle était là, près de lui. Oui, c'était bien sa main qui était posée sur lui. À moins que ce soit celle de la créature qui souriait en lui arrachant les doigts puis s'attaquait à son bras, et riait de sa souffrance, mâchonnait sa chair, la déchiquetait de ses dents effilées jusqu'à ce qu'il hurle comme un animal, jusqu'à ce que de sa gorge s'échappent les rugissements d'un lion...

— Regarde ! Il se passe quelque chose.

Cette voix, Cigare ne la reconnaissait pas. C'était celle d'un garçon, non ?

— Qui c'est ? cria-t-il.

— C'est Lana.

— Quiiiii c'eeeest ?

— Je crois que c'est de moi qu'il parle. C'est Sanjit.

Des serpents se contorsionnaient dans les orbites vides de Cigare. Il les sentait qui se tortillaient dans tous les sens.

— Ce sont ses nerfs, reprit Sanjit.

— Ça va peut-être faire un peu mal, dit Lana.

— Aaaaaaahhhhhh ! rugit Cigare.

Il essaya de se griffer les yeux mais on lui maintenait les mains. Il était sans défense. On lui avait arraché les bras, non ? Mais comment avait-il chassé les cafards de ses yeux s'il n'avait plus de bras ? Réponds à ça, Bradley. Bradley, c'était son vrai nom. Réponds à ça.

Et si tu n'as pas de bras, comment tu as fait pour allumer ces cigares, ces gros cigares, et pour tirer dessus jusqu'à ce que la cendre rougeoie, et pour les plonger dans les orbites vides de tes yeux, et hurler de douleur en implorant Dieu qu'il t'achève ?

— Les nerfs repoussent. C'est incroyable, dit Sanjit.

— Il essaie encore de s'arracher les yeux, marmonna Lana.

— Oui. Il ne faut pas que ça se reproduise. Il faut arrêter cette sorcière.

— C'est la faute de Caine, répliqua Lana avec colère. Il sait bien comment est Penny. C'est une malade mentale. Elle a toujours eu un grain, mais depuis ses blessures... elle a pété les plombs.

— Mes yeux ! hurla Cigare.

Soudain, quelque chose. Un trait de lumière, un vague reflet semblable aux premières lueurs de l'aube, comme si les ténèbres devenaient un tout petit peu moins épaisses.

— Il se passe quelque chose, répéta Sanjit. Regarde ! Regarde !

— Mes yeux !

— Pas encore, mon pote, mais ça repousse. Pour l'instant, ça ressemble à deux petites billes blanches.

Sanjit posa la main sur la poitrine de Cigare et enfonça ses doigts crochus dans son cœur... Non. Non. Ce n'était pas réel. Ce n'était pas réel.

Le trait lumineux grossissait. Cigare se focalisa sur cette source de lumière en priant pour qu'il ne s'agisse pas d'une autre illusion. Il avait besoin de réel. Il avait besoin de s'échapper de ses cauchemars.

— Cigare, annonça Sanjit avec douceur, on dirait que tes blessures guérissent et que de tout petits yeux se reforment.

Mais la voix sévère de Lana s'éleva.

— Ne lui donne pas de faux espoirs.

Ses mains sur ses tempes et sur son front. Lentement, lentement elles se rapprochaient de ses orbites vides.

— Non, non, noooooon ! gémit-il.

Les doigts de Lana se figèrent.

Lana était réelle. Son contact était réel. La lumière qu'il distinguait était réelle. Il essayait de toutes ses forces de se raccrocher à ça.

— On va couvrir tes yeux avec un linge, OK ? dit Sanjit. Tes globes oculaires tremblent, c'est peut-être la lumière du soleil de Sam qui les gêne.

Une éternité, au cours de laquelle il alterna entre des phases de conscience et des phases de coma peuplées de cauchemars atroces. Parfois, il prenait feu. Parfois, sa peau se mettait à grésiller comme une tranche de bacon. Parfois, des scorpions creusaient des sillons dans sa chair.

Et pendant tout ce temps, Lana garda les mains sur son visage.

— Écoute-moi, dit-elle enfin. Tu m'entends ?

Combien de temps s'était écoulé ? La folie n'était pas complètement passée, mais elle s'était calmée. Il était capable de contenir ses hurlements. Il reprenait quelques forces.

— On y a passé toute la nuit, poursuivit Lana. Il faudra te contenter de ce que tu as. Je ne peux pas faire plus.

— Je suis là aussi, frangin. C'est moi, Quinn.

Quinn posa sa main calleuse sur l'épaule de Cigare et il sentit les larmes lui monter aux yeux.

— Écoute, mon pote, quoi qu'il arrive, tu gardes ta place avec nous.

— On va ôter le linge, maintenant, l'avertit Sanjit.

115

Cigare sentit le tissu glisser sur sa peau et poussa un hoquet de surprise.

Il voyait une silhouette qui ressemblait fort à Quinn. Mais la tête de ce Quinn-là était auréolée de nuages rouges et violets. Il était comme enveloppé d'un début de tornade. Derrière lui se tenait Sanjit qui répandait autour de lui une clarté douce et argentée.

Enfin, Cigare aperçut Lana. Elle avait des yeux magnifiques, comme des arcs-en-ciel changeants illuminés de flèches perçantes comme un clair de lune éblouissant. Elle brillait plus intensément que Quinn et Sanjit réunis, telle une lune entourée d'étoiles.

Mais, enroulé autour d'elle, un tentacule verdâtre et répugnant semblable à un serpent infiniment long ondulait en essayant de se frayer un chemin à l'intérieur de sa tête.

Et c'était tout ce que voyait Cigare : autour des trois adolescents s'étendait un océan de ténèbres.

Pendant le trajet du retour, ils n'échangèrent pas une parole. Sam conduisait lentement. Jack dormait en ronflant par intermittence, mais pas au point de gêner ses compagnons.

Dekka gardait les yeux fixés sur la vitre. Ils avaient attendu l'aube. Inutile de risquer une autre expédition dans le noir : après tout, il n'était plus nécessaire d'essayer de passer inaperçu.

Sam était certain que Caine détenait les roquettes, malgré la petite voix dans sa tête qui lui soufflait que si ç'avait été le cas, il s'en serait servi depuis longtemps pour attaquer le lac.

Mais non! Quelle réflexion stupide! Caine attendait son heure, voilà tout.

Brianna passa en trombe près de la camionnette et lui fit signe de baisser sa vitre.

— Si tu n'as plus besoin de moi, je vais me coucher, dit-elle.

— C'est bon, Brise. Tu peux y aller.

Plutôt que de s'éloigner à toute allure, elle continua au même rythme que la camionnette. Le véhicule ne dépassait pas les cinquante kilomètres/heure, ce qui pour elle équivalait à une promenade de santé.

— Tu ne vas pas laisser Caine les garder, pas vrai?

— Pas maintenant, OK? Je suis crevé. Je n'ai pas envie d'y réfléchir. Je veux juste ramper jusqu'à mon lit et rabattre mes couvertures sur ma tête.

Brianna voulut protester puis poussa un soupir théâtral, adressa un clin d'œil à Sam comme si elle avait deviné ses pensées et disparut.

Sam s'aperçut que Dekka évitait de regarder Brianna. Il envisagea de la questionner à ce sujet, mais renonça. Il avait du mal à garder les yeux ouverts.

Et pourtant, il éprouvait de nouveau la sensation qu'un détail lui échappait. Il sentait le poids d'un regard sur lui. Quelque chose l'épiait dehors, dans la nuit du désert.

— Des coyotes, marmonna-t-il, et il y croyait presque.

Ils regagnèrent le lac alors que les premières lueurs du faux soleil de la Zone pointaient à l'horizon. Ils avaient droit à de beaux levers de soleil, si l'on passait outre le fait que le «soleil» n'était qu'une illusion apparaissant derrière la paroi qui se trouvait à moins de cinq cents mètres d'eux.

Sam se sentait fourbu et courbaturé. Il grimpa à bord de la péniche en veillant à ne pas réveiller ses autres occupants et se glissa dans l'étroit couloir qui menait à sa cabine. Les rideaux étaient tirés et il tâtonna dans l'obscurité pour trouver le bord de sa couchette, puis rampa à quatre pattes vers son oreiller et se laissa tomber sur le dos.

Mais même rompu de fatigue, il sentit une présence dans son lit, et le souffle léger d'une respiration sur sa joue.

Il se retourna. Des lèvres se plaquèrent sur les siennes et il eut l'impression qu'un courant électrique le traversait de part en part.

Elle se mit à califourchon sur lui et leurs corps firent le reste. Quelques heures plus tard, il murmura dans le noir :

— Astrid ?

— Tu ne crois pas que tu aurais dû vérifier ça il y a un bout de temps ? répondit la voix familière d'Astrid, un rien condescendante.

Par la suite, ils se dirent beaucoup de choses mais sans jamais prononcer un mot.

Dehors

CELA FAISAIT QUATRE MOIS que Mary Terrafino avait traversé la paroi. Elle avait sauté d'une falaise dans la Zone à la date précise de son quinzième anniversaire. Au lieu de finir sa course sur les rochers au pied de la falaise, elle avait atterri à trois kilomètres de l'enceinte, au fond d'un ravin desséché, et elle y serait morte sans l'intervention de deux motards qui faisaient vrombir leur engin dans les creux et les bosses du paysage en poussant de grands cris.

Les deux hommes n'avaient pas appelé une ambulance mais la fourrière, car ils pensaient avoir aperçu un animal atrocement mutilé. Leur erreur était compréhensible.

Mary se trouvait à présent dans l'unité spéciale d'un hôpital réputé de Los Angeles avec un autre patient, un garçon prénommé Francis.

Le Dr Chandiramani dirigeait ce service. C'était une femme âgée de quarante-huit ans qui portait sa blouse blanche par-dessus un sari traditionnel. Le Dr Chandiramani avait des rapports tendus mais polis avec le major Onyx, qui était censé être le contact du Pentagone.

En théorie, il n'était là que pour offrir au Dr Chandiramani et à son équipe tous les soutiens nécessaires.

En réalité, le major se prenait pour le chef du service, et il s'accrochait souvent avec les médecins, toujours dans les règles de la politesse et sans jamais élever la voix. Les priorités du Pentagone différaient quelque peu de celles du corps médical, qui voulait avant tout garder en vie ses patients gravement blessés. Les militaires, eux, avaient besoin de réponses.

Le major Onyx avait fait installer dans la chambre et dans les deux autres pièces attenantes du matériel qui n'avait rien à voir avec l'état physique de Mary. Le Dr Chandiramani feignait de n'y rien comprendre, mais elle n'avait pas limité ses études à la médecine. Plus jeune, elle s'était intéressée à la physique, et elle savait reconnaître un spectromètre de masse quand elle en voyait un. Elle n'osait imaginer les autres appareils que le major avait fait poser dans les murs, le plafond et le sol.

Francis était en vie, mais on n'avait trouvé aucun moyen de communiquer avec lui. On avait cependant enregistré des ondes cérébrales, ce qui signifiait qu'il était conscient. Mais il n'avait plus de bouche ni d'yeux. Il était bien doté d'un appendice qui ressemblait à un bras, mais il était constamment agité de spasmes. Par conséquent, même si ses doigts n'avaient pas été des griffes bizarrement reliées l'une à l'autre, il n'aurait pas pu se servir d'un stylo ni d'un clavier.

On nourrissait plus d'espoirs du côté de Mary. Elle avait une bouche, qui semblait posséder quelques fonctionnalités limitées de langage. Ils avaient dû arracher certaines des dents grotesques qui avaient traversé la chair de ses joues et recourir à plusieurs opérations pour lui rendre en partie l'usage de sa langue, de sa bouche et de sa gorge.

Mary pouvait donc désormais parler. Malheureusement, au début, elle s'était contentée de pousser des hurlements tandis que des larmes coulaient de son unique œil déformé. Par la suite, ils avaient trouvé la bonne dose de sédatifs et d'antiépileptiques, et le Dr Chandiramani avait enfin consenti à laisser le major Onyx ainsi qu'un psychologue de l'armée questionner l'adolescente.

Les premières questions s'avérèrent beaucoup trop générales.

— Qu'est-ce que tu peux nous dire des conditions de vie à l'intérieur?

— Maman? demanda-t-elle dans un souffle.

— Ta mère viendra plus tard, répondit le psychologue d'une voix apaisante. Je suis le Dr Greene. Voici le major Onyx et le Dr Chandiramani, qui s'occupe de toi depuis ton évasion.

— Bonjour, Mary, dit le Dr Chandiramani.

— Les petits, fit Mary.

— Qu'est-ce que tu veux dire? s'enquit le Dr Greene.

— Les petits. Mes enfants.

Le major Onyx avait des cheveux noirs coupés court, la peau mate et des yeux bleu vif.

— D'après ce que nous savons, elle prenait soin des enfants en bas âge.

Le Dr Greene se pencha vers Mary. Le Dr Chandiramani vit qu'il luttait contre la nausée qu'éprouvaient tous ceux qui la regardaient.

— Tu parles des petits enfants dont tu t'occupais?

— Je les ai tués, répondit Mary.

Une larme roula sur sa joue brûlée, rouge comme la carapace d'un homard.

— Mais non, voyons, fit le Dr Greene.

Mary poussa un cri perçant de désespoir.

— Changez de sujet, dit le Dr Chandiramani en regardant le moniteur.

— Mary, c'est très important. Est-ce que quelqu'un sait comment tout a commencé?

Pas de réponse.

— Qui est responsable, Mary? demanda le Dr Chandiramani. Qui a créé cette anom... cet endroit que tu appelles la Zone?

— Le petit Pete. L'Ombre.

Les deux médecins et le militaire échangèrent un regard perplexe. Les sourcils froncés, le major dégaina son iPhone et pianota brièvement sur le clavier.

— D'après le Wikipedia de la Zone, nous avons deux «Peter» ou «Pete» répertoriés, annonça-t-il.

— Quel âge ont-ils? demanda le Dr Chandiramani.

— L'un a douze ans, l'autre quatre. Non, pardon, il devrait avoir cinq ans maintenant.

— Vous avez des enfants, major? Moi oui. Aucun enfant de douze ans ne se laisserait appeler «le petit Pete». Ce doit être le plus jeune dont elle parle.

— Elle délire, intervint le Dr Greene. Un enfant de cinq ans ne peut pas avoir créé l'anomalie. (Il fronça les sourcils, l'air pensif, puis griffonna quelques mots dans son carnet.) L'Ombre? Elle a peut-être peur du noir.

— Tout le monde a peur du noir, répliqua le Dr Chandiramani.

Greene lui tapait sur les nerfs, ainsi que le major et son air horrifié.

Au-dessus du lit de Mary, le moniteur se mit soudain à biper. Le Dr Chandiramani pressa le bouton d'appel et cria : « Code bleu, code bleu », mais ce n'était pas nécessaire car les infirmières accouraient déjà.

Au même moment, le smartphone du major Onyx sonna. Au lieu de décrocher, il ouvrit une application.

Un grand médecin dégingandé en blouse verte surgit derrière les infirmières. Il jeta un coup d'œil au moniteur, mit son stéthoscope et demanda :

— Où est son cœur ?

Le Dr Chandiramani montra du doigt l'endroit improbable, mais elle savait que c'était inutile. Le cœur, le cerveau, tout s'était arrêté en même temps et de façon irréversible.

— L'autre aussi est mort, annonça calmement le major Onyx en consultant son téléphone. Francis. Quelque chose l'a débranché, lui aussi.

— Vous allez m'expliquer de quoi vous parlez ? s'écria le Dr Chandiramani.

Le major fit signe au psychologue et aux infirmières de sortir, et ils s'exécutèrent sans protester. Puis il ferma l'application et remit son téléphone dans sa poche.

— Les gens qui ont été éjectés quand le dôme a été créé sont sortis sains et saufs. Pareil pour les jumelles. Les autres, ceux qui sont réapparus depuis, avaient toujours une sorte de... cordon ombilical qui les reliait au dôme. Les ondes J, c'est comme ça qu'on les appelle. Ne me demandez pas ce que c'est, on n'en sait rien. On est capables de les détecter mais ce n'est pas quelque chose qu'on trouve dans la nature.

— Qu'est-ce qu'il veut dire, ce «J»? demanda le Dr Chandiramani.

Le major Onyx éclata de rire.

— Un petit malin du CERN, l'Organisation européenne pour la recherche nucléaire, les a baptisées les «ondes de Jéhovah». D'après lui, elles pourraient bien être l'œuvre de Dieu, étant donné que nous ignorons d'où elles viennent et ce qu'elles font. Le nom est resté.

— Et qu'est-ce qui a changé? Il s'est passé quelque chose avec ces ondes J?

Le major allait répondre mais il se ravisa au prix d'un effort visible. Il lança un dernier regard épouvanté à Mary.

— La conversation que nous venons d'avoir n'a jamais eu lieu.

Il quitta la pièce et le Dr Chandiramani se retrouva seule avec sa patiente.

Quatre mois après son atroce réapparition, Mary Terrafino venait de mourir.

S AM S'ÉVEILLA AVEC un sentiment profond, immense de soulagement. Astrid était rentrée. Elle dormait, la tête posée sur son bras qui, du coup, était complètement engourdi, mais tant que sa tête blonde était là, il pouvait bien rester paralysé. Elle sentait le pin et le feu de camp.

Sam ouvrit prudemment les yeux : la Zone ne l'avait pas habitué à tant de bonheur. En général, elle avait pour habitude d'écraser toute chose qui ressemblait de près ou de loin au bonheur. Et un tel degré de béatitude excitait sans doute son désir de représailles. À cette hauteur, la chute pouvait se révéler fatale.

La veille encore, il s'ennuyait et il espérait un peu d'action. Cette idée le choqua. Avait-il vraiment souri à la perspective d'une guerre avec Caine ?

Impossible. Il n'était pas ce genre de type, si ?

Mais s'il était cette personne horrible, pourquoi avait-il changé d'humeur aussi brusquement ? Parce que Astrid était dans son lit ?

Sans bouger, il distinguait le sommet de son crâne (on aurait dit qu'elle s'était coupé les cheveux avec une débroussailleuse), une partie de sa joue droite, ses cils, le bout de son nez et, plus bas, sa jambe longue et fuselée, couverte de bleus et d'égratignures, enroulée autour de la sienne.

Elle avait une main posée sur sa poitrine, juste au-dessus de son cœur. Il se mit à battre si vite qu'il eut peur de la réveiller. Son souffle le chatouillait.

Sam aurait été heureux que ce moment ne finisse jamais.

Astrid battit des cils et sa respiration changea.

— On peut tenir encore longtemps comme ça sans parler ?

— Très longtemps, répondit-il.

Au bout d'un moment, Astrid se redressa dans le lit et leurs regards se croisèrent. Sam ne savait pas trop à quoi s'attendre de sa part. De la culpabilité, peut-être. Du remords. Mais il ne lut rien de tout ça dans son regard.

— J'ai oublié, dit-elle. Pourquoi je ne voulais pas le faire, déjà ?

Sam sourit.

— Ce n'est pas moi qui vais te rafraîchir la mémoire.

Elle le dévisagea avec une acuité qui le mit mal à l'aise, comme si elle se livrait à un inventaire et s'efforçait de fixer des images dans sa mémoire.

— Tu as l'intention de rester ? s'enquit Sam.

Elle détourna le regard puis sembla se raviser et le regarda droit dans les yeux.

— J'ai une idée. Et si je te disais la vérité ?

— Ce serait pas mal.

— Je ne suis pas sûre qu'elle soit bonne à entendre. Mais je ne sais plus mentir. Je suppose qu'à force de vivre

seule je suis devenue allergique aux bobards. Et en particulier aux miens.

Sam se redressa à son tour.

— D'accord, on va parler. Mais avant, on va faire un
plongeon dans le lac.

Ils sortirent sur le pont et plongèrent dans l'eau froide.

— Les gens vont jaser, dit Astrid en repoussant ses
cheveux en arrière. Tu es prêt pour ça ?

— Astrid, à cette heure, tout le monde est au courant
non seulement ici mais aussi à Perdido Beach, voire sur
l'île. Taylor et Bug ont déjà fait leur boulot.

Astrid rit.

— Tu suggères que les ragots vont plus vite que la
lumière ? C'est impossible.

— Quand ils sont aussi croustillants, crois-moi, la
vitesse de la lumière n'est rien en comparaison.

Ils se hissèrent à bord de la péniche et, après s'être
essuyés et rhabillés, ils remontèrent sur le pont supérieur
où les attendait un petit déjeuner composé de carottes, de
poisson grillé de la veille et d'eau.

Astrid décida de passer aux choses sérieuses.

— Si je suis revenue, c'est parce que le dôme a changé.

— Tu veux parler de la tache ?

— Tu l'as vue ?

— Oui, mais on a pensé que c'était à cause de Sinder.

Astrid leva les sourcils.

— Comment ça ?

— Sinder a développé un nouveau pouvoir. Elle est
capable de faire pousser les cultures plus vite. Elle a un
petit jardin près de la paroi. Pour l'instant, on ne mange

qu'une petite partie de ses légumes pour être sûrs qu'il n'y a pas... tu sais, d'effets secondaires.

— C'est une démarche très scientifique, observa Astrid.

Il haussa les épaules.

— Eh bien, ma petite amie la spécialiste étant partie dans les bois, j'ai fait de mon mieux.

Avait-elle sursauté en entendant les mots «petite amie»?

— Désolé, ajouta-t-il précipitamment. Je ne voulais pas...

— C'est le possessif qui me gêne. Le «ma». Mais c'est idiot de ma part. Il n'y a pas meilleure façon de dire. C'est juste que je ne me suis jamais considérée comme la propriété de quelqu'un. Ces taches se sont étendues partout, Sam, poursuivit-elle d'un ton plus sérieux. J'ai suivi la paroi. Parfois, on les remarque à peine, mais à d'autres endroits elles s'élèvent jusqu'à six ou sept mètres du sol.

— Tu crois qu'elles grandissent?

Astrid haussa les épaules.

— J'en suis même certaine. J'ignore juste à quelle vitesse. J'aimerais essayer de la mesurer.

— À ton avis, qu'est-ce que c'est?

Elle secoua la tête.

— Je n'en sais rien.

Sam sentit son cœur se serrer. Voilà que la Zone le punissait de son bonheur. Il avait commis l'erreur d'être heureux.

— Et si elles continuent de grandir? demanda-t-il après un silence.

— La paroi a toujours été une espèce d'illusion d'optique. Si tu regardes en face de toi, tu vois une surface opaque et grise. En levant les yeux, tu vois une illusion de ciel diurne ou nocturne… mais jamais d'avion qui le traverse. Le soleil, la lune se lèvent et se couchent. C'est une illusion mais c'est aussi notre seule source de lumière. Elle pensait tout haut, comme à son habitude. Comme ça lui avait manqué !

— On dirait que la paroi s'abîme, reprit-elle. Tu te souviens des projecteurs de films qu'on avait à l'école ? Parfois, l'image devenait de plus en plus sombre, et bientôt il fallait plisser les yeux pour y voir quelque chose.

— Tu veux dire qu'on va finir dans le noir complet ? demanda-t-il en s'efforçant de maîtriser le tremblement de sa voix.

— C'est possible, répondit Astrid. (Elle évitait son regard.) Je le crois, oui. Enfin, c'est la première pensée qui m'a traversé l'esprit.

Sam prit une grande inspiration. Il n'allait pas céder à l'affolement, et ce pour la bonne raison qu'il était capable de créer de la lumière. Pas des astres brillants, non. De pitoyables petits soleils et des éclairs aveuglants, mais au moins il aurait de la lumière pour lui. Il ne serait pas dans le noir complet.

S'apercevant qu'il avait les paumes moites, il les essuya sur son short et vit qu'Astrid avait remarqué son geste, qu'elle savait à quoi il pensait.

Il esquissa un sourire désabusé.

— C'est bête, hein ? Après tout ce qu'on a traversé, avoir encore peur du noir…

— Tout le monde a peur de quelque chose, objecta-t-elle.

— J'ai la trouille comme un môme.

— Tu as la trouille comme tout être humain.

Sam jeta un regard vers le lac et le soleil scintillant sur l'eau. De jeunes enfants jouaient sur la berge en riant aux éclats.

— Le noir total, dit-il pour entendre ces mots de sa bouche, voir s'il était capable de les accepter. Plus rien ne poussera. On ne pourra plus pêcher. On... on errera dans l'obscurité en mourant de faim. Les autres ne vont pas tarder à comprendre tout ça. Ils vont paniquer.

— Peut-être que la tache cessera de s'étendre, suggéra Astrid.

Mais Sam ne l'écoutait pas.

— C'est la fin du jeu.

Ce matin-là, Sanjit et Virtue trouvèrent Taylor en sortant se dégourdir les jambes : Sanjit avait pour habitude d'aller courir un peu en compagnie d'un Virtue soufflant et ahanant qui n'était manifestement pas un grand sportif.

— Allez, Choo, c'est bon pour toi.

— Je sais, répliqua Virtue en serrant les dents. Mais ça ne veut pas dire que je dois aimer ça.

— Hé, on a une belle vue de la plage et de...

Sanjit s'interrompit car Virtue avait disparu derrière une voiture. Il rebroussa chemin et aperçut son frère penché sur quelque chose.

— Qu'est-ce que... ? Oh, qu'est-ce qui lui est arrivé ?

Sanjit s'agenouilla près de Virtue en se gardant bien de toucher Taylor. Elle avait la peau de la couleur d'un lingot d'or, et la partie inférieure de ses jambes ainsi qu'une de ses mains avaient été sectionnées. Virtue retint son souffle et colla son oreille sur la bouche de Taylor.

— Je crois qu'elle est encore en vie.

— Je vais aller chercher Lana !

Sanjit retourna à l'intérieur en courant, traversa le couloir en trombe et fit irruption dans la chambre qu'il partageait avec Lana en criant :

— Lana ! Lana !

Il se retrouva nez à nez avec le canon de son pistolet.

— Sanjit, combien de fois il faut que je te le répète : évite les effets de surprise ! rugit-elle.

Sans un mot, il la prit par la main et l'entraîna vers le couloir.

— Elle respire, dit Virtue à leur approche. Et j'ai senti son pouls.

Sanjit se tourna vers Lana comme si elle détenait la clé de l'énigme. Mais elle regardait le corps de Taylor avec le même air horrifié que lui.

Puis il vit l'éclair d'un soupçon briller dans ses yeux. Soudain, elle eut le même regard dur que quand elle sentait la présence lointaine du gaïaphage. Poussé par un obscur pressentiment, Sanjit scruta l'intérieur de la voiture à travers les vitres sales.

— Je crois que j'ai retrouvé ses jambes.

— Prends-les, dit Lana. Virtue ? Aide-moi à la porter à l'intérieur.

— On va quand même sortir en mer après ce qu'ils ont fait à Cigare ?

Phil semblait outragé et, visiblement, il n'était pas le seul.

Quinn préféra se taire. La rage sourdait en lui et sa tête bourdonnait de fatigue. La vue de Cigare et de ces deux horribles globes oculaires de la taille d'une bille reliés aux deux cratères noirs par des nerfs semblables à des tentacules...

Il s'était arraché les yeux.

«C'est l'un des miens, se répétait inlassablement Quinn. L'un des miens.»

Cigare avait mal agi. Très mal agi, même. Il méritait un châtiment. Mais pas la torture. Pas la folie. Pas d'être transformé en une créature monstrueuse que personne ne pouvait regarder sans étouffer un cri de frayeur.

Quinn monta à bord du bateau. Ses trois membres d'équipage échangèrent un regard hésitant puis montèrent à leur tour. Dans les trois autres bateaux, tout le monde les imita. Après avoir largué les amarres, ils mirent le cap vers la pleine mer. À deux cents mètres du rivage, soit une distance où on les voyait de la terre ferme, Quinn ordonna calmement de rentrer les rames.

— Mais il n'y a pas de poisson aussi près, objecta Phil.

Quinn ne répondit pas. Les équipages obéirent et les bateaux se mirent à osciller presque imperceptiblement au rythme de la houle légère.

Quinn observa la plage et la jetée. Avant peu, quelqu'un irait avertir Albert et/ou Caine que les pêcheurs ne pêchaient pas. Il se demanda qui réagirait le premier : Albert ou Caine ?

Il ferma les yeux et rabattit son chapeau sur son visage.

— Je vais faire une sieste, annonça-t-il. Ne vous servez des rames que pour nous empêcher de dériver. Prévenez-moi si quelqu'un débarque.

— Compris, patron.

Albert fut le premier à apprendre la nouvelle. Caine et Albert avaient tous deux des espions – parfois il s'agissait des mêmes – mais Albert payait mieux. Il avait désormais des gardes du corps vingt-quatre heures sur vingt-quatre. Il avait frôlé la mort le jour où les quelques membres restants de la bande des Humains s'étaient introduits chez lui pour le voler et lui avaient tiré dessus. Caine avait exécuté l'un des coupables, un dénommé Lance. Quant à Turk, il l'avait gracié et pris à son service. En épargnant sa vie, il avait envoyé à Albert un message fort, et lourd de menaces.

Le précédent garde du corps d'Albert ayant été tué par Drake, il en avait engagé quatre autres qui se relayaient toutes les huit heures à ses côtés, sept jours sur sept. L'un d'eux restait à sa disposition en permanence et partageait son nouveau logement. Dès qu'Albert mettait un pied dehors, il était toujours escorté de deux gars costauds et armés jusqu'aux dents.

Et pourtant, cela ne lui suffisait pas pour se sentir en sécurité. Il en était venu à transporter lui-même un neuf-millimètres dans un étui de cuir marron et il avait appris à tirer. Pour couronner le tout, il avait fait savoir à tout le monde qu'il paierait grassement quiconque lui apporterait la preuve d'un complot contre lui. De toute manière, c'était toujours plus payant d'être du côté d'Albert.

Malheureusement, il y avait Caine, le roi qui s'était lui-même couronné.

Albert savait qu'il ne pourrait jamais se mesurer à Caine dans un combat. Il veillait donc à savoir toujours précisément ce qu'il manigançait. Un proche du roi travaillait secrètement pour lui.

Et, malgré toutes ces précautions, Albert n'avait pas anticipé ce problème-là.

Une longue marche séparait la marina du lotissement d'Albert, situé à la limite de la ville. Il pressa le pas. Il devait résoudre le problème avant l'arrivée de Caine. Caine avait mauvais caractère. Or, les caractériels étaient mauvais pour les affaires.

En arrivant au bout de la jetée, Albert vit quatre bateaux avec quinze personnes à leur bord qui ne faisaient rien. Il fit rapidement le calcul : il leur restait de quoi manger pendant à peu près trois jours, et assez de chauves-souris bleues pour tenir deux jours. Si la réserve de chauves-souris s'épuisait, ils n'auraient plus aucun moyen sûr de ramasser les récoltes dans les champs infestés de vers.

— Quinn ! appela Albert.

Il aperçut, à sa grande fureur, trois gamins postés sur la plage qui tendaient l'oreille. N'avaient-ils rien de mieux à faire ?

— Salut, Albert ! cria Quinn, se mettant debout.

Il semblait distrait. Albert était certain de l'avoir vu faire signe à quelqu'un de rester assis au fond du bateau.

— Quand est-ce que vous comptez reprendre le travail ? s'enquit Albert.

— Quand on aura eu justice, répondit Quinn, se mettant debout.

— Justice ? Les gens réclament justice depuis le temps des dinosaures !

Quinn se mura dans le silence et Albert se maudit de s'être laissé aller à réagir par un sarcasme.

— Qu'est-ce que tu veux, Quinn? Concrètement, je veux dire.

— On veut que Penny s'en aille.

— Je n'ai pas les moyens de te payer plus, cria Albert.

— Je n'ai pas parlé d'argent, répliqua Quinn, perplexe.

— Oui, je sais : la justice. D'habitude, ce que les gens veulent, c'est de l'argent. Alors pourquoi on ne règle pas cette affaire avec?

— Quand Penny aura quitté la ville, on se remettra à pêcher. D'ici là, on ne bouge pas.

À ces mots, il se rassit comme pour souligner son propos. Au comble de la frustration, Albert se mordit la lèvre.

— Quinn, tu te rends compte que si tu ne trouves pas d'arrangement avec moi, tu devras régler ça avec Caine?

— Je ne crois pas que ses pouvoirs s'étendent jusqu'ici, objecta Quinn sans arrogance mais avec détermination. Et il me semble qu'il aime manger, lui aussi.

Albert réfléchit et procéda mentalement à quelques calculs.

— Écoute, Quinn. Je peux augmenter ta part de cinq pour cent. Mais c'est tout ce que je peux faire.

D'un geste, il lui signifia que c'était à prendre ou à laisser.

Quinn enfonça son vieux feutre taché et déformé sur son crâne et posa les pieds sur le plat-bord.

Albert l'observa un long moment. Non, il ne pourrait pas acheter Quinn.

Il poussa un soupir. Caine avait créé un problème qui menaçait tout ce qu'il avait bâti.

Pas de Quinn, pas de poisson. Pas de poisson, pas de récolte. Le calcul était simple. Caine ne céderait pas; ce n'était pas son genre. Quant à Quinn, qui avait été si lâche par le passé, il avait changé et gagné en maturité, jusqu'à devenir indispensable à la communauté.

L'un d'eux devait partir et, s'il fallait choisir entre Caine et Quinn, le choix était facile.

La partie la plus délicate serait d'annoncer la nouvelle à Caine. Le piège qu'Albert lui réservait était prêt depuis longtemps. Albert regrettait seulement de ne pas avoir trouvé un moyen de s'occuper de Penny par la même occasion. Ça suffisait avec ces deux enquiquineurs : il avait des affaires à mener.

Il était peut-être temps pour lui de révéler à Caine que des caisses renfermant des joujoux très intéressants avaient été abandonnées sur une plage déserte. Il était peut-être temps pour lui de se débarrasser du roi pour le bien de ses affaires.

12

25 HEURES
8 MINUTES

*C*AINE,
Si je t'écris, c'est parce que je n'ai pas vraiment le choix. Tu t'imagines probablement que j'ai quelque chose derrière la tête, alors quand j'aurai terminé cette lettre, je la lirai à voix haute devant Toto et Mohamed. Toto pourra confirmer que je dis la vérité, et Mo te transmettra le message.

Il se passe quelque chose avec la paroi. Elle noircit. Ce phénomène, on l'a baptisé la tache. On essaie de déterminer à quelle vitesse elle s'étend. Pour l'instant, on n'en sait rien. Mais il se peut bien que cette chose continue de grandir, et alors nous serons tous plongés dans l'obscurité totale.

Je suis sûr que tu devines sans mal que ce sera la catastrophe si ça se produit.

Si la Zone se retrouve plongée dans le noir, je ferai de mon mieux pour laisser des soleils un peu partout. Ils ne brillent pas très fort, mais, avec un peu de chance, ils empêcheront les gens de péter les plombs jusqu'à ce qu'on trouve une solution...

Désolé mais pour l'instant je n'ai pas de plan. Si toi tu as une idée, je suis prêt à l'entendre.

137

En attendant, j'envoie une copie de cette lettre à Albert et vous demande à tous deux la permission de me laisser venir à Perdido Beach pour allumer quelques lumières.
Sam Temple

Il lut la lettre à voix haute comme il l'avait promis. Toto marmonna une ou deux fois : « C'est la vérité », et Mohamed attendit que Sam recopie la lettre pour Albert. Puis il prit les deux exemplaires et les glissa dans la poche de son jean.

— Écoute, Mo, une dernière chose. Dis à Caine... Dis à mon frère que je m'attendais qu'il se serve de ces roquettes contre nous et que j'étais prêt à lui faire la guerre. Mais que c'est du passé.

— OK.

— Toto, est-ce que j'ai écrit et dit la vérité ?

Toto hocha la tête avant de répondre :

— Il croit ce qu'il dit, Spidey.

— Ça te va, Mo ?

Mohamed acquiesça.

— Ne traîne pas en route, reprit Sam. (Il ajouta d'un ton amer :) Et profite bien du soleil.

— Trouve-moi un couteau, dit Lana quand ils eurent transporté ce qui restait de Taylor dans une chambre inoccupée de l'hôtel.

Sanjit avait apporté ses jambes qu'il étendit sur le lit à côté d'elle.

— Un couteau ?

Il ne restait que Sanjit et Lana dans la pièce. Virtue surveillait le reste de la famille. Il n'avait pas l'estomac assez accroché pour ça. Et il ne fallait pas que les petits tombent sur une telle horreur.

Comme Lana ne donnait pas d'explications, Sanjit lui tendit son couteau. Elle observa tour à tour la lame et Taylor qui respirait maintenant de façon un peu plus régulière, puis releva son tee-shirt et fit une entaille peu profonde dans son abdomen.

— Qu'est-ce que tu fais ?

Sanjit ne doutait pas des capacités de Lana, mais il voulait comprendre et cherchait à maintenir une conversation pour éviter de penser à Taylor.

— J'ai essayé de faire repousser des globes oculaires et tu as vu le résultat ? répondit Lana. Même chose quand j'ai voulu faire repousser un membre : je n'ai pas vraiment obtenu le résultat souhaité.

— Drake ?

— Oui, Drake. Je veux juste tester mes pouvoirs sur Taylor avant de...

Elle se tut et posa la main sur l'entaille. Au lieu de se refermer, la plaie se mit à dégager des bulles comme si quelqu'un avait versé du peroxyde à l'intérieur.

Lana recula vivement.

— Quelque chose ne tourne pas rond.

Sanjit la vit froncer les sourcils. Son attitude vis-à-vis de Taylor était presque craintive.

— L'Ombre ? hasarda-t-il.

Lana secoua la tête.

— Non, c'est autre chose.

Elle ferma les yeux puis, comme si elle essayait de surprendre quelqu'un, elle se retourna brusquement.

— Je te préviendrais si quelqu'un se glissait derrière toi, dit Sanjit.

— Ce n'est pas l'Ombre, reprit-elle. Pas cette fois. Mais je sens quelque chose.

Sanjit était d'une nature sceptique, mais Lana lui avait raconté dans le détail sa lutte acharnée contre le gaïaphage. Il savait que, même maintenant, elle sentait la présence de la créature dans ses pensées et entendait sa voix qui l'appelait. Des choses qu'il aurait crues impossibles dans l'autre monde se produisaient ici.

Là, c'était autre chose, du moins c'est ce qu'elle prétendait. Et son regard ne trahissait ni la crainte ni la rage qu'elle éprouvait lorsque l'Ombre essayait de l'atteindre. Elle semblait juste perplexe.

Sans crier gare, elle saisit le bras de Sanjit, l'attira vers elle et toucha son front puis celui de Taylor.

— Elle est froide, dit-elle, les yeux brillants.

— Elle a perdu beaucoup de sang, fit remarquer Sanjit.

— Vraiment? Il me semble plutôt que toutes ses blessures se sont refermées.

— Alors pourquoi elle est si froide?

Car Sanjit venait de faire le même constat. Il avait touché les jambes sectionnées de Taylor, puis son front. Son corps avait la même température que la pièce.

— Sanjit, retourne-toi, dit Lana.

Elle était déjà en train de relever le tee-shirt de Taylor et Sanjit détourna précipitamment la tête. Ensuite, il l'entendit baisser la fermeture éclair de son jean.

— C'est bon, tu peux regarder.

Sanjit se retourna et eut un hoquet de stupeur.

— C'est… Bon, je ne sais pas ce que c'est.

— Je ne sais plus exactement quels sont les signes distinctifs d'un mammifère, dit Lana d'une voix blanche. Mais ça a quelque chose à voir avec l'accouchement et l'allaitement. Et puis les mammifères ont le sang chaud. Taylor ne remplit plus aucun de ces critères. (Elle secoua la tête pour s'éclaircir les idées.) Taylor n'est plus un mammifère.

— Les humains ont des cheveux, observa Sanjit en touchant la chevelure de Taylor qui avait la consistance de la pâte à modeler. Alors c'est une espèce de mutante ?

— Elle l'était déjà avant. Mais aucun des mutants n'a développé de second pouvoir ni cessé d'être humain. Même Orc semble humain sous son armure.

— Alors les règles ont changé, résuma Sanjit.

— Quelqu'un les a changées, plutôt.

— Qu'est-ce qu'on va faire d'elle ? Elle est toujours en vie.

Lana ne répondit pas. Elle fixait le vide devant elle d'un air absent. Sanjit allait lui toucher le bras pour lui rappeler qu'elle n'était pas seule quand il se ravisa : Lana avait bâti un mur entre elle et les autres, lequel l'enfermait dans un monde qu'elle partageait avec des forces que Sanjit ne comprenait pas. Son regard fut irrésistiblement attiré vers la créature monstrueuse qu'était devenue Taylor.

Soudain, sa bouche s'ouvrit et une longue langue, vert sombre et fourchue, en jaillit. Elle parut «goûter» l'air puis disparut de nouveau à l'intérieur de sa bouche. Ses yeux, eux, restaient clos.

Sanjit songea aux rues de Bangkok. Un mendiant de sa connaissance avait un chien à deux pattes qu'il tenait en laisse. Lui-même était cul-de-jatte et ses mains possédaient en tout et pour tout deux doigts épais et un moignon en guise de pouce. Les gamins des rues le surnommaient le monstre à deux têtes, comme si l'homme et le chien ne faisaient qu'un. Parfois, ils lui jetaient des pierres. À leurs yeux, ce n'était qu'un dégénéré. Il leur faisait peur.

« Les monstres les plus effrayants, ce ne sont pas ceux qui sont trop différents de nous, songea Sanjit. Ce sont ceux qui sont trop humains. Ils portent en eux une menace : ce qui leur est arrivé pourrait nous arriver aussi. »

Au fond de lui, il était tenté de tuer ce corps monstrueux. Puisqu'il n'y avait aucun moyen de lui venir en aide, ce serait faire acte de charité. Après tout, Taylor n'était qu'une manifestation d'une conscience éternelle, le Samsara. Son karma déterminerait sa prochaine incarnation, et quant à Sanjit il gagnerait un bon karma pour avoir accompli une bonne action. Mais il avait aussi entendu des gens de la même religion que lui prétendre qu'il ne fallait jamais prendre une vie sous peine d'interrompre le cycle normal de la réincarnation.

— Est-ce qu'il t'arrive d'avoir des sentiments que tu ne peux pas vraiment t'expliquer ? demanda soudain Lana, l'arrachant brusquement à ses réflexions.

— Oui, mais qu'est-ce que tu veux dire par là ?

— Comme... comme le pressentiment qu'une tempête se prépare. Ou qu'il ne faut pas monter dans un avion. Ou que si tu tournes au coin de telle ou telle rue, tu vas tomber sur quelque chose d'horrible.

Sanjit lui prit la main et elle se laissa faire.

— Un jour, je devais retrouver un ami dans un marché et mes pieds ont refusé d'avancer. C'était comme s'ils cherchaient à me dire : « Non, n'y va pas ! »

— Et qu'est-ce qui s'est passé ?

— Une voiture piégée a explosé.

— Dans le marché où tu ne voulais pas aller ?

— Non. À quelques mètres de l'endroit où je me tenais quand mes pieds ont refusé de m'obéir. Je n'ai pas tenu compte de leur message : je suis allé au marché. (Sanjit haussa les épaules.) Mon intuition me soufflait quelque chose. Mais pas ce que je croyais.

Lana hocha la tête d'un air grave.

— C'est pour bientôt.

— De quoi tu parles ?

— J'ai l'impression qu'une guerre approche.

Sanjit sourit.

— Ah, c'est tout ? Dans ce cas, il ne nous reste plus qu'à trouver un moyen de survivre. Je ne t'ai jamais expliqué ce que voulait dire « Sanjit » ? En sanscrit, ça signifie « invincible ».

Ce fut au tour de Lana de sourire – un fait si rare que le cœur de Sanjit se serra.

— Oui, je m'en souviens.

— Personne ne peut me battre.

— L'Ombre approche, dit Lana, et son sourire s'évanouit.

— Tu ne peux pas prévoir l'avenir, lui rappela Sanjit. Personne ne le peut. Pas même ici.

13

C OMME IL N'ÉTAIT PAS possible d'encocher la surface du dôme, Astrid exposa son plan à Sam qui demanda à Roger, lequel aimait bien se faire appeler « Artful » Roger, de construire dix structures en bois identiques, semblables à des encadrements de tableaux, mesurant soixante centimètres sur soixante.

Les structures en bois furent montées sur des poteaux de un mètre cinquante.

Puis Astrid, escortée d'Edilio qui veillait à sa sécurité et de Roger qui l'aidait à porter le matériel, suivit la paroi d'ouest en est. Tous les trois cents pas, au moyen d'un mètre à ruban, ils comptaient trois mètres en partant du pied de l'enceinte, creusaient un trou et fixaient une structure en bois.

Chaque fois, Astrid reculait de dix pas, mesurait la distance, puis prenait une photo en indiquant l'heure de la journée et la surface approximative de la tache dans la structure.

C'était pour cette raison qu'elle était revenue. Jack était peut-être assez malin pour songer à mesurer la tache, mais il n'aurait jamais su comment procéder. Ça n'avait rien à voir avec le fait qu'Astrid se sente seule ou qu'elle cherche une excuse pour revenir vers Sam.

Et pourtant, c'est ce qui s'était passé : elle était revenue vers lui.

Astrid sourit malgré elle et détourna la tête pour qu'Edilio ne s'en aperçoive pas.

Était-ce son intention depuis le début ? Trouver un prétexte pour courir ventre à terre jusqu'à Sam et lui tomber dans les bras ? C'était le genre de question qui l'aurait préoccupée par le passé. L'Astrid d'avant aurait été très inquiète de ses raisons et très désireuse de se justifier. Elle avait toujours eu besoin d'évoluer dans un cadre éthique et d'avoir recours à des modèles abstraits pour se juger.

Bien sûr, elle avait usé des mêmes principes pour juger les autres. Mais dès lors qu'il avait fallu survivre, agir pour mettre un terme à toutes ces atrocités, elle s'était montrée impitoyable. Oui, il y avait une certaine moralité dans son geste : elle avait sacrifié le petit Pete pour le bien du plus grand nombre. Mais c'était le prétexte de tous les tyrans de l'histoire : sacrifier une, dix ou un million de personnes pour défendre leur notion de l'intérêt commun.

Ce qu'elle avait fait était immoral. C'était mal. Astrid avait beau avoir mis de côté ses convictions religieuses, le bien et le mal existaient encore, et jeter son frère en pâture à ces monstres...

Elle ne doutait pas d'avoir mal agi, elle avait conscience qu'elle méritait d'être punie. À vrai dire, c'était l'idée de pardon qui la révoltait. Elle ne voulait pas être pardonnée. Elle voulait porter son crime comme une cicatrice parce que tout ça s'était réellement produit et que rien ne pouvait le défaire.

Elle avait commis un acte terrible qui resterait gravé dans sa chair pour l'éternité.

— Quand est-ce qu'on rentre ? demanda Edilio quand ils eurent tout installé.

Astrid haussa les épaules.

— Il vaudrait peut-être mieux attendre demain au cas où la tache s'étendrait plus vite que prévu.

— Qu'est-ce qu'on va faire au sujet de cette tache ?

— La mesurer pour savoir à quelle vitesse elle progresse dans les prochaines vingt-quatre heures. Faire la même chose le lendemain et le surlendemain pour déterminer si le rythme s'accélère.

— Et ensuite ?

Astrid secoua la tête.

— Ensuite, je ne sais pas.

— Peut-être que je prierai, dit Edilio.

— Ça ne peut pas faire de mal, concéda Astrid.

Un bruit s'éleva derrière eux.

Ils se retournèrent comme un seul homme. En un clin d'œil, Edilio avait épaulé sa mitraillette et ôté le cran de sécurité. Roger se glissa derrière lui.

— C'est un coyote, souffla Astrid.

Elle n'avait pas pris son fusil car elle devait porter les cadres en bois. Mais elle avait son revolver sur elle, et le dégaina.

Presque immédiatement, elle comprit que le coyote n'était pas une menace. Tout d'abord, il était seul. Ensuite, il pouvait à peine marcher. Il traînait la patte et avançait de travers. En outre, quelque chose clochait avec sa tête. Astrid avait d'ailleurs du mal à en croire ses yeux. Elle cligna des paupières, secoua la tête et regarda de nouveau. Sa première pensée fut que le coyote tenait la tête d'un enfant dans sa gueule.

— *Madre de Díos*, balbutia Edilio.

Il s'avança vers la créature qui se trouvait maintenant à quelques mètres d'eux. Roger posa la main sur son épaule pour le rassurer, mais il était livide, lui aussi.

Quant à Astrid, elle resta clouée sur place.

— C'est Bonnie! s'écria Edilio d'une voix stridente. C'est elle. C'est son visage. Oh non…

Ses mots se perdirent dans un long gémissement.

La créature ignora Edilio et continua à se traîner sur ses pattes – deux pattes de coyote à l'avant et deux jambes humaines déformées à l'arrière – comme si ses yeux bleus et vides n'y voyaient pas et qu'aucun son ne parvenait à ses oreilles roses et parfaitement humaines.

Edilio la regarda s'éloigner en sanglotant.

Astrid visa de son revolver le cœur de la créature, juste en dessous de l'épaule, et tira. L'arme recula dans sa main. Un petit cercle rouge s'imprima sur le dos de la chose, et du sang se mit à couler de la blessure.

Astrid ouvrit de nouveau le feu et toucha le cou de coyote de la créature, qui s'effondra. Du sang jaillit et forma une flaque sur le sable.

Une fois de plus, l'avatar s'était cassé.

Pete avait essayé de jouer avec celui qui apparaissait

et disparaissait à sa guise, et s'était arrêté en le voyant changer de forme et de couleur.

Il avait cherché à s'amuser avec un autre avatar, qui avait pris la forme d'une autre créature.

C'était donc ça le jeu ? Ce n'était pas très drôle, et il commençait à s'en vouloir quand les avatars se cassaient. Il avait l'impression d'avoir mal agi.

Il avait bien essayé de leur rendre leur forme initiale, mais rien ne s'était passé. Pourtant, d'habitude, quand il le voulait très fort, les choses lui obéissaient. Il avait souhaité que les sirènes et les cris se taisent, que le monde cesse de s'embraser, et il avait créé la bulle dans laquelle il vivait désormais.

Il avait fait d'autres vœux et ils avaient tous été exaucés. S'il désirait très fort quelque chose, ça se produisait… Non ?

« Faux », songea-t-il. Il avait toujours eu peur quand de grands événements survenaient brusquement. Il ne lui suffisait pas de vouloir les choses pour qu'elles se produisent, il fallait qu'il ait peur. Avant, il avait toujours peur. Il était toujours paniqué. Il criait toujours à l'intérieur de sa tête trop pleine.

Mais maintenant, il n'avait plus peur. Il ne cédait plus à la panique. Le nouveau Pete ne craignait plus les bruits, les couleurs et les choses qui bougeaient trop vite.

Et le nouveau Pete s'ennuyait.

Un avatar flotta près de lui. Même sans les yeux bleus perçants, même sans la voix stridente, Pete le reconnut. C'était sa sœur, Astrid.

Soudain, il se sentit très seul. Avait-il déjà éprouvé un sentiment de solitude auparavant ?

Il mourait d'envie de tendre la main et, d'un geste infime, de lui faire savoir qu'il était là. Mais ils étaient si fragiles, ces avatars ! Et il avait deux mains gauches.

Cette image le fit rire. Avait-il déjà ri auparavant ? En tout cas, maintenant il riait. Et ça suffisait, pour le moment du moins.

Dès le début, Albert avait pris la décision de jouer le jeu ridicule de Caine. S'il tenait à ce qu'on l'appelle « Altesse », eh bien ça ne coûtait pas plus cher à Albert.

Il fallait admettre que Caine maintenait la paix. Il imposait des règles. Or, Albert aimait les règles ; il en avait besoin pour prospérer.

Il y avait désormais très peu de vols sur les étals qu'on avait installés devant l'école pour commercer. Il y avait aussi moins de bagarres. Albert avait même vu le nombre d'armes diminuer, ou du moins, de temps à autre, il arrivait qu'un enfant oublie d'emporter sa batte de base-ball ou sa machette.

C'était bon signe, dans l'ensemble.

Surtout, les enfants n'omettaient jamais de venir travailler et s'acquittaient de toutes leurs heures.

Le roi Caine leur faisait peur et Albert les rémunérait. Entre la menace et la rétribution, la vie s'écoulait plus paisiblement que sous le contrôle de Sam ou d'Astrid.

Donc, si Caine tenait à être traité comme un roi...

— Altesse, je suis venu rendre mon rapport, annonça Albert.

Il attendit patiemment. Caine, assis à son bureau, feignait d'être absorbé dans sa lecture. Enfin, il leva les yeux en prenant l'air indifférent.

— Je t'écoute, Albert.

— La bonne nouvelle, c'est que le nuage continue à donner de la pluie. Le ruisseau est propre : la plupart des saletés et des résidus d'essence ont été évacués. Donc, *a priori*, on peut boire l'eau de la citerne. Le débit est de quatre-vingts litres par heure, soit quasiment deux milles litres d'eau par jour : ça suffit largement à couvrir nos besoins en eau potable, et il reste même de quoi arroser les jardins.

— Ça nous laisse de quoi faire une toilette ?

Albert secoua la tête.

— Non. Et on ne peut pas non plus laisser les enfants se doucher sous la pluie. Imagine s'ils se lavent les fesses dans l'eau qui alimente la citerne.

— Je vais faire une proclamation.

Parfois, Albert devait se retenir d'éclater de rire. Une proclamation ? Mais il parvint à demeurer impassible.

— Du côté de la nourriture, c'est moins encourageant, poursuivit-il. J'ai dessiné un graphique.

Il sortit une feuille de papier de son attaché-case et la brandit devant Caine.

— Ça, c'est notre production de la semaine dernière. Regarde comme c'est stable. La baisse d'aujourd'hui est due au fait qu'on n'a pas eu de poisson. Et cette ligne en pointillé représente mes estimations concernant les stocks de la semaine prochaine.

Le visage de Caine s'assombrit. Il se mit à ronger l'ongle de son pouce, puis suspendit son geste.

— Comme tu le sais déjà, Cai... Altesse, soixante pour cent de nos fruits et légumes sont issus des champs infestés de vers. Quatre-vingts pour cent de nos protéines proviennent de la mer. Sans Quinn, nous ne pouvons pas nourrir les vers. Ce qui signifie qu'on ne pourra plus ni planter ni récolter. Pour couronner le tout, une histoire à dormir debout circule au sujet d'un des ramasseurs d'artichauts qui se serait transformé en poisson.

— Hein ?

— Ce n'est qu'une rumeur idiote, mais du coup plus personne ne veut ramasser ces légumes.

Caine poussa un juron.

— Dans trois jours, on aura un gros problème de famine, reprit Albert après avoir rangé son graphique. Dans une semaine, les enfants tomberont comme des mouches. Je n'ai pas besoin de te rappeler que la situation se gâte vite quand ils ont faim.

— On n'a qu'à remplacer Quinn et envoyer d'autres personnes en mer sur d'autres bateaux, suggéra Caine.

Albert secoua la tête.

— Ça ne s'improvise pas. Il a fallu longtemps à Quinn pour arriver à un tel niveau d'efficacité. Et puis il a les meilleurs bateaux, et tous les filets et les harpons. Si on décidait de le remplacer, il nous faudrait probablement cinq semaines pour pêcher de quoi éloigner la famine.

— Alors on ferait mieux de s'y mettre ! aboya Caine.

— Non, fit Albert, avant d'ajouter : Altesse.

Caine abattit son poing sur la table.

— Je ne vais pas céder devant Quinn ! Le roi, c'est moi !

— Je lui ai offert plus d'argent. Ce n'est pas ce qu'il veut.

Caine se leva d'un bond.

— Bien sûr que non. Tout le monde n'est pas comme toi, Albert. Tout le monde n'est pas aussi cupide… (Il renonça à finir sa phrase et se remit à tempêter.) C'est le pouvoir qu'il veut. Il veut me renverser. Sam Temple et lui sont amis depuis des lustres. Je n'aurais jamais dû le laisser rester. J'aurais dû l'obliger à partir avec Sam !

— Il pêche et on vit en bord de mer, lui rappela Albert. Ce genre d'attitude l'agaçait. C'était une perte de temps. Caine ne semblait pas l'avoir entendu.

— Entre-temps, Sam a un lac rempli de poiscaille à sa disposition, et ses propres cultures, sans compter le Nutella, le Pepsi et les nouilles. À ton avis, qu'est-ce qui va se passer si les gamins découvrent qu'on n'a plus rien à bouffer ?

Caine était rouge de colère. Albert se souvint qu'en plus d'être un égocentrique incontrôlable Caine était extrêmement puissant et dangereux. Il jugea donc plus sage de ne pas répondre à sa question.

— On sait tous les deux ce qui va se passer, continua Caine avec amertume. Ils vont quitter la ville pour aller s'installer au bord du lac. (Il jeta un regard noir à Albert comme si tout était sa faute.) C'est pour ça que ce n'est pas une bonne idée d'avoir deux villes. Ils peuvent aller où ça leur chante.

En se laissant choir dans son fauteuil, Caine se cogna le genou à son bureau. D'un geste rageur, il l'envoya s'écraser contre le mur. Le choc fut assez violent pour faire tomber les photos encadrées de l'ancien maire. Le meuble laissa un gros trou triangulaire dans le mur.

Caine se remit à ronger l'ongle de son pouce et Albert pensa à toutes les choses plus utiles dont il aurait pu s'acquitter. Enfin, Caine se servit de ses pouvoirs pour remettre le bureau à sa place : il avait besoin d'un meuble pour prendre une pose théâtrale. Puis, les coudes appuyés sur la table, il se tapota le front du bout des doigts, l'air pensif.

— Tu es mon conseiller, Albert. Alors, qu'est-ce que tu me conseilles ?

Depuis quand Albert occupait-il cette position ?

— Bon, puisque tu me le demandes, je pense qu'on devrait bannir Penny.

Comme Caine allait protester, Albert, incapable de maîtriser davantage son impatience, leva la main.

— D'abord, parce que Penny est une personne malade et instable. On savait qu'elle causerait des problèmes et elle en créera d'autres à coup sûr. Ensuite, parce que ce qui est arrivé à Cigare t'a mis toute la population à dos. Ce n'est pas seulement Quinn : tout le monde pense que c'est mal. Enfin, si tu restes sur ta décision et que Quinn ne cède pas non plus, cette ville va bientôt se vider.

« Si tu ne changes pas d'avis, ajouta Albert pour lui-même, j'entendrai soudain parler d'un container rempli de missiles abandonné sur une plage. Et toi, mon roi, tu iras les chercher. »

Caine posa les mains à plat sur le bureau.

— Si je cède, tout le monde croira... (Il poussa un soupir tremblant.) Je suis le roi. Ils s'imagineront que je ne suis pas invincible.

Albert ne put dissimuler sa surprise.

— Évidemment que tu n'es pas invincible. Altesse. Personne n'est invincible.

— Sauf toi, hein, Albert ? lâcha Caine d'un ton amer.

153

Albert savait qu'il ne devait pas répliquer, mais la pique pitoyable de Caine avait fait mouche.

— Turk et Lance m'ont tiré dessus, dit-il, la main sur la poignée de la porte. Si j'ai survécu, c'est seulement grâce à la chance et à Lana. Crois-moi, j'ai cessé de penser que j'étais invincible.

« Et j'ai commencé à faire des plans », songea-t-il, mais il se garda bien de formuler sa pensée tout haut.

14

ILS REGARDÈRENT MOHAMED s'éloigner.

Ensuite, une fois certaine que Sam disposait d'au moins quelques minutes pour réfléchir posément, Astrid lui raconta ce qu'ils avaient trouvé dans le désert.

— Edilio ramène le corps pour qu'on puisse y jeter un coup d'œil. Je suis rentrée immédiatement.

Sam l'écoutait à peine. Il avait les yeux fixés sur la paroi. Il n'était pas le seul. Les enfants avaient forcément remarqué la tache pendant qu'ils travaillaient. Ceux qui étaient partis aux champs ne s'en étaient peut-être pas aperçus, mais ceux restés à la marina ne pouvaient pas ne pas l'avoir vue.

Ils venaient par groupes de deux ou trois demander à Sam ce que ça signifiait. Chaque fois, il répondait :

— Retournez travailler. S'il y a lieu de s'inquiéter, je vous préviendrai.

Et chaque fois qu'il disait ces mots, il avait recours au même ton bourru mais rassurant.

Astrid voyait clair dans son jeu. Elle sentait la tension suinter de chacun de ses pores. Elle voyait les commissures tombantes de ses lèvres et les plis d'inquiétude entre ses yeux.

Il n'avait pas besoin d'un nouveau problème. Le monstre hideux qu'Edilio et Astrid avaient trouvé devrait donc attendre. Tout ce qui préoccupait Sam dans l'immédiat, c'était la progression fascinante de la tache. Son imagination le torturait.

Il entrevoyait un monde de ténèbres absolues.

Astrid avait les mêmes craintes. Et bien que ce soit dérisoire, elle s'inquiétait pour ses tentes qu'il fallait retendre régulièrement pour éviter qu'elles s'affaissent, et dont elle devait vérifier la toile en raison des petits accrocs qui s'agrandissaient vite. Or, les scarabées et les fourmis n'avaient pas leur pareil pour trouver un moyen d'entrer.

Elle se rappela s'être réveillée une nuit dans la tente alors qu'une véritable fourmilière se promenait sur son visage pour aller récupérer un morceau de son dîner qu'elle avait laissé tomber par terre. Elle s'était redressée d'un bond et précipitée vers l'eau, mais, entre-temps, les fourmis, paniquées par son propre affolement, l'avaient piquée à une dizaine d'endroits.

Elle laissa ses pensées vagabonder quelque temps, tout à fait consciente par ailleurs qu'elle éprouvait de la nostalgie pour des détails qui, dans l'ensemble, étaient dérisoires et misérables. Elle s'aperçut que, comme Sam, elle était condamnée à attendre la prochaine catastrophe.

L'image du coyote à visage humain s'imprima subitement dans son esprit et lui arracha un sursaut d'horreur. Bang. Bang. Elle entendait encore mieux le bruit des détonations dans son souvenir. Sur le moment, elle s'était sentie comme engourdie. À présent, elle se souvenait aussi du recul de l'arme, du sang répandu sur le sable par cette abomination, de son visage de petite fille, apaisé dans la mort, et de son regard voilé.

Que se passait-il d'horrible encore ? Pourquoi n'y comprenait-elle rien ? Pourquoi ne pouvait-elle pas aider Sam à remporter une fois de plus une victoire impossible ?

L'un des grands avantages de vivre seul, c'était qu'on n'avait plus à répondre aux attentes de qui que ce soit. Elle n'était plus obligée d'être Astrid le Petit Génie, Astrid la mairesse, Astrid la petite amie de Sam ou encore Astrid-mais-qu'elle-la-ferme-une-fois-pour-toutes.

Sa seule préoccupation de la journée était de se trouver à manger. Un immense accomplissement qu'elle ne devait qu'à elle-même.

Sam examina la paroi à l'aide de ses jumelles, puis se tourna vers l'intérieur des terres.

— Mo est en chemin, dit-il. (Il eut un mouvement de surprise.) Et Howard aussi, à cinq cents mètres devant lui... Bon, je ne le vois plus. (Il baissa ses jumelles.) À tous les coups, il est allé piocher dans sa réserve d'alcool.

Astrid eut un sourire désabusé.

— La vie continue, on dirait.

Sam fronça les sourcils.

— Qu'est-ce que tu me disais, déjà ?

— Retourne travailler. S'il y a lieu de s'inquiéter, je te préviendrai.

— Très drôle.

Soudain, il lui parut très jeune. Bien sûr, il l'était dans les faits, et elle aussi d'ailleurs. Mais ils avaient oublié leur jeunesse dans ce monde où ils étaient les plus vieux. Sam avait la tête d'un ado, d'un garçon qui aurait dû pousser des cris de joie en surfant sur les vagues.

Cette image affligea Astrid et elle sentit les larmes monter. Feignant d'avoir une poussière dans l'œil, elle s'essuya d'un revers de main.

Mais Sam ne fut pas dupe. Passant les bras autour d'elle, il l'attira contre lui. Elle n'osa pas le regarder de crainte d'éclater en sanglots. Elle ne pouvait pas lire de la peur dans son regard sans avoir envie de le serrer dans ses bras comme un petit garçon.

— Non, chuchota-t-il. Il faut que tu ouvres les yeux, Astrid. Je ne sais pas si je les reverrai.

Elle pressa sa joue humide contre la sienne.

— Je veux refaire l'amour avec toi, dit-il.

— J'en ai envie, moi aussi, Sam. C'est parce qu'on a peur?

Il hocha la tête et serra les dents.

— Le moment est mal choisi, je suppose.

— Non, c'est humain, objecta-t-elle. Dans toute l'histoire de l'humanité, des gens se sont serrés les uns contre les autres dans le noir. À l'époque où ils vivaient dans des huttes avec leurs animaux, par exemple. Ils croyaient que les bois autour d'eux étaient hantés par des esprits. Ils se raccrochaient les uns aux autres pour avoir moins peur.

— Je vais bientôt devoir te confier une tâche dangereuse.

— Tu veux que j'aille revérifier les mesures?

— Je sais qu'on avait parlé de demain matin...

Astrid acquiesça.

— La tache s'étend rapidement. Je crois que tu as raison. Il faut qu'on sache si on aura un lever de soleil demain.

L'expression de Sam était lugubre. Il fixait un point dans le vague derrière Astrid et semblait au bord des larmes.

Une fois de plus, elle le vit tel qu'il avait été jadis, il y avait si longtemps. Un grand garçon séduisant qui batifolait dans les vagues en échangeant des blagues avec son ami Quinn. Un ado heureux et insouciant. Elle l'imagina puiser des forces dans la chaleur du soleil qui tapait sur ses épaules brunes.

La Zone avait enfin trouvé le moyen de vaincre Sam Temple. Sans lumière, il ne survivrait pas. Quand la nuit viendrait sans espoir d'une aube, c'en serait fini de lui.

Elle l'embrassa mais il ne lui rendit pas son baiser, et garda les yeux rivés sur la tache.

Autrefois, il y avait fort longtemps, Sinder adorait le noir. Elle se vernissait les ongles en noir, teignait ses cheveux en noir, portait des vêtements noirs.

Désormais, sa couleur c'était le vert. Elle adorait le vert. Le vert transformait la lumière en nourriture.

— Y a pas plus cool que la photosynthèse ! s'exclama-t-elle à l'intention de Jezzie qui, agenouillée une demi-douzaine de rangs plus loin, traquait avec une application maniaque les mauvaises herbes, insectes et maladies qui pouvaient menacer ses cultures chéries.

Jezzie ne releva pas la remarque de Sinder ; elle s'abstenait souvent de répondre quand son amie devenait bavarde.

— Je me rappelle avoir appris ça à l'école, mais à l'époque je m'en fichais. Tu te rends compte, la lumière devient énergie qui devient nourriture et redevient énergie quand on la mange. C'est un peu comme… tu sais…

— Un miracle, grommela Orc.

— Non, fit Jezzie. Ce serait un miracle si ça ne marchait pas aussi pour les mauvaises herbes. Là, ce serait un miracle.

Elle avait trouvé une racine qui ne lui plaisait pas et tirait dessus avec des grognements d'effort.

— Je peux l'arracher si tu veux, suggéra Orc.

— Non, non, non ! s'écrièrent en chœur les deux filles. Merci, Orc.

Orc ne portait pas de chaussures, mais, s'il en avait porté, il lui aurait fallu au moins du 52. S'il s'aventurait dans le jardin, il piétinerait tout.

Sinder aimait s'agenouiller pour regarder ses cultures de très près. Quand elle se positionnait d'un côté, elle voyait les feuilles miraculeuses se découper sur le lac et la marina. De l'autre, elle les voyait se détacher sur la paroi gris perle de l'enceinte, vertes comme des plantes artificielles.

En ce moment même, elle observait les fanes d'une carotte avec en arrière-plan la tache noire sur le mur qui les faisait ressembler à une œuvre d'art abstrait.

Levant les yeux, elle vit la tache s'agrandir brusquement. L'espèce de vague noire, qui mesurait au départ trois ou quatre mètres de haut, s'épanouit telle une énorme fleur sombre jusqu'à atteindre dix mètres, puis vingt puis trente. Sa progression ralentit peu à peu puis s'interrompit.

Sinder pria pour que Jezzie ne se soit aperçue de rien. Mais quand son amie se releva, des larmes roulaient sur ses joues.

— Je me sens mal, dit-elle simplement.

Sinder jeta un coup d'œil vers Orc, qui était toujours absorbé dans sa lecture.

— Moi aussi, Jez. C'est comme si...

Incapable de décrire ce qu'elle ressentait, elle secoua la tête.

En essayant d'essuyer la terre sur son front, Jezzie se salit encore plus. Elle tourna la tête vers la marina. Suivant son regard, Sinder aperçut Sam et Astrid, étroitement enlacés sur le pont supérieur de la Péniche Blanche.

— Quand on m'a annoncé son retour, au début j'ai pensé que c'était une bonne nouvelle, dit Jezzie. Je me suis dit que Sam serait content. Il se sentait si seul !

Dans la Zone, les enfants, privés de Facebook, de télé-réalité et d'émissions sur Hollywood, devaient, pour satisfaire leur soif de ragots, se rabattre sur ceux qui se rapprochaient le plus d'une célébrité : Sam, aimé de tous ou presque, au sujet duquel on s'inquiétait beaucoup. Diana, haïe de tous ou presque, dont l'enfant à venir inquiétait tout autant. Le bébé lui-même, qui alimentait les paris sur son sexe et ses éventuels pouvoirs. Caine, dont des nouvelles leur parvenaient régulièrement de Perdido Beach. Edilio, dont la relation avec Roger donnait lieu à bien des conjectures. Astrid, au sujet de laquelle les théories allaient bon train : on se disputait avec passion pour déterminer si elle était une personne bénéfique pour Sam, ou une sorte de Jadis, la sorcière blanche de Narnia. Et, bien entendu, la relation supposée de Jack et de Brianna et/ou de Dekka et de Brianna, qui suscitait beaucoup de cancans.

Les remarques concernant l'état d'esprit de Sam n'étaient pas plus inhabituelles que celles au sujet de Lindsay Lohan ou de Justin Bieber à une autre époque. Excepté qu'en l'occurrence chaque habitant du lac savait que son destin était étroitement lié à celui de Sam Temple.

— Il n'a pas l'air en forme, observa Jezzie.

De là où elle se trouvait, elle ne distinguait qu'une minuscule silhouette. En d'autres circonstances, Sinder le lui aurait fait remarquer. Mais à la manière dont Sam serrait Astrid dans ses bras, elle avait compris que quelque chose ne tournait pas rond.

Elle contempla son jardin, ces plantes qu'elle considérait comme des individus à part entière, qu'elle avait pour la plupart baptisées avec l'aide de Jezzie, et vit les contours de la tache s'étirer lentement mais inexorablement vers le ciel.

La lumière était presque insupportable. Les rayons du couchant brûlaient les yeux de Drake comme des charbons ardents. Depuis combien de temps n'avait-il pas vu le soleil? Des semaines? Des mois?

On perdait la notion du temps dans l'antre du gaïaphage: pas d'heures pour les repas, le bain, le réveil.

Les coyotes l'attendaient dans la ville fantôme en contrebas de la mine. Chef – enfin, le nouveau chef de meute – était en train de lécher une escarre sur sa patte avant droite.

— Emmène-moi au lac, dit Drake.

Chef le fixa de ses yeux jaunes.

— Chef a faim.

— C'est bien triste. Emmène-moi là-bas.

Chef montra les dents. Sans avoir atteint la taille d'un loup, les coyotes de la Zone n'avaient plus grand-chose en commun avec leurs frêles congénères qui vivaient de l'autre côté du mur. Et cependant, ils n'étaient manifestement pas en grande forme. Leur pelage galeux laissait apparaître çà et là des bouts de peau rouge et grisâtre ; ils avaient le regard éteint, la tête basse et la queue traînante.

— Humains prendre toutes les proies, grogna Chef. Ombre dire pas tuer humains. Ombre pas nourrir meute.

Les sourcils froncés, Drake compta sept coyotes, tous adultes. Comme s'il lisait dans ses pensées, Chef reprit :

— Beaucoup morts. Tués par Mains de Feu ou Fille Rapide. Pas de proies. Pas de nourriture pour meute. Meute servir Ombre et meute avoir faim.

Drake partit d'un ricanement incrédule.

— Ne me dis pas que tu critiques le gaïaphage ? Tu veux tâter de mon fouet ?

À ces mots, il déplia son tentacule qui était enroulé autour de son torse.

Chef recula de quelques pas. Les coyotes étaient peut-être affaiblis par la faim, mais ils étaient encore beaucoup trop rapides pour que Drake puisse les attraper. Il se sentait mal à l'aise. Le gaïaphage n'aurait que faire de ses excuses. Drake avait une mission à accomplir. Il s'était déjà rendu au lac, mais jamais seul. Il aurait pu suivre la paroi, mais elle se trouvait à des kilomètres de là. S'il errait au hasard, il risquait d'être repéré. Le succès de sa mission reposait sur l'effet de surprise.

Et puis il y avait Brittney. Le gaïaphage lui avait-il

expliqué en quoi consistait sa mission? S'en acquitterait-elle? Saurait-elle trouver son chemin sans les coyotes pour guides?

— Comment je suis censé vous nourrir? s'écria Drake.

— Ombre dire à coyotes : pas tuer humains. Mais pas dire : pas manger humains morts.

Drake éclata de rire, ravi. Ce chef était décidément plus intelligent que son prédécesseur. Le gaïaphage avait ordonné aux coyotes de ne pas tuer d'humains de peur que, sans le savoir, ils n'éliminent quelqu'un d'important comme Lana ou Némésis. Mais Drake, lui, savait qui parmi eux pouvait être sacrifié.

— Tu sais où je peux trouver des humains? demanda-t-il.

— Chef sait, répondit Chef.

— Dans ce cas, on va s'occuper de votre dîner, les gars. Et ensuite, on ira chercher Diana.

Astrid tomba sur Edilio qui revenait du Trou. Roger et Justin, le bambin dont il s'occupait, étaient avec lui. Edilio les renvoya tous deux en voyant Astrid.

— J'ai mis cette... chose sous une bâche. Tu veux la voir maintenant? demanda-t-il.

— Non. Désolée que tu aies dû faire ça. Ça n'a pas été une partie de plaisir, j'imagine.

— Non, en effet, répondit Edilio d'un ton égal.

— Écoute, on dirait que la tache s'étend de plus en plus vite. Sam veut que j'aille vérifier les mesures plus tôt que prévu.

— J'ai vu ça, oui. Je comprends pourquoi Sam veut plus d'infos.

Edilio poussa un soupir las et but un peu d'eau de sa bouteille.

— Tu n'es pas obligé de venir, dit Astrid. Tu n'as qu'à m'envoyer un de tes gars.

Edilio la dévisagea avec incrédulité.

— Et comment je vais expliquer à Sam que je n'étais pas là s'il t'arrive quelque chose?

Astrid rit comme s'il avait fait une plaisanterie, mais Edilio poursuivit d'un ton grave:

— Sam est tout ce que nous avons. Et toi, tu es tout ce qu'il a. Allez, on ira plus vite sans ces machins en bois à porter.

Leur plan initial avait consisté à laisser s'écouler vingt-quatre heures avant d'aller vérifier les structures. Ils avaient estimé que la tache, qui en couvrait environ dix pour cent de la surface totale, passerait à vingt, et qu'Astrid pourrait calculer son taux de croissance.

Mais il savait désormais qu'ils avaient été d'un optimisme naïf. Toutes les structures étaient occupées à cent pour cent par la surface noire. Il n'y avait aucun moyen de procéder à un calcul précis: la tache avait grandi trop vite. Et elle continuait à grandir de façon exponentielle.

Astrid se tordit le cou pour observer le niveau le plus élevé de la tache. Elle s'étendait maintenant à cent mètres de hauteur sur la paroi du dôme et continuait à progresser sous ses yeux. Elle la voyait bouger.

Au ras du sol, un autre tentacule noir jaillit vers le ciel à la vitesse d'une voiture lancée sur l'autoroute. Elle leva la tête pour le suivre des yeux.

La tache franchit la limite entre la paroi gris perle et la lumière du soleil, puis ralentit. Mais ce mince doigt noir abîmait le ciel comme un graffiti sur le portrait de la Joconde. C'était du vandalisme.

Aux yeux d'Astrid, c'était l'avenir tracé dans le ciel.

15

22 HEURES
16 MINUTES

M OHAMED AVAIT ENTAMÉ la pénible route pour Perdido Beach après avoir glissé une bouteille d'eau dans son sac et s'être rempli le ventre.

Bien qu'il veillât à être toujours armé d'un couteau et d'un pistolet, il n'était pas inquiet. Tout le monde savait qu'il était sous la protection d'Albert, et personne ne s'en prenait à ses protégés.

Depuis l'apparition de la Zone, Mohamed faisait profil bas et se tenait à l'écart des gros bonnets occupés à tuer ou à se faire tuer.

Étant donné le chaos qui régnait dans la Zone, le choix le plus intelligent était encore d'en faire juste assez pour obtenir le gîte et le couvert.

Mohamed avait treize ans, l'âge d'être un homme. Il était maigre et entamait une poussée de croissance, d'où son short trop court et ses chaussures trop petites. Sa famille venait d'emménager à Perdido Beach quand sa mère avait décroché un poste à la centrale. Sa nouvelle école était censée être meilleure que celle qu'il fréquentait à King City. Son père travaillait encore là-bas dix heures par jour dans la station-service familiale, où il vendait du lait, de l'essence et des cigarettes à une population majoritairement hispanique. Le trajet pour s'y rendre était très long et, certains soirs, il ne rentrait même pas dormir. Ces soirs-là, tout le monde dans la maison se sentait bizarre, abandonné.

« Mais c'est comme ça », disait son père. Un homme, ça devait travailler. Un homme, ça faisait ce qu'il fallait pour subvenir aux besoins de sa famille. Même si, pour cela, il devait moins la voir.

Parfois, Moomaw – la grand-mère paternelle de Mohamed – parlait de retourner en Syrie. Mais son père la faisait taire immédiatement. Il avait quitté la Syrie à l'âge de vingt-deux ans. Son pays natal ne lui manquait pas du tout, pas même un peu. D'accord, là-bas il suivait des études de médecine alors qu'ici il vendait des hot-dogs à des ouvriers agricoles, mais c'était toujours préférable.

Au début, la vie était parfois difficile pour le seul musulman de l'école de Perdido Beach. Orc était vache avec lui. Les autres gamins le chambraient parce qu'il priait et qu'il ne voulait pas manger de pizza aux lardons à l'heure du déjeuner. Mais, très vite, Orc s'était désintéressé de lui et la plupart de ses camarades avaient cessé de le questionner au sujet de ses prières et de l'origine de ses parents.

Heureusement, la famille de Mohamed ne s'était jamais montrée particulièrement stricte à l'égard des restrictions alimentaires. Il n'avait pas consommé de viande de porc depuis l'apparition de la Zone mais il l'aurait fait sans hésiter s'il en avait eu sous la main. Il avait bien mangé du rat, du chat, du chien, des petits oiseaux, du poisson cru et des choses visqueuses dont il ne connaissait même pas le nom. Il se serait jeté sur une pizza aux lardons si on lui en avait proposé. Faire ce qu'il fallait pour survivre, ce n'était pas un péché : Allah voyait tout et il comprenait tout. Un jour, tout cela cesserait, Mohamed en était certain. Ou du moins il s'efforçait de s'en convaincre. Un jour, l'enceinte s'effondrerait, et son père, sa mère, ses frères et ses sœurs viendraient l'accueillir.

Comment s'entendrait-il avec ses frères ? Ils l'assailliraient sans doute de questions, y compris celles que ses parents n'oseraient pas poser. Ils lui demanderaient comment il s'était comporté, s'il avait été courageux ou s'il s'était dégonflé. Les frères, c'était comme ça, en particulier les siens.

Quand le mur tomberait, il y aurait toutes sortes de gens interviewés par les médias qui raconteraient toutes sortes d'histoires. Et, très vite, l'opinion s'apercevrait qu'ils n'étaient pas restés assis à essayer de rattraper leurs devoirs en retard. On comprendrait qu'ils avaient mené une guerre. Et il y aurait des tas de questions. « Tu as eu peur, Mohamed ? » « Est-ce qu'on s'en est pris à toi ? » « Tu as eu affaire à ces mutants dont on parle à la télé ? »

« Tu as déjà tué quelqu'un ? » « Comment c'était ? »

Mohamed n'avait tué personne. Il s'était battu par deux fois. Une fois, très violemment. On lui avait enfoncé un clou dans les fesses et cassé le poignet.

Mohamed avait déjà décidé de modifier quelques détails. Cette histoire de clou dans les fesses était ridicule. S'il réussissait à s'en sortir, oui, il améliorerait ça.

Quant aux mutants, le seul qu'il ait vraiment côtoyé, c'était Lana. Elle avait guéri son postérieur et son poignet.

Autant dire qu'il n'était pas question pour Mohamed de critiquer en bloc les mutants.

À l'heure du Grand Chamboulement, il avait été contraint de choisir un camp. Il s'était rangé du côté d'Albert et lui avait demandé conseil. Jusqu'alors, Mohamed s'était contenté de travailler dans les champs, mais Albert avait décelé autre chose chez lui.

Albert l'appréciait parce qu'il n'avait pas de véritables amis, et pas de famille à l'intérieur de la Zone. Il aimait le fait que Mohamed ait toujours réussi à passer inaperçu. Grâce à tous ces bons points, auxquels s'ajoutait son intelligence intuitive, Mohamed était le candidat idéal pour le poste qu'Albert souhaitait lui confier : représenter AlberCo au lac.

Mohamed n'avait toujours pas d'amis mais il avait désormais un travail, de surcroît important. Albert voudrait connaître tous les détails du retour d'Astrid. Il serait intéressé d'apprendre qu'elle mesurait une espèce de tache sur le dôme. Il voudrait peut-être en savoir davantage aussi sur l'animal mutant qu'Astrid avait abattu. Et il tiendrait certainement à entendre ce que Mohamed savait de la mission secrète menée par Sam et Dekka.

Mohamed marchait seul sur la route poussiéreuse qu'il connaissait bien.

Howard était déjà en route pour Coates. Il avait une longue journée de travail devant lui. Avec un peu de chance, ses fournisseurs auraient apporté du maïs et un assortiment de fruits et légumes qu'ils auraient stocké dans le buffet en acier de la cuisine, à l'abri des rats.

Howard devrait découper ces denrées en morceaux aussi petits que sa patience le lui permettait puis les porter jusqu'à l'alambic. Il entretenait un petit feu de bois pour alimenter la cuisinière. Pendant que sa nouvelle fournée cuirait, il devrait battre la forêt alentour pour trouver du bois mort.

Autrefois, c'était le boulot d'Orc. Il pouvait porter beaucoup de bouteilles et beaucoup de bois pour le feu. Quand il maniait la hache, c'était une autre histoire que lorsque venait le tour d'Howard. Il était capable de fendre une bûche en deux d'un seul coup. Howard mettait un quart d'heure pour accomplir le même travail.

La contrebande d'alcool était devenue une activité de moins en moins drôle qui s'apparentait à un vrai boulot. D'ailleurs, constata Howard avec un choc, maintenant il travaillait plus dur que tous les autres. Même les ramasseurs de légumes dans les champs bossaient moins que lui.

— Il faudrait qu'Orc redevienne comme avant, marmonna-t-il à l'intention des broussailles. Il aurait bien besoin d'un verre ou six pour se remettre dans le droit chemin.

Après tout, Orc et lui étaient amis.

Drake s'arrêta en haut de la côte. Il venait juste de réapparaître après un épisode Brittney et il constata avec surprise qu'elle avait continué à marcher avec les coyotes.

— Humain, grogna Chef.

Drake suivit la direction de son regard. Un garçon, qu'il ne parvenait pas à identifier de là où il se trouvait, marchait d'un bon pas sur la route caillouteuse.

— Oui, dit Drake. Voilà votre dîner.

16

— A LORS, QU'EST-CE que c'est? demanda Sam.
La chose en question avait été transportée jusqu'à
une table de pique-nique, non loin du Trou, qui servait
encore parfois aux enfants car, bien qu'elle se trouvât un
peu trop loin des habitations, elle offrait une jolie vue sur
le lac. Une bâche en plastique avait été dépliée dessus.

— Un coyote, répondit Astrid. Avec un visage humain.
Et des jambes en guise de pattes de derrière.

Sam lui lança un coup d'œil pour vérifier si elle était
aussi calme que sa voix le suggérait. Non, Astrid était tout
sauf calme, mais elle était capable de sauver les apparences.

Elle avait réussi à garder son sang-froid au retour de
sa courte ronde avec Edilio. Elle avait déclaré posément:

— Il se peut que le soleil se lève demain. Mais ce n'est
pas certain du tout. Et, à moins d'un changement, ce sera
notre dernier coucher de soleil.

Sam lui-même s'était efforcé de paraître serein. Il avait
ordonné à Edilio d'établir une liste d'emplacements éventuels pour des soleils. Ils avaient eu une discussion très
calme au sujet des autres préparatifs à mettre en place.

Commencer à rationner la nourriture. Tester les effets des soleils sur les cultures : après tout, sa propre lumière pouvait peut-être générer de la photosynthèse. Avoir davantage recours aux filets pour pêcher : un soleil braqué sur le lac ferait peut-être monter les poissons à la surface.

Les plans qu'ils échafaudaient ne rimaient à rien. Ils ne servaient qu'à une chose, prolonger leur agonie. Ils échoueraient dès que les enfants de Perdido Beach comprendraient que la dernière source de lumière se trouvait ici, au bord du lac.

Sam se comportait comme une machine, jouant la comédie et faisant bonne figure pour retarder l'inévitable désastre.

Son cerveau fonctionnait à toute allure. Une solution. Une solution. Une solution.

Astrid s'était munie d'un énorme couteau de boucher emprunté à un gamin de sept ans qui s'en servait pour se protéger, ainsi que d'un scalpel à la lame émoussée.

— C'est vraiment flippant, observa Sam.

— Tu n'es pas obligé de rester, rétorqua-t-elle.

— J'adore assister à des autopsies de monstres mutants dégueu, ironisa-t-il.

Il avait déjà envie de vomir alors qu'elle n'avait même pas commencé.

Une solution. Une solution. Une solution.

Astrid avait enfilé des gants roses en caoutchouc. Elle fit rouler la créature sur le dos.

— On voit la limite entre son visage humain et son pelage. Elle n'a pas de cheveux, juste des poils de coyote. Et regarde ses jambes. La démarcation est très nette. Mais les os à l'intérieur? Ce sont des os de coyote et des articulations de coyote. Le tout recouvert de peau humaine.

Sam était à court de remarques utiles et n'aurait d'ailleurs pas eu la force de les formuler. Il ravalait la bile qui montait dans sa gorge en priant pour ne pas vomir. Le coup de vent soudain qui transportait avec lui les effluves du Trou n'aidait pas beaucoup. En outre, la créature elle-même empestait le chien mouillé, l'urine et la chair en décomposition.

Malgré tout, Sam se creusait la cervelle. Une solution. Où était la solution? Où était la réponse?

Astrid prit le scalpel et incisa le ventre de la créature sur une dizaine de centimètres. Il n'y eut pas d'écoulement de sang. Les morts ne saignaient pas.

Sam était prêt à carboniser, comme dans *Alien*, la créature qui émergerait brusquement de la plaie, mais rien ne se produisit. Il gardait un souvenir terrible de ce qu'il avait dû faire pour Dekka. Il lui avait ouvert le ventre pour en faire sortir les insectes qui la dévoraient. C'était l'acte le plus atroce qu'il avait jamais commis. Et maintenant qu'Astrid se servait de son couteau de boucher pour élargir l'ouverture, tous ses souvenirs ressurgissaient.

Astrid détourna la tête pour échapper à la puanteur du cadavre et s'efforça de retrouver une contenance. Prenant un chiffon, elle l'attacha contre sa bouche et son nez. Elle faisait un bien joli bandit de grand chemin.

À la stupéfaction de Sam, une autre pensée s'insinua dans son esprit. Il avait envie d'elle. Pas ici, pas maintenant, mais bientôt. Soudain, le manège infatigable et désespérant qui lui repassait inlassablement la même chanson – une solution ! – lui jouait aussi un air beaucoup plus agréable. Pourquoi ne pas se glisser dans sa couchette avec Astrid et laisser quelqu'un d'autre se démener pour trouver une solution qui n'existait pas ?

Astrid procédait à présent à une incision verticale afin d'ouvrir l'animal dans toute sa longueur.

— Regarde ça, dit-elle.

— J'y suis vraiment obligé ?

— Tu vois les organes ? Ils sont reliés les uns aux autres sans la moindre logique. L'estomac est trop petit par rapport à l'intestin. C'est comme si un plombier fou avait essayé d'attacher les uns aux autres des tuyaux de différentes tailles. Je n'arrive pas à croire que cette chose ait pu vivre aussi longtemps.

— Alors c'est un mutant ? demanda Sam, impatient de parvenir à une conclusion quelconque, d'enterrer la carcasse de l'animal et de faire de son mieux pour l'oublier afin de pouvoir se consacrer à ses deux principales préoccupations, le sexe et une solution.

Astrid ne répondit pas tout de suite. Elle examina longuement la créature sans desserrer les lèvres.

— Jusqu'à présent, tous les mutants qu'on a pu observer étaient capables de survivre, dit-elle enfin. Tu fais jaillir de la lumière de tes mains sans jamais te brûler. Brianna court à plus de cent cinquante kilomètres/heure sans se casser les genoux. Toutes ces mutations ne sont pas nocives pour l'individu. À vrai dire, ce sont des outils pour survivre, le but étant de fabriquer un être plus fort et plus capable. Mais là, c'est différent.

— Bon, et en quoi ?

Elle haussa les épaules en ôtant ses gants roses qu'elle jeta sur la plaie béante.

— Ce sont des bouts d'humain – appartenant probablement à la fille disparue – et de coyote mélangés. Comme si quelqu'un avait échangé au hasard des morceaux de l'un avec des morceaux de l'autre.

— Pourquoi… ? commença Sam.

Mais Astrid était partie sur sa lancée, parlant plus pour elle-même que pour lui.

— Comme si quelqu'un avait mélangé deux ADN différents dans un chapeau, effectué un tirage au sort et tenté d'assembler le tout. C'est… c'est débile, vraiment.

— Débile ?

— Oui, débile.

Elle le dévisagea comme si elle venait de s'apercevoir de sa présence.

— Enfin, ça n'a pas de sens ! s'emporta-t-elle. Ça ne sert aucun but. C'est évident que ça ne pouvait pas marcher. Seul un idiot peut croire qu'il est possible de faire fusionner au hasard des bouts d'humain et des bouts de coyote.

— Attends une minute. À t'entendre, il y aurait quelqu'un derrière tout ça. Comment tu sais qu'il ne s'agit pas d'un phénomène naturel ? (Il réfléchit quelques instants et soupira.) Ou du moins ce qui passe pour naturel dans la Zone.

Astrid haussa les épaules.

— Qu'est-ce qui s'est passé jusqu'à maintenant ? Des coyotes ont acquis une forme de langage limitée. Des vers dotés de dents sont devenus agressifs et ont développé un instinct de territoire. Certains d'entre nous se sont découvert des pouvoirs. On a observé beaucoup de choses étranges, mais jamais rien de stupide. Alors que ce truc-là... (Elle montra du doigt la carcasse immobile de la monstruosité.) ... c'est stupide, point.

— Le gaïaphage ? demanda Sam en sachant au fond de lui que ce n'était pas la bonne réponse.

Astrid soutint son regard pendant un long moment mais elle avait l'esprit ailleurs.

— Non, pas stupide, murmura-t-elle enfin.

— Mais tu viens de dire que...

— Je me suis trompée. Pas stupide. Inconscient.

— Est-ce que... ?

Il ne s'étonna même pas qu'elle l'interrompe comme s'il n'existait pas.

— Un pouvoir incommensurable associé à une inconscience totale.

— Qu'est-ce que ça veut dire ?

Mais Astrid ne l'écoutait pas. Elle tourna lentement la tête comme si elle se sentait espionnée. Malgré lui, Sam suivit la direction de son regard. Rien. Néanmoins, il avait reconnu son geste. Combien de fois, au cours des derniers mois, avait-il fait la même chose ?

Elle secoua la tête.

— Je... Je vais faire un tour. Je ne me sens pas bien.

Sam la regarda s'éloigner. L'attitude d'Astrid était pour le moins agaçante. Avant, il aurait exigé de savoir à quoi elle pensait, mais il sentait que son lien avec elle était fragile. Elle n'était pas complètement là. En outre, il n'avait aucune envie de se disputer avec elle. Une guerre se préparait, et il n'avait pas le temps de se battre avec ceux qu'il aimait.

Mais le départ brusque d'Astrid ne lui laissa qu'un seul fil de réflexion à suivre : la fameuse solution qui n'existait pas.

Penny vivait seule dans une modeste maison à la limite de la ville. De sa chambre à l'étage, elle ne distinguait qu'un petit bout d'océan qu'elle aimait contempler.

Elle avait émis le souhait d'emménager au Clifftop mais Caine avait rejeté sa demande. Le Clifftop, c'était le territoire de Lana, dont elle pouvait disposer à sa guise. Même quand Lana avait déménagé au bord du lac – pour une courte durée, finalement –, l'hôtel était resté zone interdite.

— Personne n'embête Lana, avait décrété Caine.

Lana, Lana, Lana. Il n'y en avait que pour elle. Tout le monde adorait Lana.

Penny avait eu l'occasion de passer du temps avec elle quand elle avait guéri ses jambes cassées. Il avait fallu des lustres, à vrai dire, car elles étaient fracturées en de multiples endroits. Penny avait trouvé Lana prétentieuse. Bien sûr, c'était un soulagement d'avoir retrouvé l'usage de ses jambes et de ne plus souffrir le martyre, mais ça ne signifiait pas que Lana avait le droit de se croire au-dessus de tout le monde. Et d'avoir un hôtel entier pour elle toute seule en se réservant le droit d'entrée.

Penny s'agaçait de ce qu'elle avait gagné autant de respect, car elle savait qu'elle aurait pu la contraindre à ramper en pleurnichant ou à s'arracher les yeux comme Cigare. Oh oui ! Cinq minutes en tête à tête avec Madame la Guérisseuse pour voir si elle aurait encore ses grands airs.

Le seul problème, c'est que Caine la tuerait si elle s'en prenait à Lana. Caine ne ressentait rien pour elle. Elle avait espéré qu'après le départ de Diana... Mais non, elle ne pouvait pas se méprendre sur le dédain qu'elle lisait dans son regard chaque fois qu'il croisait le sien.

Même maintenant, malgré les pouvoirs de Penny, Caine était encore le caïd, le type populaire et mignon qui crachait sur les gens comme elle, qui se moquait de ses cheveux hirsutes, de ses bras maigres et dégingandés, de sa poitrine plate. Même maintenant, le monde se divisait en deux catégories : les gens séduisants et les autres.

Quelqu'un frappa discrètement à la porte de derrière. Penny l'ouvrit et trouva Turk sur le seuil.

— T'as été prudent ? demanda-t-elle.

— J'ai évité la route et j'ai sauté par-dessus les clôtures.

Comme il transpirait et qu'il avait du mal à reprendre haleine, elle le crut. Il entra.

— Tout ça juste pour me voir ?

Sans répondre, il se laissa choir dans un fauteuil, soulevant un nuage de poussière, et adossa son fusil à son siège. Puis il ôta ses bottes pour se mettre à l'aise.

Soudain, un scorpion se mit à ramper sur son bras. Il poussa un cri, bondit sur ses pieds et tenta de le chasser avec des gestes affolés. Puis il vit un sourire se former sur les lèvres de Penny.

— Eh, ne fais pas ça ! s'écria-t-il.

— Tu n'as qu'à pas m'ignorer, répliqua-t-elle.

Elle haïssait le ton suppliant de sa propre voix.

— Je ne t'ignorais pas.

Il se rassit en cherchant d'hypothétiques scorpions autour de lui.

Turk n'était pas très futé. Il n'avait pas l'étoffe d'un Caine ou d'un Sam, ni même d'un Quinn. Ces trois-là pouvaient peut-être ignorer Penny, la considérer avec dégoût ou ne pas la traiter comme une demoiselle, mais pas cet idiot de Turk.

Penny fut prise d'une telle rage qu'elle se détourna le temps de se redonner une contenance. Penny l'oubliée, l'ignorée, la négligée.

Elle était la deuxième d'une famille de trois enfants. Sa sœur aînée se prénommait Dahlia. Sa cadette Rose. Deux jolis noms de fleur et, entre les deux, cette bonne vieille Penny.

Dahlia était une véritable beauté. Aussi loin que Penny se souvenait, son père l'avait toujours adorée. Il lui offrait toutes sortes de cadeaux et prenait des centaines de photos d'elle… jusqu'à ce que Dahlia commence sa puberté.

Là, il s'était détourné d'elle, et Penny avait naturellement pensé qu'elle serait la suivante. L'adorée, l'admirée, celle qui prendrait la pose, plierait une jambe ou un bras, montrerait ou dissimulerait une épaule, se donnerait un air timide ou effrayé selon ce que son père désirait.

Mais, sans lui prêter la moindre attention, il était passé à la jolie petite Rose. Et bientôt ç'avait été son tour d'être la star des photos que son père postait sur Internet.

C'était quelques années avant que Penny comprenne que ce que faisait son père n'était pas légal. Un jour, elle avait attendu qu'il parte au travail et emporté son ordinateur portable à l'école. Là, elle avait montré les photos à quelques camarades de classe. Un prof était tombé dessus et avait appelé la police.

Le père de Penny avait été arrêté. Sa mère s'était mise à boire encore plus, et les trois filles avaient été confiées à leur oncle Steve et à leur tante Connie.

Mais oh! quelle surprise! les pauvres petites Rose et Dahlia avaient bénéficié de toute leur compassion et de tous leurs soins. Le père de Penny s'était pendu dans sa cellule peu après avoir été passé à tabac par d'autres prisonniers et Penny avait versé du Destop dans les céréales de Rose pour voir si elle serait toujours aussi jolie avec la gorge en feu. C'est là qu'on l'avait envoyée à Coates.

En deux ans de pensionnat, elle n'avait pas eu une seule fois des nouvelles de ses sœurs, ni de son oncle et de sa tante. Sa mère lui avait juste écrit une carte de Noël incohérente et dégoulinante d'auto-apitoiement.

Penny était aussi ignorée à Coates qu'au sein de sa famille. Jusqu'à ce qu'elle développe son pouvoir de façon tardive, après la première grande bataille de Perdido Beach, à l'époque où Caine avait disparu dans la nature avec le chef coyote.

Quand il était revenu à moitié fou, Penny avait jugé plus sage de garder son secret pour elle. Drake était impitoyable ; il l'aurait tuée. Caine était plus gentil et plus intelligent que Drake. Quand il avait enfin recouvré un semblant de raison, Penny avait décidé de lui montrer ce qu'elle savait faire.

Et pourtant, elle était encore ignorée au profit de Drake, et surtout de cette sorcière de Diana. Diana, qui n'avait jamais aimé Caine, qui le critiquait sans cesse, qui l'avait même trahi et combattu.

À cet instant terrible où il se tenait au bord de la falaise sur l'île de Saint François de Sales, alors qu'il ne pouvait sauver que l'une d'elles, Caine avait choisi Diana.

Penny avait dû endurer des souffrances inimaginables. Mais la douleur lui avait éclairci les idées. Elle l'avait endurcie. Elle avait tué le peu de compassion qui lui restait.

Penny n'était plus ignorée. Elle était haïe. Crainte.

— Tu as quelque chose à boire? demanda Turk.

— Tu veux dire de l'eau?

— Ne sois pas bête, tu sais bien que je ne parle pas de ça.

L'eau n'était plus rationnée. Le nuage bizarre que le petit Pete avait créé en faisait pleuvoir de façon ininterrompue. Il y avait maintenant une petite rivière qui coulait à même la rue. Tous les égouts des environs avaient été consciencieusement bouchés afin que l'eau se déverse sur la plage. Un bassin avait été creusé dans le sable pour la collecter.

Penny alla chercher une bouteille à la cuisine. Elle était à moitié pleine d'un de ces alcools infâmes que distillait Howard. Son contenu sentait l'animal mort, mais Turk en but une grosse lampée.

— Tu veux qu'on s'embrasse? suggéra-t-il.

Penny s'avança vers lui en ondulant des hanches, reproduisant inconsciemment les gestes qu'elle avait observés chez Rose et Dahlia.

Turk fit la grimace.

— Pas comme ça. Pas avec ta tête.

Sa remarque fit à Penny l'effet d'une gifle.

— Comme tu étais l'autre fois, c'est mieux. Tu sais, dans ma tête. Fais comme l'autre fois.

— Oh, comme ça, dit-elle d'un ton égal.

Penny avait le pouvoir de générer des visions horribles mais aussi de créer de belles illusions. C'était la même démarche qui lui avait permis de mener Cigare à la folie. Elle s'était dégoté une photo de sa mère, et l'avait fait apparaître pour lui...

Elle fit apparaître Diana pour Turk. Et un peu plus tard, elle se servit de cette même vision pour lui susurrer à l'oreille :

— Turk, le moment est venu.

— Hmm ?

— Caine m'a humiliée, dit Penny avec la voix de Diana.

— Hein ?

— Il est le seul à pouvoir m'arrêter. Le seul à pouvoir m'humilier comme ça.

Turk était bête mais pas à ce point. Il repoussa violemment Penny, qui retrouva son apparence initiale.

— Un de ces jours, il te tuera, Turk, cracha-t-elle. Tu te souviens de ce qu'il a fait à ton ami Lance ?

Elle traça un arc dans le vide et ponctua son geste d'une onomatopée : « Paf ! »

Turk lança un regard inquiet autour de lui.

— Oui, je m'en souviens. C'est d'ailleurs pour ça que je reste loyal envers le roi. J'ai pas envie de m'attirer des problèmes, moi.

Penny sourit.

— Tu fantasmes sur sa petite amie.

Turk ouvrit de grands yeux et déglutit péniblement.

— Ouais, et toi tu fantasmes sur lui.

Penny haussa les épaules.

— De toute façon, c'est plus sa petite amie, reprit-il.

Elle attendit la suite ; elle savait qu'il était faible, un vrai trouillard.

— Où tu veux en venir, à la fin, Penny ? s'écria-t-il après un silence. Tu es dingue.

Penny ricana.

— On est tous dingues, Turk. La seule différence avec moi, c'est que j'en ai conscience. Je me connais bien. Et tu sais pourquoi ? Parce qu'à force d'être assise dans un coin avec les jambes en miettes et une envie atroce de hurler, à force de manger les restes que Diana m'apportait, j'ai appris à voir les choses telles qu'elles sont.

— Je me tire, cria Turk en se levant d'un bond.

Il n'avait pas fait deux pas que Caine lui barra le passage. Turk eut un mouvement de recul, trébucha et se rattrapa à la dernière minute. Caine disparut aussi subitement qu'il était venu.

— Laisse-moi partir, Penny, dit Turk d'une voix tremblante. J'en parlerai à personne. Laisse-moi partir. Caine et toi... je m'en fiche, OK ?

— Je crois que tu vas finir par faire ce que je te demande, lâcha Penny. J'en ai assez qu'on m'ignore et qu'on m'humilie.

— Je ne vais pas tuer Caine. Tu peux dire ce que tu veux.

— Qui parle de le tuer ? s'exclama Penny en secouant la tête. Non, non. Pas de meurtre. (Elle sortit de sa poche un flacon rempli de comprimés, l'ouvrit et versa six petites pilules blanches et ovales dans le creux de sa main.) Ce sont des somnifères.

Elle remit les comprimés dans le flacon et le referma.

— C'est Howard qui me les a procurés. Ce gars-là est très utile. Je lui ai raconté que j'avais du mal à dormir et je l'ai payé avec... Eh bien, disons qu'Howard aussi a ses fantasmes. D'ailleurs, si je te disais, tu ne me croirais pas.

— Des somnifères? répéta Turk d'une voix stridente. Tu crois que tu vas régler son compte à Caine avec des somnifères?

— Et du ciment, ajouta Penny avec un hochement de tête satisfait.

Turk blêmit.

— Trouve un moyen de me l'amener ici, Turk. Amène-le-moi et à nous trois on pourra enfin prendre les choses en main.

— Comment ça, nous trois?

Penny sourit.

— Toi, moi et Diana.

Howard flaira leur odeur avant même de les voir. Les coyotes sentaient la viande pourrie.

Il résista à l'envie de prendre ses jambes à son cou en voyant Chef surgir sur la route devant lui. Il ne pouvait pas courir plus vite qu'un coyote. Ces créatures ne s'étaient pas attaquées à quelqu'un depuis longtemps. Le bruit courait que Sam avait posé quelques règles et menacé de massacrer toute leur espèce s'ils s'en prenaient à un enfant.

Les coyotes avaient peur de Mains de Feu. Tout le monde le savait.

— Salut, lança Howard en rassemblant son courage. Je suis un bon ami de Mains de Feu. Tu sais de qui je parle, hein? Sam. Bref, je vais continuer ma route.

— Chef a faim, dit le coyote de sa voix hésitante et suraiguë.

— Ah, très drôle, répliqua Howard, la bouche sèche et le cœur battant. (Il posa son lourd chargement par terre.)

Je n'ai pas grand-chose à manger sur moi, juste un artichaut bouilli. Je te le donne si tu veux.

Penché sur son sac, il se mit à fouiller fébrilement parmi les bouteilles vides et sa main se referma sur le manche de son gros couteau qu'il agita devant lui en criant :

— Pas de bêtises, hein ?

— Coyote pas tuer humain, dit Chef.

— Ouais, t'as intérêt ! Ou mon pote Mains de Feu va tous vous cramer, bande de chiens galeux !

— Coyote manger. Pas tuer.

Howard voulut répliquer mais les mots moururent sur ses lèvres. Soudain, il sentit ses entrailles se liquéfier et ses jambes se mirent à trembler si fort qu'il tenait à peine debout.

— Tu ne peux pas me manger sans me tuer, dit-il enfin.

— Chef pas tuer. Lui tuer.

— Lui ?

Howard sentit un picotement au creux de sa nuque. Lentement, il se retourna, pétrifié d'horreur.

— Drake, murmura-t-il.

— Eh oui. Salut, Howard. Comment ça va ?

— Drake.

— Oui, tu l'as déjà dit, lâcha Drake en dépliant son fouet.

Il avait l'air encore plus féroce que les coyotes qui émergeaient des broussailles pour former un cercle autour d'Howard.

— Drake, mon pote... Non, non, non. Tu ne vas pas faire ça...

— Ça va faire juste un peu mal, dit Drake.

Son fouet claqua et s'abattit comme la foudre sur le cou d'Howard. Il se mit à courir, en proie à une panique folle, mais le fouet de Drake s'enroula autour de sa jambe et le fit tomber face contre terre. Levant les yeux, il vit l'un des coyotes qui le fixait avec convoitise en se pourléchant les babines.

— Je peux t'aider ! cria Howard. Tu dois manigancer quelque chose, non ? Laisse-moi t'aider !

Drake s'assit à califourchon sur Howard et, d'un geste presque tendre, il enroula son tentacule autour de sa gorge puis se mit à serrer.

— Tu pourrais peut-être me servir à quelque chose, concéda-t-il. Mais mes clébards ont faim.

Les yeux révulsés, Howard eut l'impression que sa tête allait exploser sous la pression sanguine. Il essaya en vain d'inspirer de l'air.

Mohamed aperçut le cercle de coyotes au loin.

Il se baissa promptement derrière un buisson desséché et s'aperçut que les coyotes n'étaient pas seuls. Drake les accompagnait.

Mohamed étouffa un hoquet de frayeur, et le coyote le plus proche, qui se trouvait à une centaine de mètres de lui, dressa l'oreille.

Il y avait un corps étendu par terre. Drake avait enroulé son fouet autour de sa gorge. Mohamed ne distinguait pas ses traits.

Mohamed était armé d'un pistolet et d'un couteau, mais tout le monde savait que les balles ne pouvaient rien contre Drake. Si Mohamed essayait de jouer les héros, il serait tué lui aussi. Il n'avait aucun moyen d'empêcher le meurtre qui s'accomplissait sous ses yeux.

Mohamed recula en rampant comme un crabe. Une fois à bonne distance de l'horrible scène, il se releva et courut sans s'arrêter jusqu'au lac. Jamais il n'avait couru aussi vite. En arrivant sur les lieux, il bouscula les enfants qui venaient à sa rencontre en demandant de ses nouvelles et se précipita vers la péniche.

Il monta à bord, se retourna pour s'assurer que les coyotes ne l'avaient pas suivi et tomba sur le pont, hors d'haleine. Sam et Astrid accoururent. Astrid porta le goulot d'une bouteille à ses lèvres desséchées.

— Qu'est-ce qu'il y a, Mo ? demanda Sam.

Mohamed ne fut pas en mesure de répondre tout de suite. Un enchevêtrement d'images et d'émotions se bousculait dans ses pensées. Il savait qu'il devait réfléchir à un moyen de reprendre le contrôle de la situation, ou du moins de se montrer sous un meilleur jour, mais il s'en sentait incapable.

— Drake, hoqueta-t-il. Les coyotes.

Sam se figea brusquement. Baissant la voix, il demanda :

— Où ?

— Je... Sur la route de Perdido Beach.

— Drake et les coyotes ? le pressa Astrid.

— Ils... ils tenaient quelqu'un. Il était à terre. Je n'ai pas vu son visage. J'aurais voulu les arrêter ! ajouta Mohamed d'une voix suppliante. J'avais un flingue. Mais... je...

Mohamed leva les yeux vers Sam et chercha sur son visage de la compréhension ou du pardon. Mais Sam ne le regardait pas. Immobile, il fixait un point dans le vague.

— Tu n'aurais réussi qu'à te faire tuer, dit Astrid.

— Mais je n'ai même pas essayé, gémit Mohamed en agrippant le poignet de Sam.

Sam le dévisagea comme s'il se rappelait soudain sa présence.

— Ce n'est pas ta faute, Mo. Tu n'aurais rien pu faire. Le seul qui puisse arrêter Drake, c'est moi.

17

20 HEURES
19 MINUTES

— SONNEZ L'ALERTE, ordonna Sam.

Une grosse cloche en cuivre avait été prise sur l'un des bateaux et réinstallée sur le toit des bureaux de la marina. Edilio gravit quatre à quatre les marches de la petite tour de contrôle et sonna la cloche.

Au fond de lui, Sam était curieux d'observer la réaction des enfants. Ils avaient déjà simulé une situation d'urgence à trois reprises. Quand la cloche sonnait, un petit groupe était censé courir jusqu'aux champs pour alerter les ramasseurs. Chaque tente, chaque caravane avait un bateau assigné.

Au son de la cloche, les quelques gamins qui se tenaient à proximité jetèrent un regard perplexe autour d'eux.

— Hé! cria Sam. Ce n'est pas un exercice, là. C'est pour de vrai! Suivez les ordres d'Edilio.

Brianna se matérialisa près de Sam, le faisant sursauter comme chaque fois.

— Qu'est-ce qui se passe?

— Drake, répondit-il. Avant d'aller t'occuper de lui, vérifie que tout le monde est rentré des champs. Go!

Dekka accourut à son tour.

— Qu'est-ce qu'il y a?

— Drake.

À l'évocation de ce nom, l'air était soudain chargé d'électricité. Sam réprima un petit rire de satisfaction. Drake était un ennemi réel, tangible, et pas un processus vague ni une force mystérieuse. Drake. Il se le représentait clairement dans son esprit et savait que Dekka faisait de même.

— On l'a vu sur la route de Perdido Beach avec une meute de coyotes. Apparemment, ils ont tué quelqu'un. Howard, *a priori*.

— Tu crois qu'il est en route pour le lac?

— Oui, c'est possible.

— Dans combien de temps il sera là?

— Aucune idée. On n'est même pas sûrs qu'il se dirige vers ici. Dès que Brianna sera revenue, je l'enverrai en reconnaissance.

— Pas de pitié, cette fois, dit Dekka.

— Non, tu feras ce que tu as à faire.

Dekka était respectée des plus jeunes, voire crainte. Tout le monde savait qu'elle avait frôlé une mort horrible. C'était aussi elle qui avait sauvé les petits le jour où Mary avait fait le grand saut. Et, bien entendu, tous savaient que Sam la tenait en haute estime.

Par conséquent, au cours des simulations d'état d'urgence, elle était restée postée sur le ponton pendant que tous les enfants se précipitaient vers les bateaux. Elle était un remède à la panique. Les enfants ne pouvaient pas avoir peur quand Dekka veillait sur eux.

Ils commençaient à revenir des champs au pas de course avec toute la nourriture qu'ils pouvaient porter, sous l'œil vigilant de Brianna. Ceux qui étaient restés au bord du lac avaient déjà quitté leurs caravanes et leurs tentes pour prendre place dans les bateaux amarrés au ponton.

Dès que les embarcations atteignaient le nombre de passagers assigné, les enfants ramaient ou se laissaient dériver jusqu'au milieu du lac. Orc arriva, accompagné de Sinder et Jezzie, tous trois chargés de légumes. Sam envisagea de partager ses soupçons avec lui puis résolut de les garder pour lui. Il aurait peut-être besoin de sa force quasi indestructible plus tard. Il ne pouvait pas le laisser foncer bille en tête.

En moins de trente minutes, le plus gros de la population s'était rassemblé sur les voiliers, canots à moteur, cabin cruisers et péniches qui formaient l'armada hétéroclite du lac Tramonto. Au bout d'une heure, les quatre-vingt-trois enfants s'étaient tous répartis dans dix-sept embarcations différentes.

Sam contempla le lac avec une certaine satisfaction. Ils avaient maintes fois planifié cette journée et, à sa stupéfaction, leur plan avait marché. Tous les enfants se trouvaient à bord des bateaux avec de l'eau potable à profusion autour d'eux. Le lac pouvait fournir une quantité de poisson raisonnable, et ils avaient emporté toutes leurs réserves de nourriture avec eux. Bref, ils pouvaient facilement survivre pendant une semaine ou deux sans rencontrer de problèmes majeurs. Si ce n'est que des accidents pouvaient survenir. Que le monde serait bientôt plongé dans l'obscurité. Et qu'une chose inconnue faisait fusionner des enfants avec des coyotes.

La seule embarcation à n'avoir pas largué les amarres était la Péniche Blanche. Sam, Astrid, Dekka, Brianna, Toto et Edilio s'étaient rassemblés sur le pont, d'où ils pouvaient être vus par les enfants anxieux qui scrutaient la berge. (Sinder, Jezzie et Mohamed avaient été dispatchés dans d'autres bateaux.) Il fallait leur montrer que tout était sous contrôle. Sam se demandait combien de temps durerait l'illusion.

— Bon, commençons par le commencement, dit-il en se tournant vers Brianna.

— OK, lança-t-elle.

Elle avait emporté son sac à dos, dans lequel elle avait percé un trou pour laisser dépasser le canon de son fusil.

— Attends! cria Sam avant qu'elle ne disparaisse. Tu le trouves, tu évalues la situation et tu reviens, ajouta-t-il, le doigt braqué sur elle, pour s'assurer qu'elle avait bien entendu.

Brianna feignit d'être vexée.

— Quoi? Tu crois que j'irais chercher la bagarre? Moi?

Sa remarque fit rire tout le monde excepté Dekka; ces rires se voulaient un signe rassurant à l'intention des enfants apeurés rassemblés au milieu du lac.

Brianna disparut et des acclamations s'élevèrent des bateaux.

— Allez, Brise!

— La Brise contre le Fouet!

Sam regarda Edilio et dit:

— C'est exactement ce dont Brianna avait besoin: quelque chose qui booste son ego. Quelqu'un sait qui pourrait être la victime de Drake ? ajouta-t-il. Il y a des personnes qui manquent à l'appel ?

Edilio haussa les épaules puis cria en direction des bateaux :

— Hé ! Vous m'entendez ? Est-ce qu'il manque quelqu'un ?

Un silence s'installa, puis Orc, qui se trouvait à la proue d'un voilier et pesait si lourd que le bateau s'enfonçait à l'avant, répondit :

— J'ai pas vu Howard mais il va souvent... tu sais... se balader tout seul.

Edilio et Sam échangèrent un regard. Tous deux avaient déjà deviné que c'était lui.

Sam vit Orc se lever en faisant tanguer tout le bateau – suscitant l'effroi de Roger, Justin et Diana, qui se trouvaient à bord avec lui – et descendre dans la cabine.

— C'est bien que tu sois rentrée, dit Sam à Astrid. Orc te fait confiance. Peut-être que plus tard...

— Je ne pense pas qu'Orc et moi..., commença-t-elle.

— Je m'en fiche. J'aurai peut-être besoin de lui. Donc il faudra sans doute que tu lui parles.

— Oui, chef, répliqua-t-elle avec une pointe de sarcasme.

— Où est Jack ? s'enquit Edilio d'un ton maussade. Il était censé se pointer ici.

— Je le vois qui vient en traînant la patte, répondit Dekka en indiquant la berge d'un signe de tête.

— Jack ! cria Sam.

Le garçon, qui se trouvait à une centaine de mètres de la rive, releva brusquement la tête. Les poings sur les hanches, Sam lui jeta un regard noir. Jack se mit à courir dans sa direction.

Dès qu'il eut atteint le ponton, Edilio s'emporta contre lui.

— Tu es censé être armé et monter la garde près du Trou.

— Qu'est-ce qui se passe ? demanda Jack d'un ton penaud. Je me suis endormi.

— Brianna ne t'a pas réveillé ? s'étonna Sam.

Jack parut mal à l'aise.

— On ne se parle plus.

Sam désigna d'un geste furieux les bateaux.

— J'ai des gamins de cinq ans qui prennent en charge des bambins de deux ans, et pendant ce temps-là l'un de mes deux génies agréés dort sur ses deux oreilles.

— Désolé, marmonna Jack.

— Il est sincère, renchérit Toto.

Sam ignora sa remarque. Il débordait d'adrénaline et en oubliait presque l'immonde créature mutante allongée sous la bâche. Il en oubliait presque, pour le moment du moins, qu'ils vivaient peut-être leurs dernières heures de jour. Il en oubliait presque ses inquiétudes au sujet de Caine et des roquettes. Et s'il était capable de mettre de côté tous ces problèmes insolubles et ces questions sans réponse, c'était parce qu'il allait devoir livrer une bataille bien réelle.

Astrid le prit par l'épaule et l'entraîna à l'écart. Il n'avait pas envie de discuter avec elle ; il avait du pain sur la planche. Mais il ne pouvait pas lui dire non. Pas avant d'avoir écouté, du moins.

— Sam. Ça veut dire que Caine et Albert n'auront pas ta lettre.

— Oui. Et alors ?

— Et alors ? (L'incrédulité se peignit sur le visage d'Astrid.) La lumière baisse, Sam. Et on court probablement au-devant d'un désastre. Or, tu ne sais pas ce que Caine ou Albert ont derrière la tête.

— On verra ça plus tard, répliqua-t-il en interrompant d'un geste brusque la discussion. On a une petite urgence, là.

— Au fait, où est passée cette gourde de Taylor? s'exclama Astrid avec colère. Si elle ne se pointe pas, demande à Brianna de porter cette lettre à Caine et à Albert.

— Brianna? Tu veux la détourner de Drake? Bonne chance.

— Alors envoie Edilio et deux de ses...

— Pas maintenant, Astrid. On a d'autres priorités.

— Les priorités, c'est toi qui les choisis, Sam. Tu choisis la facilité au détriment de la décision la plus sensée.

— La facilité? répéta Sam, piqué au vif. Drake débarque subitement après quatre mois d'absence et tu ne crois pas que tout est lié? Drake, la tache, cette force «inconsciente» dont tu parlais tout à l'heure?

— Bien sûr que j'y ai pensé, dit Astrid entre ses dents. C'est pour ça que je te demande d'aller chercher de l'aide.

Levant la main, Sam énuméra:

— Un, Brise repère Drake. Deux, Dekka, Jack et moi, on lui tombe dessus. Trois, que ce soit Drake ou Brittney, on le découpe en morceaux, puis on les brûle un par un et on enferme ses cendres dans une boîte en fer verrouillée et lestée qu'on jette au fond du lac.

Il serra le poing.

— On va se débarrasser de Drake une fois pour toutes.

Drake entendit le tintement affolé de la cloche au loin et comprit immédiatement ce que cela signifiait.

Il maudit tout haut les coyotes.

— Ils ont dû trouver vos restes sur la route. Maintenant ils nous attendent.

Chef ne fit pas de commentaire.

Bientôt, ils enverraient Brianna sur les traces de Drake. Si elle parvenait à les retrouver, elle se débarrasserait des coyotes en quelques secondes. Et elle l'empêcherait d'avancer.

Il avait déjà combattu la Brise par le passé. Elle ne pouvait pas le tuer mais elle pouvait le ralentir. Elle l'avait déjà démembré une fois. Ça prenait du temps, de réparer ce genre de dégâts.

Évidemment, elle serait accompagnée de Sam et de ses sous-fifres. Cette fois, il ne se laisserait peut-être pas fléchir par Brittney et il le brûlerait centimètre par centimètre...

Drake fit claquer son fouet avec un rugissement de rage. Impassibles, les coyotes le regardèrent s'emporter.

— Je vais devoir me cacher jusqu'à la tombée de la nuit, grommela-t-il malgré sa honte devant un tel aveu de faiblesse.

Chef redressa la tête et dit de sa voix étranglée :

— Chasseur humain voir. Mais lui pas entendre ni sentir.

— Brillante observation, Milou.

Mais Drake devait reconnaître que la bête avait raison. Brianna n'était pas un coyote. Elle ne pourrait pas flairer sa présence ni même l'entendre à moins qu'il fasse trop de bruit. Il lui suffisait donc de rester à couvert.

— Bon, trouvez-moi un endroit sûr jusqu'à ce qu'il fasse nuit. Et dépêchez-vous avant qu'ils nous envoient votre copine Brianna.

Les coyotes détalèrent. Ils atteignirent bientôt le sommet d'une colline et, là, Drake aperçut la paroi à plusieurs centaines de mètres devant lui. Il ouvrit de grands yeux.

Il avait l'impression que son maître, venu des entrailles de la terre, tendait ses griffes noires vers le ciel et enveloppait ce monde surnaturel d'un millier de doigts.

Cette découverte aurait dû plaire à Drake. Mais elle le mit mal à l'aise. Il avait vu la même tache noire toucher le gaïaphage. Cela lui rappelait que tout n'allait peut-être pas très bien pour l'Ombre, et que la mission qu'elle lui avait confiée ne lui avait pas été seulement dictée par l'ambition. Elle était aussi motivée par la peur.

— Avancer, dit Chef, l'air anxieux.

Ils se détachaient sur le ciel encore clair. Drake se baissa brusquement. Il voyait le lac miroiter en contrebas, ce qui signifiait que de là-bas aussi on pouvait le voir. Il se pressa derrière le coyote, qui disparut parmi un dédale de rochers éboulés. Il dut retenir son souffle pour se glisser dans la crevasse que Chef lui montra. C'était l'un des avantages de traîner avec ces animaux : personne ne connaissait le terrain mieux qu'eux.

Il n'y avait pas d'endroit pour s'asseoir, et à peine la place pour se tenir debout, mais Brianna ne le trouverait jamais ici, il en était sûr. De là où il était, il distinguait un bout de lac et de ciel, ainsi que quelques bateaux.

Le soir tombait.

Dehors

CONNIE TEMPLE AVALA le comprimé d'antidépresseur. Elle le fit passer avec un verre de vin rouge… qui la fatiguerait probablement.

Elle alluma la télé et fit défiler sans grand intérêt la liste des films à la demande. Ce soir, elle ne dormait pas dans sa caravane. Elle avait réservé une nuit à l'Avania Inn de Santa Barbara. C'était là qu'elle rencontrait régulièrement le sergent Darius Ashton.

Ils avaient commencé à sortir ensemble quelques mois plus tôt. Il était venu à l'un des barbecues du vendredi soir. Peu après, ils avaient compris qu'il leur faudrait garder le secret sur leur relation.

Connie entendit les coups familiers frappés à la porte et alla ouvrir à Darius. Il la dépassait de quelques centimètres à peine, mais il avait un corps trapu et musclé couvert de tatouages et de cicatrices qu'il avait rapportées d'Afghanistan. Il tenait à la main un pack de bières et affichait un sourire penaud.

Connie l'aimait bien. Elle appréciait le fait qu'il soit assez malin pour avoir deviné que si elle sortait avec lui, c'était – en partie, du moins – pour lui soutirer des informations.

GONE

Ayant perdu une grande partie de sa vision de l'œil droit, Darius ne serait jamais renvoyé au front. Pour l'heure, il avait été affecté au camp Camino Real. Comme il s'occupait de la maintenance, il n'avait pas d'accès direct aux documents classés, mais il avait des yeux et des oreilles. Il détestait son boulot, et s'il ne pouvait plus se battre il était déterminé à quitter l'armée à la fin de sa mission.

En gros, le sergent Ashton tuait le temps. Et il aimait le tuer en compagnie de Connie.

Assise sur le lit, Connie buvait du vin rouge. Darius vida sa troisième bière, avachi dans le fauteuil, les pieds posés sur le bord du lit, en chatouillant de temps à autre de ses orteils ceux de Connie.

— Il se passe quelque chose, annonça-t-il sans préambule. J'ai entendu dire que le colonel avait menacé de démissionner.

— Pourquoi?

Darius haussa les épaules.

— Il est parti?

— Non. Le général a débarqué en hélico. On entendait leur conversation à l'autre bout du camp. Puis le général est reparti, fin de l'histoire.

— Et tu n'as aucune idée de ce qui se trame?

Il secoua lentement la tête. À son air hésitant, Connie comprit que quelque chose d'important se préparait et qu'il répugnait à lui en parler.

— Mes fils sont là-dedans, dit-elle.

— «Tes» fils? s'exclama-t-il en lui jetant un regard perçant. Je ne t'ai entendu parler que de ton fils Sam.

Connie prit une grande gorgée de vin.

200

— Si je veux que tu me fasses confiance, il faut que je te dise la vérité. C'est comme ça que ça marche, non?

— Il paraît, répondit-il sèchement.

— J'avais des jumeaux. Sam et David. Il faut croire que j'aimais les noms bibliques à cette époque.

— De bons vieux prénoms bien solides, observa Darius.

— C'étaient des faux jumeaux. Sam est l'aîné de quelques minutes. Il pesait deux cents grammes de moins, en revanche.

Au moment de reprendre la parole, elle s'aperçut avec étonnement que sa voix tremblait. Elle se ressaisit, déterminée à ne pas pleurer.

— J'ai fait une dépression post-partum carabinée. Tu sais ce que c'est?

Comme il ne répondait pas, elle en déduisit qu'il l'ignorait.

— Parfois, après un accouchement, les hormones se détraquent. J'étais au courant. Je suis infirmière après tout, même si je n'ai pas beaucoup travaillé récemment.

— Mais il y a des médicaments pour ça, non? suggéra Darius.

— Oui. Et j'ai tenu bon. Mais très vite, j'ai développé un... fantasme, je suppose. J'avais l'impression que quelque chose clochait avec David.

— Comment ça?

— Je ne parle pas d'une malformation physique. C'était un beau bébé. Intelligent. C'était bizarre comme ressenti, parce qu'au début je m'inquiétais à l'idée de le préférer à Sam: il était plus robuste, plus alerte, plus beau.

Darius posa sa bière vide et en ouvrit une autre.

— Et puis il y a eu l'accident. La météorite.

— J'en ai entendu parler, dit Darius avec intérêt. Mais c'était il y a une vingtaine d'années, non ?

— Treize ans.

— Ça devait être quelque chose ! Une météorite qui percute une centrale nucléaire. Les gens ont dû paniquer.

— Ça, on peut le dire, répliqua sèchement Connie. Tu sais qu'on appelle encore Perdido Beach Tchernobyl. Naturellement, on nous a dit que tout allait bien… Enfin, pas à moi. On m'a annoncé que mon mari, le père de mes deux petits garçons, avait été la seule personne tuée.

Darius se pencha vers elle.

— Les radiations ?

— Non, l'impact proprement dit. Il n'a pas souffert. Il n'a même pas eu le temps de comprendre ce qui lui arrivait. Il était au mauvais endroit au mauvais moment, c'est tout.

— Tué par une météorite.

Darius secoua la tête. Connie savait qu'il avait vu la mort de près en Afghanistan.

— Après ça, je suis retombée en dépression. Et à mon mal-être s'ajoutait la certitude que quelque chose clochait chez David.

Les souvenirs de cette époque affluèrent; Connie eut soudain du mal à parler. La folie qu'elle vivait alors lui semblait si réelle ! Ce qui n'était au départ qu'un symptôme de sa dépression post-partum s'était mué en quelque chose de l'ordre du symptôme psychotique. Il lui semblait qu'une voix dans sa tête lui soufflait que David était dangereux. Qu'il était le mal incarné.

— Je craignais même de lui faire du mal, dit-elle.

— Ouh là, dur.

— Oui, dur. Je l'aimais mais j'avais peur de lui. Peur de ce que je pouvais lui faire subir, alors... (Elle poussa un profond soupir.) Je l'ai abandonné. Il a été adopté immédiatement. Et pendant longtemps, il a disparu de ma vie. J'ai consacré toute mon attention à Sam et je me suis persuadée que j'avais pris la bonne décision.

Darius fronça les sourcils.

— J'ai lu l'article de Wikipedia. Il n'y a pas de David Temple. J'aurais remarqué le nom de famille.

Connie sourit imperceptiblement.

— Je ne savais pas qui l'avait adopté ni où il se trouvait jusqu'à ce jour-là... Je travaillais à Coates. Je n'étais même pas employée à l'époque; je remplaçais leur infirmière à plein temps qui était en congé maternité. On m'a amené ce garçon et j'ai su sans le moindre doute que c'était lui. Je lui ai demandé son nom. «Caine», m'a-t-il répondu.

— Comment était-il? Enfin, je veux dire, tu t'étais mis dans la tête qu'il tournerait mal...

Connie baissa les yeux.

— Il était toujours aussi beau. Et très intelligent. Charmant. Tu aurais dû voir les filles lui tourner autour.

— Il a hérité de la beauté de sa mère, dit Darius, s'efforçant d'être galant.

— Il était aussi très cruel. Manipulateur. Impitoyable, reprit-elle en choisissant ses mots avec soin. Il me faisait peur. Et il a été l'un des premiers à muter. En même temps que Sam, en fait, mais Sam était une personne radicalement différente. Sam déchaînait son pouvoir sans réfléchir, il perdait le contrôle de lui-même et s'en voulait atrocement après coup. Mais Caine, lui, se servait de son pouvoir sans se préoccuper de personne d'autre que lui-même.

— Le même père, la même mère, et si différents?

— La même mère, dit Connie d'un ton égal. J'avais une liaison à l'époque. Je n'ai jamais fait de test ADN, mais il est possible qu'ils aient des pères différents.

Elle s'aperçut que Darius était choqué et que, visiblement, il n'approuvait pas sa conduite d'alors. Le contraire l'eût étonnée. Elle-même ne l'approuvait pas non plus. Soudain, l'atmosphère devint glaciale.

— Je ferais mieux d'y aller, dit Darius. Tu fais des côtelettes, vendredi?

— Darius, je t'ai confié mon secret. Je me suis entièrement mise à nu. Et toi, qu'est-ce que tu me caches?

Darius s'arrêta sur le seuil et Connie se demanda si elle le reverrait. Il avait découvert une part d'elle-même qu'il ne soupçonnait pas.

— Je ne peux rien dire, déclara-t-il enfin. Mais les militaires adorent les acronymes. J'en ai vu un l'autre jour sur des véhicules à leur entrée dans le camp: NEST. Ça n'a l'air de rien, pas vrai?

— C'est quoi, NEST?

— Tu n'as qu'à chercher. Je passerai vendredi si je peux.

Sur ces mots, il sortit.

Connie alluma son ordinateur portable et se connecta au réseau Wi-Fi de l'hôtel. Après avoir ouvert la page Google, elle tapa les lettres NEST. Il ne lui fallut que quelques secondes pour apprendre que c'était l'acronyme de Nuclear Emergency Support Team: un groupe de scientifiques, d'ingénieurs et de techniciens censés intervenir en cas d'accident nucléaire.

Et le colonel qui menaçait de démissionner.

Quelque chose se tramait. Une nouvelle expérience controversée, peut-être ? Quelque chose de dangereux, susceptible d'entraîner une émission de radiations ? C'était d'ailleurs probablement de cette manière que tout avait commencé.

S AM AVAIT RAPPELÉ Brianna au coucher du soleil. L'obscurité était son talon d'Achille. Il lui suffirait de trébucher pour se casser tous les os.

Brianna enrageait. Elle avait exigé qu'il la laisse repartir, avant de se faire une raison. Sam l'avait envoyée se reposer sur une des couchettes inoccupées de la péniche. Quelques instants plus tard, il l'avait entendue ronfler.

Ils se relayaient pour monter la garde. Edilio clignait des yeux pour lutter contre le sommeil. Dekka ruminait dans son coin. Sam n'avait pas vu Astrid depuis un bout de temps. Il en déduisit qu'elle était allée s'allonger dans leur cabine, furieuse contre lui, peut-être. Et à juste titre : il s'était montré désagréable avec elle.

Il mourait d'envie d'aller la rejoindre, mais il savait que s'il cédait à son désir, s'il trouvait la paix et l'oubli entre ses bras, il n'aurait peut-être plus la force de remonter sur le pont.

La lumière déclinait et la lune – ou son illusion – se levait. Les ténèbres n'étaient pas encore totales. Mais ce n'était qu'une question de temps.

«Où est-il?» se demanda Sam pour la énième fois.

Il scruta la rive plongée dans l'obscurité, puis les bois et les collines alentour. Drake pouvait se trouver n'importe où. Dans l'ombre de ces arbres ou quelque part entre ces rochers.

Sam se laissa choir dans un transat.

— Tu arrives à garder les yeux ouverts? demanda-t-il à Dekka.

— Va dormir, Sam.

— OK, fit-il en bâillant.

Astrid l'attendait.

— Désolé d'avoir crié contre toi, dit-il.

En guise de réponse, elle l'embrassa en tenant son visage dans ses mains. Ils firent l'amour lentement, en silence, et s'endormirent dans les bras l'un de l'autre.

Quand Cigare regardait Sanjit, il voyait une créature joyeuse et tourbillonnante qui lui évoquait un lévrier juché sur ses pattes de derrière. Celui qu'on surnommait Choo ressemblait à un gorille indolent avec un gros cœur rouge qui battait au ralenti.

Cigare se rendait bien compte qu'il ne voyait pas la même chose que le commun des mortels. Il n'aurait su dire en revanche si ses visions étaient dues à ses nouveaux yeux ou si c'était la folie qui altérait tout de façon étrange.

Même les objets – les lits, les tables, les marches du Clifftop – se nimbaient d'un halo inquiétant, d'une vibration, comme s'ils bougeaient, animés d'une vie propre.

Ses souvenirs lui arrachaient des hurlements. Dans ces moments-là, Sanjit, Choo ou le petit Bowie, qui lui apparaissait sous la forme d'un chaton blanc à l'allure spectrale, venaient lui murmurer des mots de réconfort. Il lui semblait alors voir un nuage de poussière éclairé par la lumière éblouissante du soleil et... cette chose qu'il ne parvenait pas à définir le calmait.

Jusqu'à la prochaine crise de panique.

Il y avait un autre phénomène, très différent de la poussière scintillante, qui déployait des tentacules dans l'air, traversait les objets, s'élevait du sol tel un ruban de fumée et à d'autres moments tel un fouet verdâtre.

Quand Lana entrait dans la pièce, elle était toujours suivie de ce fouet vert qui tentait de la toucher, reculait, repartait à l'assaut. Parfois, Cigare avait l'impression que c'était lui qu'il essayait d'atteindre. Il n'avait pas d'yeux. Il ne pouvait pas le voir. Mais il sentait quelque chose... quelque chose qui semblait l'intéresser.

Lorsqu'il se rapprochait de lui, il était assailli par des visions de Penny, puis de lui-même lui infligeant les supplices les plus atroces.

Il se demanda si le ruban de fumée, le fouet vert, cette chose pouvait lui donner le pouvoir de la vaincre, s'il lui suffisait de dire : « Oui, viens, je suis là » pour pouvoir enfin exercer sa vengeance sur Penny.

Mais les pensées de Cigare ne s'attardaient jamais bien longtemps. Il avait beau s'efforcer d'assembler toutes ces images dans sa tête, elles s'envolaient bientôt comme les pièces d'un puzzle qu'on aurait fait exploser.

Parfois, le petit garçon survenait.

Il n'était pas facile de le voir. Il restait toujours à l'écart. Quand il sentait sa présence, Cigare regardait dans sa direction, mais si vite qu'il tournât la tête il n'arrivait jamais à distinguer clairement les traits de l'enfant. C'était comme observer quelqu'un par l'interstice minuscule d'une porte. Ça ne durait qu'une seconde ; l'instant d'après, le petit garçon avait disparu.

Encore un délire.

Mais quand on avait des yeux inhumains et un esprit malade, comment distinguer la réalité du fantasme ? Cigare comprit bientôt qu'il ne servait à rien d'essayer. Ça n'avait pas d'importance, en fin de compte. Existait-il quelqu'un qui soit capable de voir réellement ce qui se passait autour de lui ? Les yeux normaux étaient-ils vraiment infaillibles et les cerveaux normaux lucides ? Qui pouvait affirmer que ce que Cigare voyait maintenant n'était pas aussi réel que ce qu'il voyait auparavant ?

Les yeux normaux n'étaient-ils pas incapables de voir les rayons X, les radiations et les couleurs au-delà du spectre visible ? C'était le petit garçon qui lui avait soufflé cette réflexion.

Cigare s'aperçut qu'il était là en ce moment même. Juste au-delà de son champ de vision, pile à l'endroit où Cigare ne pouvait pas le voir.

Mais une fois de plus, il perdit le fil de ses pensées. Il se leva et se dirigea vers la porte qui vibrait en l'appelant à elle.

Penny entendit des coups frappés à sa porte et l'ouvrit sans même jeter un œil au judas. La silhouette de Caine se détacha sur le clair de lune.

— Il faut qu'on parle, dit-il.

— Au beau milieu de la nuit?

Il entra dans la maison sans attendre d'y être invité.

— Pour commencer, si je vois quelque chose qui ne me plaît pas, même une puce microscopique, n'importe quoi qui sorte de ton imagination malsaine, Penny, je n'hésiterai pas à t'écraser comme un insecte contre le mur le plus proche. Puis je ferai écrouler le mur sur toi.

— Ça va, merci, et toi, Altesse? lâcha Penny en refermant la porte.

Il s'était déjà installé dans son fauteuil préféré comme s'il était le propriétaire des lieux. Il avait apporté une bougie qu'il alluma avec un briquet avant de la poser sur la table. C'était du Caine tout craché : il aimait s'éclairer comme sur une scène même si, dans la Zone, les bougies étaient plus précieuses que des diamants.

Le roi Caine.

Penny ravala sa rage. Elle le ferait ramper. Elle lui arracherait des hurlements de terreur.

— Je sais pourquoi tu es là, dit-elle.

— Turk m'a prévenu que tu avais retrouvé tes esprits, Penny. Il paraît que tu es d'accord pour négocier. OK, parle.

— Écoute, j'ai merdé avec Cigare. Et je sais ce que c'est de crever de faim. Je ne suis pas aussi jolie que Diana, mais je ne suis pas stupide.

— Mouais, fit Caine d'un ton circonspect.

— Bref, comme je l'ai dit à Turk, je vais quitter la ville. J'ai déjà rassemblé quelques affaires. (Elle montra un sac à dos posé dans un coin.) Je pense juste qu'il ne faudrait pas qu'on s'imagine que c'est toi qui m'as poussée à m'en aller, parce que ça voudrait dire que Quinn a gagné. Je crois qu'il vaudrait mieux qu'on pense que j'ai pris cette décision toute seule.

Caine l'examina. Il s'efforçait visiblement de comprendre ce qu'elle manigançait. Elle décida de manifester un peu de colère.

— Eh, ça ne me fait pas plaisir, figure-toi ! Mais je me débrouillerai. Crois-le ou pas, je peux survivre sans toi, Caine.

— Prends toute la nourriture que tu voudras, dit-il.

— Comme c'est généreux de ta part, ironisa-t-elle. Je m'en irai, mais seulement si tu acceptes de veiller à ce que je ne meure pas de faim. Une fois par semaine, Bug me rejoindra sur l'autoroute, près du camion FedEx renversé. Si j'ai besoin de quelque chose, il devra me l'apporter. C'est la condition de mon départ.

Caine se détendit un peu, la considéra un long moment, la tête penchée sur le côté.

— Marché conclu.

— Regardons les choses en face, Caine : toi et moi, on pourra encore se rendre quelques services à l'avenir, non ? Alors j'ai besoin que tu restes aux commandes. Ça vaut mieux.

— À quoi tu penses ?

Elle soupira.

— Pour l'instant, à un bon chocolat chaud. Taylor m'a rapporté de l'île de quoi en faire. On va commencer par s'en boire une tasse et puis on réfléchira à une solution.

Caine ne lui demanda pas pourquoi Taylor s'était donné la peine de lui rapporter de l'île une denrée aussi précieuse que du cacao. Celle-ci avait sans doute recours aux pouvoirs de Penny pour une raison ou pour une autre.

Penny perçut du mécontentement chez Caine tandis qu'il parvenait à cette conclusion. Elle alla à la cuisine allumer le petit réchaud dont elle se servait pour chauffer l'eau et le cacao.

Caine ne se donna pas la peine de la suivre. Il était toujours assis avec une expression perplexe sur le visage quand elle lui tendit sa tasse. Ils burent à petites gorgées.

— Bon, je suppose que si je m'en vais en leur faisant croire que ce n'est pas ta faute, il faudra qu'on ait l'air de se disputer, déclara Penny.

— Et on devra s'arranger pour qu'on nous entende. Mais on ne peut pas jouer la comédie en public, ça aurait l'air faux, dit Caine en prenant une autre gorgée de son chocolat. Il est un peu amer, ajouta-t-il avec une grimace.

— J'ai du sucre, si tu veux.

— Tu as du sucre?

Elle alla chercher deux morceaux qu'elle déposa dans sa tasse.

— Tu as raison sur un point, Penny, dit-il. Tu es précieuse. Folle mais précieuse. Personne n'a de sucre sauf toi.

Elle haussa modestement les épaules.

— Les gens aiment s'évader, tu sais? Ils aiment penser à des choses plus drôles que leur vie et leur travail.

— Ouais. Mais tout de même, du vrai sucre? Ça n'a pas de prix.

— J'imagine que tu t'es aperçu que j'avais un faible pour toi.

— Oui, eh bien, ne le prends pas mal, mais ce n'est pas réciproque.

Il fallut à Penny tout son sang-froid pour ne pas se déchaîner contre Caine.

— Dommage, fit-elle. Je peux être n'importe qui... dans ton imagination.

— Fais-moi une faveur : épargne-moi les détails. Bon, lança-t-il en bâillant. Causons un peu de ton plan. Les deux dernières journées ont été longues, et je veux en finir avec ça.

Penny fit une suggestion, Caine en fit une autre, elle objecta en souriant, et il bâilla longuement.

— Tu as l'air fatigué, Caine. Tu devrais fermer les yeux et te reposer pendant quelques minutes.

— Je ne peux pas... (Il bâilla encore.) On parlera plus tard. Demain matin.

Il tenta de se lever, se laissa de nouveau choir dans son siège et la regarda en clignant des yeux. Elle voyait presque les rouages se mettre lentement en branle dans son cerveau. Il fronça les sourcils, se força à ouvrir les yeux.

— Est-ce que tu... ?

Elle ne prit pas la peine de répondre. Elle en avait assez de jouer la comédie de la gentillesse.

— Je vais te tuer, dit-il en levant une main qui resta suspendue dans le vide.

Penny se glissa vivement derrière lui. Il essaya vainement de se retourner ; son corps ne répondait plus.

— Ne t'inquiète pas, Altesse. À vrai dire, tu ne vas pas t'inquiéter de sitôt. J'ai ajouté du Valium à ton somnifère.

— Je... v..., bégaya-t-il en respirant bruyamment.

— Bonne nuit, les petits, lâcha Penny.

Elle prit un lourd globe de neige sur une étagère à babioles, lequel avait sans doute été un objet de prix aux yeux de l'ancien propriétaire de la maison. Il y avait un casino à l'intérieur. Sans doute quelque souvenir ringard rapporté de Las Vegas.

Elle abattit le globe sur le crâne de Caine et il tomba en avant. En éclatant, le verre lui lacéra le cuir chevelu et Penny se coupa le pouce.

— Ça en vaut la peine, grommela-t-elle en regardant le sang sur sa main.

Après avoir enveloppé son doigt dans un torchon, elle alla chercher un grand saladier en bois et un pichet d'eau dans la cuisine. Puis elle ouvrit un placard et en sortit un gros sac de ciment.

17 HEURES
37 MINUTES

ASTRID RAMPA hors de la couchette, silencieuse comme une ombre. Cela lui coûtait de quitter la chaleur du corps de Sam, qui agissait comme un aimant sur elle, l'attirant presque irrésistiblement contre lui.

Elle sortit à pas de loup dans le couloir. Brianna ronflait. Astrid faillit pouffer de rire en pensant qu'elle ronflait à une vitesse normale, comme n'importe qui d'autre.

Après avoir trouvé ses vieux vêtements, Astrid s'habilla dans le noir. Un tee-shirt, un jean reprisé à de multiples endroits, une paire de bottes. Elle vérifia le contenu de son sac à dos. Ses cartouches s'y trouvaient toujours. Elle n'aurait qu'à remplir sa bouteille avec l'eau du lac. Un petit quelque chose à manger n'aurait pas fait de mal, mais Astrid avait depuis longtemps pris l'habitude d'avoir faim.

Avec un peu de chance, son petit périple ne prendrait pas trop de temps. Si tout se passait bien, il lui faudrait cinq heures pour atteindre Perdido Beach. Elle soupira. Marcher jusqu'à Perdido Beach dans le noir ou retourner se coucher près de Sam, sentir ses bras robustes autour d'elle, et enrouler ses jambes autour des siennes… ?

— C'est maintenant ou jamais, murmura-t-elle.

Elle avait récupéré les lettres que Mohamed n'avait pas pu donner. Elle les glissa dans la poche de son jean pour être sûre de ne pas les égarer.

Tout son plan reposait sur ce qu'elle trouverait en arrivant sur le pont. La péniche était toujours amarrée au ponton – un défi symbolique – mais il y aurait quelqu'un pour monter la garde.

Elle sortit du côté de la péniche qui donnait sur le ponton et sauta lestement. Peut-être que la sentinelle postée sur le pont supérieur ne s'apercevrait de rien.

— On ne bouge plus, fit une voix.

Dekka.

Astrid jura dans sa barbe. Elle avait réussi à faire quelques pas sur le ponton. Elle se trouvait dans la ligne de mire de Dekka, ce qui signifiait qu'elle n'avait aucune chance de s'échapper. Dekka suspendrait la gravité sous ses pieds ; il était difficile de courir quand on flottait dans le vide.

Dekka s'avança vers le bord du pont supérieur, puis suspendit la gravité pendant une fraction de seconde, le temps d'atterrir sans bruit sur le ponton.

— On allait se chercher un en-cas ni vu ni connu ? demanda-t-elle sèchement. Tu me prends un paquet de biscuits ?

— Je vais à Perdido Beach, dit Astrid.

— Ah. On veut jouer les héroïnes et livrer les lettres de Sam ?

— C'est ça, sauf la remarque désagréable sur l'héroïsme.

Dekka montra l'horizon du pouce.

— Drake est là-bas avec les coyotes qui ont bouffé Howard. Ne le prends pas mal, ma belle, mais toi c'est le cerveau, pas les muscles.

— J'ai appris deux-trois trucs, objecta Astrid.

Et sans quitter Dekka du regard, elle lui assena un coup dans la figure avec la crosse de son fusil. Sans l'assommer, le choc la fit tomber à genoux.

Tirant profit de ce bref moment de faiblesse, Astrid se glissa derrière Dekka et la poussa face contre les planches du ponton.

— Désolée, Dekka, dit-elle en lui liant les poignets avec un bout de corde ; puis elle lui fourra une vieille chaussette dans la bouche. Écoute-moi. On a besoin de Caine, et Caine a besoin de nous, donc il faut que j'y aille. D'autant qu'ici je ne sers à rien.

Dekka se débattait déjà pour se libérer.

— Si tu réveilles Sam, il enverra Brianna à ma poursuite, dit Astrid.

Dekka cessa immédiatement de gigoter.

— Je sais que c'est pas sympa de t'avoir frappée, et plus tard tu pourras me rendre la monnaie de ma pièce. Mais donne-moi vingt minutes avant d'alerter Sam. Dis-lui que je t'ai assommée. Tu auras un joli bleu à lui montrer. Il te croira.

Astrid recula. Dekka ne bougea pas.

— Dis-lui que je devais le faire. Dis-lui que je ne m'arrêterai pas avant d'avoir accompli ma mission, poursuivit Astrid.

Dekka recracha son bâillon. Si elle donnait l'alerte, tout serait perdu. Mais elle répondit :

— Coupe par les bois, et tiens-toi à l'écart des rochers. Je mettrais ma main au feu que Drake se planque dans une grotte ou une crevasse. Brise a passé la forêt au peigne fin.

— Merci.

— Tu as un autre message pour Sam?

Astrid savait où elle voulait en venir.

— Il sait que je l'aime. (Elle ajouta avec un soupir:) OK, dis-lui que je l'aime de tout mon cœur, mais qu'il n'est pas le seul à se battre. Moi aussi je veux participer.

— D'accord, blondinette. Bonne chance. Et n'oublie pas: tu tires d'abord, tu réfléchis ensuite, OK?

Astrid hocha la tête et s'éloigna au pas de course. En son for intérieur, elle était terriblement déçue d'avoir réussi à fléchir Dekka. Si elle l'avait empêchée de passer, elle se serait quand même donné l'impression d'avoir agi courageusement. Et elle aurait pu retourner auprès de Sam. Au lieu de quoi, elle se dirigeait vers la lisière du bois, la peur au ventre.

Diana n'aurait jamais cru être capable de dormir sur un voilier. Non qu'il y ait des vagues, mais elle gardait un souvenir vivace des nausées du matin de son début de grossesse et se méfiait de tout ce qui risquait de menacer la paix fragile qu'elle avait instaurée avec son estomac.

Pourtant, elle s'était endormie sur l'une des banquettes étroites qui se trouvaient à l'avant du bateau.

Elle partageait les lieux avec Roger, Justin et une amie de ce dernier, une petite fille qui répondait à un prénom pour le moins original, Atria. Tous dormaient à poings fermés ou du moins ils se tenaient tranquilles, ce qui, aux yeux de Diana, était aussi bien.

Un peu plus tôt, elle avait observé Roger avec les deux petits. Elle s'était demandé si elle serait un jour capable d'autant de patience et d'entrain. Roger avait trouvé un bout de craie et occupait les enfants en dessinant des personnages amusants sur le pont. Justin et Atria semblaient penser qu'il s'agissait d'une espèce de pique-nique.

Le dernier occupant du bateau était Orc. Il avait décidé que sa place était à la proue ; son poids faisait pencher la coque, si bien que Diana avait l'impression qu'elle pouvait glisser à tout moment de son siège. Mais elle avait passé un bras autour de la rampe de bastingage et l'autre autour d'un taquet puis, après avoir rabattu une couverture sur elle, elle s'était endormie.

C'était l'un de ces sommeils étranges, où l'on n'a pas sombré dans l'inconscience totale mais plutôt dans une somnolence agréablement brumeuse. Elle entendait des voix, mais elle ne les comprenait pas ou ne faisait pas l'effort de les comprendre. Elle sentait le bateau tanguer sous elle dès qu'Orc bougeait ou qu'une autre embarcation venait cogner contre la leur.

C'est dans cet état second que Diana entendit une voix à la fois nouvelle et familière qui semblait provenir de son ventre. Elle savait qu'il s'agissait d'un rêve. À ce stade, le bébé, bien qu'un peu en avance sur son âge, n'avait pas un cerveau en état de fonctionner et encore moins la faculté de formuler des pensées.

Bébé avait chaud…

Bébé était dans le noir…

Bébé se sentait en sécurité…

C'était un rêve agréable inventé par son subconscient. Elle sourit.

« T'es quoi ? » demanda-t-elle dans son rêve.

Bébé…

« Non, idiot. Je voulais dire : t'es un garçon ou une fille ? »

Diana perçut de la confusion chez le bébé. Évidemment, c'était logique. Après tout, ce n'était qu'un rêve, et cette conversation avait germé dans son imagination. Ces deux voix provenaient de son subconscient, et comme elle ignorait le…

Il me veut…

Le rêve de Diana fut soudain envahi de nuages noirs. Son sourire se dissipa et elle crispa les mâchoires.

Il me chuchote à l'oreille…

« Qui ça ? Qui te parle à l'oreille ? »

Mon père…

Diana sentit son sang se glacer dans ses veines.

« Tu veux dire Caine ? »

Mon père m'ordonne de le rejoindre…

« Je t'ai posé une question : tu veux dire Caine ? »

Diana s'éveilla avec la chair de poule. Elle respirait difficilement et des gouttelettes de sueur perlaient sur son front. Les autres l'observaient avec des yeux ronds : elle distinguait le blanc de leurs yeux dans l'obscurité. Elle avait dû parler tout haut.

— J'ai fait un mauvais rêve, murmura-t-elle. Désolée. Rendormez-vous.

Elle ne pouvait pas se résoudre à les regarder.

— Tu veux dire Caine ? chuchota-t-elle.

Mais personne ne lui répondit. Ça n'avait pas grande importance. Elle avait deviné la réponse. Elle la connaissait depuis le début.

Non...

Après s'être enveloppée dans la couverture miteuse, elle monta sur le pont. Il lui fallait un peu d'air frais pour calmer son imagination hyperactive. C'était sans doute à mettre sur le compte des hormones.

Elle vit Orc assis, le dos tourné. Les rares caractéristiques humaines qu'il possédait encore n'étaient pas visibles sous cet angle, mais il y avait quelque chose de profondément humain dans ses énormes épaules voûtées.

— Tu n'as pas froid comme ça ? s'enquit Diana.

Quelle question idiote ! Elle n'était pas sûre qu'Orc ressente le froid.

Comme il ne répondait pas, elle fit quelques pas dans sa direction.

— Je suis désolée pour Howard.

Elle chercha des mots gentils pour évoquer son souvenir mais comme rien ne venait, elle garda le silence.

Elle se demanda si Orc avait bu. Dans ces cas-là, il pouvait devenir dangereux. Mais ce fut d'une voix ferme qu'il dit :

— J'ai regardé dans le livre et j'ai rien trouvé.

— Quel livre ?

— Ça ne dit pas : «Bénis soient les petits gars à tête de fouine.»

Oh, ce livre-là. Diana n'avait rien à dire sur le sujet et regrettait déjà d'avoir engagé la conversation avec Orc.

Soudain, sa banquette lui semblait beaucoup plus séduisante. Et elle avait envie de faire pipi.

— Howard était... unique, je suppose, hasarda-t-elle en se demandant ce qu'elle voulait dire par là.

— Il m'aimait bien, marmonna Orc. Il prenait soin de moi.

« C'est ça, songea Diana. Il veillait surtout à ce que tu restes soûl comme une barrique. Il se servait de toi. » Mais elle garda ses réflexions pour elle.

Comme si Orc lisait dans ses pensées, il poursuivit :

— Je dis pas que c'était un saint. Mais moi non plus, hein. Ça nous arrive à tous de mal agir. Moi le premier.

Diana songea au mal qu'elle avait fait et qu'elle n'aimait pas se remémorer.

— Eh bien, peut-être qu'il a rejoint un monde meilleur, comme on dit.

Cette remarque lui semblait soudain complètement stupide. Mais n'était-ce pas ce que les gens disaient en pareille circonstance ? D'ailleurs, se pouvait-il qu'il existe un monde pire que celui-ci ? Howard était probablement mort étranglé avant que ses restes ne soient dévorés par les coyotes.

— Je m'inquiète parce qu'il est peut-être en enfer, dit Orc avec tristesse.

Diana jura à voix basse. Comment s'était-elle mise dans un pétrin pareil ? Il fallait vraiment qu'elle fasse pipi.

— Écoute, Orc, Dieu est censé pardonner, non ? Alors il a sans doute pardonné à Howard. C'est son boulot, après tout.

— Oui, mais si tu fais quelque chose de mal et que tu ne te repens pas, tu finis en enfer, protesta Orc, l'air désemparé comme s'il mendiait une objection.

— Oui, eh bien tu sais quoi? Si Howard est en enfer, mon petit doigt me dit qu'on va tous se retrouver là-bas bientôt, répliqua Diana en se détournant pour partir.

— Il m'aimait bien, dit Orc.

— J'en suis sûre, aboya-t-elle, à bout de patience. Tu es un gros nounours adorable, Orc.

«Doublé d'une brute et d'un meurtrier», ajouta-t-elle pour elle-même.

— Je n'ai pas envie de me remettre à boire, gémit-il.

— Eh bien, ne bois pas.

— Mais je n'ai jamais tué personne à jeun.

Diana, qui n'en pouvait plus, s'engouffra dans l'escalier menant à la cabine et, après avoir trouvé le pot qu'ils se partageaient, elle s'accroupit avec un soupir de soulagement.

Le bateau se mit à tanguer dangereusement et l'un des enfants protesta d'une voix ensommeillée.

En remontant sur le pont, Diana s'aperçut qu'Orc avait disparu. Le petit canot à rames amarré à l'un des taquets se trouvait à présent à une trentaine de mètres du voilier et se rapprochait à toute allure de la rive, propulsé par la force surnaturelle des bras qui manœuvraient les rames.

Caine dormait. Penny ne savait pas pour combien de temps encore, mais elle n'était pas pressée.

Immobile, elle l'observait. Il dormait dans le canapé, avachi sur le ventre dans une position très inconfortable, les mains emprisonnées dans le saladier. Le ciment avait séché très vite.

Le roi Caine.

Il ne pourrait pas s'arracher les yeux. Pas avec cinq kilos de ciment dans les mains. C'est tout juste s'il pourrait se tenir debout.

Elle l'étudia un long moment. Le mutant le plus puissant de Perdido Beach, quatre barres au compteur, réduit à l'impuissance par Penny l'invisible, la moche, la mal fagotée.

Elle alla chercher des ciseaux dans la cuisine. Il remua un peu dans son sommeil et marmonna des mots inintelligibles tandis qu'elle découpait le tissu de son tee-shirt pour l'enlever.

«Voilà, c'est mieux.» Il avait l'air beaucoup plus vulnérable comme ça. Après tout ce qu'il avait traversé, il avait toujours un aussi joli torse. Les muscles saillaient sur son ventre plat.

Mais avant de l'exhiber, elle voulait lui ajouter un petit quelque chose. Son idée lui arracha un gloussement ravi. Il y avait un rouleau de papier aluminium dans la cuisine. Après l'avoir déroulé, elle se mit au travail à la lueur de la bougie.

Tapi dans sa crevasse sur les hauteurs, Drake observait le lac. Il se réjouissait de voir que Sam et ses petits protégés se terraient dans des bateaux. C'était un hommage à la terreur qu'il inspirait.

Mais malheureusement, cela l'empêchait d'approcher Diana.

Durant la soirée, toutes les demi-heures environ, la tornade nommée Brianna était passée près de lui. Chaque fois, il s'était plaqué contre la roche et les coyotes s'étaient immobilisés, les oreilles baissées. Ils avaient peur de Brianna.

Mais elle ne les avait pas repérés. Et à présent il faisait nuit noire, or Brianna était forcément moins rapide dans l'obscurité.

En outre, Drake avait eu de la chance. Enveloppée dans une couverture, Diana était sortie sur le pont de l'un des bateaux, celui où Orc s'était installé à la proue. Même à la pâle lueur des étoiles, Drake l'avait reconnue. Personne ne bougeait comme Diana.

Bien sûr. Il aurait dû deviner que Sam veillerait à lui donner un protecteur puissant. Évidemment qu'elle était sur le même bateau qu'Orc.

À la vue de Diana, il sentit son fouet le démanger ; il le déroula pour en sentir le pouvoir.

Elle jouerait les braves dans un premier temps. On pouvait dire ce qu'on voulait de Diana, elle n'était ni douce ni faible. Mais son fouet la ferait changer d'attitude. Par contre, il veillerait à ne pas blesser son bébé, ce qui lui laissait tout de même un grand nombre de possibilités.

S'il arrivait à trouver un moyen de l'approcher, de tromper la vigilance d'Orc et de Brianna...

Il jeta un œil vers la grosse péniche, seul bateau à être encore amarré au ponton. Elle était trop loin pour qu'il distingue autre chose que le pont supérieur, sur lequel Dekka montait encore la garde quelques minutes plus tôt. Elle avait disparu à présent. Drake savait pertinemment que la péniche était un moyen de l'appâter : ils le croyaient assez bête pour l'attaquer.

Un accès de rage soudaine l'envahit. «Oh, comme c'est rusé, Sam, d'avoir rassemblé tous ces gens vulnérables sur les bateaux!» Il faisait moins le malin quand Drake lui avait fait tâter de son fouet; il poussait des cris de souffrance et des larmes roulaient sur ses joues...

Drake laissa échapper un grognement de plaisir qui mit les coyotes mal à l'aise.

C'est alors qu'il vit Orc s'asseoir lourdement dans un canot à rames ridiculement petit. «Parfait!» songea-t-il. Il attendrait que le monstre se soit éloigné puis il attaquerait le voilier et il emmènerait Diana.

Mais à cet instant il éprouva la sensation de nausée caractéristique qui accompagnait l'apparition de Brittney. Il était si frustré qu'il fit claquer son fouet, qui avait déjà diminué d'un tiers de sa longueur normale.

Puis il se mordit l'index jusqu'au sang et, trouvant une surface lisse sur la roche, pendant les quelques secondes qui lui restaient, il traça les lettres suivantes: «voili...».

S AM S'ÉVEILLA EN SURSAUT et comprit immédiatement qu'il s'était passé quelque chose.

Il resta quelques secondes immobile au milieu des draps froissés pour tenter de renouer les fils de sa conscience. Des mouvements, des sons, des bribes nébuleuses de conversations à voix basse.

Il se leva d'un bond, enfila ses vêtements et sortit dans le couloir. Il se dirigeait vers l'escalier quand il s'arrêta net, rebroussa chemin et eut la confirmation de ses craintes : le sac à dos d'Astrid avait disparu. Il ouvrit le placard. Son fusil avait disparu lui aussi.

À cet instant, Dekka descendit l'escalier et sursauta en le voyant levé. L'espace d'une seconde, il crut voir une expression coupable passer sur son visage.

— Elle a pris les lettres, dit-il d'une voix blanche.

— Elle m'a assommée, marmonna Dekka en désignant un bleu sur un côté de sa tête, le visage tourné pour qu'il puisse le voir à la lumière d'un de ses soleils.

— C'est ça, Astrid t'a assommée, fit-il avec une grimace de colère.

— Elle m'a frappée avec la crosse de son fusil.

— Je vois ça. Je sais aussi qu'il en faut beaucoup plus pour te battre, Dekka.

Il vit ses narines se dilater de fureur, mais il savait qu'il avait vu juste, et elle savait qu'il savait.

— J'envoie Brianna la chercher.

— Astrid a raison : il faut que les gens de Perdido Beach sachent ce qui se passe, et qu'on fasse équipe avec eux. Quelqu'un doit porter cette lettre à Albert et à Caine.

— Mais pas Astrid ! s'écria Sam en se dirigeant vers l'endroit où Brianna ronflait comme une bienheureuse.

Dekka s'interposa.

— Non, Sam. Si tu envoies Brianna chercher Astrid, soit elle te la ramènera et Astrid t'en voudra à mort, soit elle entrera en collision avec un rocher à cent kilomètres/ heure.

Sam allait répliquer avec colère mais sa voix se brisa.

— Drake est là dehors !

Il voulut ajouter quelque chose mais les mots s'étranglèrent dans sa gorge et il désigna les ténèbres d'un geste rageur.

— Elle a pris la bonne décision, dit Dekka. Et tu ne peux pas envoyer celle que j'aime à une mort certaine pour sauver celle que tu aimes.

Sam sentit sa lèvre inférieure trembler. Il était furieux, mais l'émotion le paralysait. Il secoua la tête comme pour chasser la peur et le sentiment d'abandon qui l'étreignaient.

— Je vais la chercher. C'est moi qui la ramènerai.

— Non, patron, fit la voix d'Edilio derrière Dekka. Si en se réveillant demain matin les gosses voient que tu as disparu sans explications, ce sera la panique. Il faut que tu leur renvoies l'image d'un gars fort. Tu as la lumière, Sam, et c'est seulement grâce à elle que les gens resteront soudés.

— Tu ne comprends pas, gémit Sam. Drake est malade. Il déteste Astrid. Tu ne sais pas de quoi il est capable.

— Drake déteste tout le monde, protesta Edilio.

Sam retrouva brusquement sa rage.

— Tu n'y comprends que dalle, Edilio. Toi tu n'as personne qui compte, tu es seul !

Il regretta instantanément ses paroles. Mais il était trop tard. Une lueur glaciale s'alluma dans le regard d'ordinaire chaleureux d'Edilio. Bousculant Dekka, il se planta devant Sam et braqua un doigt sur lui.

— Tu ne sais rien de moi, dit-il avec une férocité égale à la colère de Sam. Je ne te dis pas tout, figure-toi. Je sais qui je suis, ce que j'ai à faire, et je sais aussi que tu as besoin de moi. Tu es peut-être un modèle, celui vers qui tout le monde se tourne en cas de problème, mais moi je gère le quotidien. Je ne vis pas pour attirer l'attention. Je fais mon boulot sans chercher à me faire remarquer.

Sam écoutait, immobile, submergé par des émotions confuses. Au-delà de la peur et de la colère, il éprouvait aussi de la honte. Edilio disait la vérité.

Mais celui-ci n'en avait pas terminé et semblait bien décidé à dire tout ce qu'il avait sur le cœur.

— Astrid et toi, vous vous donnez en spectacle. Les gosses sont morts de trouille, et vous, vous avez l'air de passer du bon temps. Je ne te juge pas, ce ne sont pas mes affaires, mais tu fais passer ta vie personnelle avant, et tu n'en as pas le droit : tu es Sam Temple, après tout.

Ces enfants comptent sur toi, sur Dekka, sur moi, sur Astrid depuis qu'elle est rentrée... Et qu'est-ce qu'ils voient? Astrid et toi, qui passez votre temps au lit, et Dekka qui aboie sur tout le monde sous prétexte que Brianna ne veut pas être sa petite amie. Le seul à rester discret sur sa vie privée ici, c'est moi. Et tu me l'envoies dans la figure?

Il fit volte-face en bousculant de nouveau Dekka sans ménagement.

— Ressaisissez-vous, tous les deux. On a assez de problèmes comme ça, conclut-il avant de s'éloigner au pas de charge.

Orc émergea d'entre deux rochers sous le clair de lune. Astrid se demanda si Sam avait été informé de son départ et si elle devait rebrousser chemin pour donner l'alerte.

Non, elle avait une mission plus importante à remplir. Albert et Caine n'étaient peut-être pas au courant de la situation. Si les enfants de la ville n'étaient pas préparés, ils risquaient de s'affoler et alors ce serait leur fin à tous.

Une image lui vint à l'esprit, celle d'enfants marchant dans le désert, égarés dans une obscurité totale, jusqu'à ce qu'un ver affamé, un coyote ou Drake les rattrapent. Et encore, ceux-là auraient de la chance. Les autres mourraient lentement de faim et de soif.

Astrid se tint à bonne distance d'Orc. Il cherchait quelque chose ou quelqu'un, Drake sans doute, ce qui était forcément une bonne nouvelle pour elle.

Elle s'efforça de chasser les images de mort qui se formaient dans son esprit. Elle avait besoin de réfléchir.

L'obscurcissement de la paroi était forcément dû à quelque chose. Derrière l'énorme tache, il y avait une raison sinon un objectif. Ce phénomène était probablement lié au gaïaphage, cet être malfaisant et insaisissable. On ne savait pas grand-chose de lui. Lana n'aimait pas en parler. Il était entré en contact avec le petit Pete pour mieux le manipuler. Il avait créé une chimère se faisant appeler Nerezza. Il avait même tenu Caine sous son emprise à une époque, ou du moins c'était le bruit qui courait, mais celui-ci s'était libéré.

Astrid pressa le pas en scrutant le sol sous ses pieds. Dès qu'elle fut à bonne distance du lac, elle quitta la route caillouteuse sans être sûre de prendre la bonne décision, mais elle supposait que ceux qui partiraient à sa recherche commenceraient par vérifier les voies d'accès principales.

Il lui faudrait plus de temps pour atteindre son but mais personne ne la croirait capable de s'aventurer sur des terres inhospitalières. Eh bien, c'était mal la connaître. Au cours des quatre derniers mois, elle avait changé. Elle marchait d'un bon pas en savourant la sensation de pouvoir que lui procurait le fait de surmonter sa peur. Oui, il faisait noir. Oui, des forces maléfiques étaient à l'œuvre. Mais elle les devancerait ou elle les combattrait s'il le fallait.

Malgré elle, elle éprouva un pincement au cœur. Elle aurait peut-être dû exposer ses arguments à Sam et tenter de le persuader. Elle n'aurait peut-être pas dû s'enfuir seule.

Mais il n'aurait jamais consenti à la laisser partir. Elle avait pris la bonne décision. Pour une fois, elle avait choisi d'agir et non de manipuler ou de convaincre.

Avec un peu de chance, elle atteindrait Perdido Beach au matin et elle serait rentrée auprès de Sam avant la tombée de la nuit.

Brittney savait ce qu'elle devait faire. En gros. Le dieu qui se faisait appeler gaïaphage leur avait confié une mission, à elle et à Drake. En revanche, il ne lui avait pas donné le pouvoir de partager les souvenirs de Drake, et chaque fois qu'elle refaisait surface, elle se retrouvait confrontée à une situation totalement inattendue.

Dans le cas présent, elle reconnut la crevasse dans la roche et se rappela qu'elle se cachait pour ne pas être repérée par Brianna. Mais entre-temps, la nuit était tombée.

Brittney eut une autre surprise quand, en risquant un œil au-dehors, elle aperçut Orc à moins de vingt mètres de sa cachette. Elle se figea. Quant aux coyotes, ils étaient déjà aussi immobiles que des statues.

Orc gravissait péniblement la colline en scrutant méthodiquement les parages, ce qui ne ressemblait guère à l'ancien geôlier de Brittney. Il examinait le sol, piétinait les broussailles, poussait des rochers. Il n'était pas près de les trouver, et les coyotes désigneraient une autre cachette à Brittney si c'était nécessaire, mais le calme et la précision qu'il mettait dans ses recherches avaient quelque chose d'inquiétant.

Les coyotes ne seraient d'aucune aide en cas d'attaque, et Brittney n'était pas de taille à se mesurer à Orc. Ses mains gigantesques la broieraient aussi facilement qu'une miche de pain.

Il ne pouvait pas les tuer, ni elle ni Drake, mais même maintenant, alors qu'elle se sentait à des années-lumière de son ancienne vie, Brittney tremblait à l'idée des souffrances qu'il pouvait lui infliger. Elle ne ressentirait peut-être pas la douleur aussi intensément que par le passé, mais elle sentirait tout de même quelque chose.

Orc passa près d'elle d'un pas pesant, son corps bestial illuminé par la lueur des étoiles. Elle ignorait pourquoi il les cherchait, elle ou Drake, mais elle était certaine que c'était son but. Sa main effleura la partie lisse d'un rocher et elle sentit quelque chose d'humide sous ses doigts.

— Fouet faire couler sang, dit Chef.

— Il fait trop sombre pour voir, objecta Brittney. Est-ce que tu... ?

Non, quelle idée ! Chef ne savait pas lire. En revanche, il était peut-être au courant de quelque chose.

— Rocher Qui Marche venir de là-bas, reprit le coyote en désignant du regard la berge du lac.

Entre deux rochers, Brittney distingua un petit canot à rames. Elle se glissa prudemment au-dehors, effrayée à l'idée qu'une énorme main de pierre surgisse au-dessus de sa tête, et s'immobilisa en tendant l'oreille. Elle entendit au loin le monstre qui déplaçait des rochers.

La lune brillait au-dessus du canot abandonné dont le bord était peint d'une couleur vive.

Brittney examina les bateaux à quai qui se balançaient doucement au bout de leurs amarres, puis ceux qui semblaient dériver sur le lac. Un voilier attira son attention. Sa coque avait la même bande peinte que celle du canot.

— Il faut se remettre en route, dit-elle à Chef. Je monterai dans le bateau d'Orc... de Rocher Qui Marche. Vous, vous attendrez sur la berge pour me protéger au cas où quelqu'un se montrerait.

Le regard intelligent de Chef se posa sur elle.

— Chef se cacher de Fille Rapide et de Rocher Qui Marche.

— Non, on ne peut pas rester cachés plus longtemps.

— Fille Rapide tuer plusieurs coyotes.

— Il faudra courir le risque. C'est l'Ombre qui l'ordonne.

Chef baissa la queue.

— Mains de Feu là-bas, dit-il en désignant la péniche du museau. Rocher Qui Marche tout près. Chef ne voit pas Fouet. Ne voit pas Ombre.

Brittney serra les dents. C'était donc ça. Les coyotes calculaient leurs chances de s'en tirer et n'aimaient pas ce qu'ils entrevoyaient. Les lâches.

— Vous êtes quoi ? Des caniches ?

Chef ne parut pas s'émouvoir de sa remarque.

— Meute presque éteinte. Trois petits seulement.

— Si Drake était là, il te taillerait en pièces !

— Fouet pas là, rétorqua placidement Chef.

— Très bien. Vous n'avez qu'à attendre ici. J'irai seule.

Si Chef ne protesta pas, il ne sembla pas approuver non plus.

Brittney se dirigea prudemment vers la berge en restant dans la mesure du possible sous le couvert des rochers. Quand elle n'avait pas le choix, elle rampait à même le sol en gardant un œil sur la péniche. Elle n'avait pas besoin des souvenirs de Drake pour savoir que c'était là que se trouvait Sam.

Les derniers mètres étaient à découvert, et Brittney dut progresser à quatre pattes sur la berge caillouteuse. Elle scruta le pont de la péniche et ne décela rien d'inquiétant, ce qui ne signifiait pas pour autant que personne ne montait la garde des fenêtres du bateau. Si elle voyait quelqu'un, elle pouvait en déduire qu'il la verrait aussi s'il tournait la tête dans sa direction.

Elle s'accroupit dans l'ombre du canot, les yeux toujours fixés sur la péniche. Si elle tentait de le déplacer, elle serait repérée. Peut-être que Drake était capable de le manœuvrer sans bruit, mais ce n'était pas son cas, vu qu'elle n'avait jamais ramé de sa vie.

Si elle tentait de rejoindre le voilier à la nage, ce serait encore pire. Elle ne savait nager que le crawl et le bruit des éclaboussures attirerait sans doute l'attention de toute la petite flotte. Sam et ses amis se précipiteraient pour la capturer et Sam la réduirait en cendres.

Elle décevrait Drake. Elle décevrait le gaïaphage. Soudain, elle eut un éclair de génie qui faillit lui arracher un éclat de rire. Elle respirait, mais elle n'avait pas besoin de respirer.

Elle ramassa des cailloux et les fourra dans ses poches puis, après avoir noué le bas de son tee-shirt, elle le lesta avec d'autres cailloux qu'elle maintint en ceignant son ventre de ses bras comme une femme enceinte.

Une fois suffisamment lestée, elle entra dans l'eau. Tout en s'enfonçant dans le lac, elle garda les yeux fixés sur le voilier et continua à avancer en maintenant son cap une fois que les flots se furent refermés sur elle.

Elle était quasiment indétectable sous l'eau. La clarté de la lune ne transperçait pas la surface du lac.

Brittney se concentra de toutes ses forces pour ne pas dévier de sa route. Malgré ses poches lestées, elle flottait encore un peu, ce qui rendait sa progression extrêmement difficile.

De l'eau glacée lui emplissait les poumons, mais le froid ne la gênait pas. Ce qui l'inquiétait en revanche, c'était le risque qu'elle s'éloignât de son but. Combien de pas lui restait-il ? À quelle distance se trouvait le voilier ? Elle avait calculé qu'environ deux cents pas la séparaient du bateau, mais elle avait perdu le compte après avoir trébuché en faisant tomber quelques-uns des cailloux qui la maintenaient au fond.

Elle n'avait pas d'autre choix que de remonter. Elle défit le bas de son tee-shirt pour libérer les cailloux et ses pieds décollèrent du sol. Il lui fallut longtemps pour refaire surface ; elle ne flottait pas bien.

En émergeant, elle aperçut une corde qui s'enfonçait dans les flots noirs. Elle plongea sans bruit pour s'y agripper et se hissa de nouveau vers la surface en s'aidant de la corde mais en veillant à ne pas tirer dessus.

Lorsqu'elle sortit la tête de l'eau, elle vit un bateau avec un grand mât et une bande verte sur la coque se dresser au-dessus d'elle.

Brittney n'était pas sûre de la pertinence d'adresser une prière de remerciement au gaïaphage. Cette pratique ne s'appliquait probablement qu'à son ancien dieu. Mais elle sourit, confortée dans l'idée qu'elle touchait au but et qu'elle servait bien son maître.

15 HEURES
12 MINUTES

E N THÉORIE, LE PLAN d'Astrid était futé.
Sauf qu'en s'éloignant de la route pour sa sécurité, elle avait réussi à se perdre.

Ce paysage quasiment désertique n'avait rien à voir avec sa forêt si familière. Et, comble d'ironie, à la nuit tombée, la route n'était visible de loin que lorsqu'elle était éclairée par des réverbères ou des phares de voiture.

Or, dans la Zone, il n'y avait ni l'un ni l'autre.

La route caillouteuse avait donc disparu et, bien que certaine de se trouver à proximité, Astrid avait eu l'impression de marcher au milieu d'un paysage beaucoup moins austère que celui qui bordait la route.

La lune s'était couchée. Les étoiles répandant trop peu de clarté pour lui permettre d'y voir, elle avait progressé de plus en plus lentement. À un moment, elle avait tourné brusquement, mais n'avait pas retrouvé la route.

«Idiote», se dit-elle. Où était donc passée la nouvelle Astrid? Elle avait réussi à se perdre en moins de deux heures.

Bien qu'elle déteste l'admettre, la solution la plus sage était d'attendre que l'aube se lève pour se remettre en route.

Si l'aube se levait. Cette pensée lui glaça le sang. Même à la lueur des étoiles, elle était complètement impuissante. Quand l'obscurité deviendrait totale, elle errerait jusqu'à ce que la faim et la soif aient raison d'elle.

Après avoir trouvé des herbes hautes, elle s'assit précautionneusement.

«Ça commence mal», dut-elle reconnaître. Perdue dans la nature.

À un moment, elle fut rattrapée par un sommeil peuplé de rêves troublants. En s'éveillant, elle comprit que son unique souhait ne s'était pas réalisé.

Levant les yeux, elle vit qu'un cercle bleu sombre commençait à s'éclaircir à l'est, chassant les étoiles. Ailleurs, le ciel était d'un noir de jais. Ce n'était pas le noir de la nuit vaguement éclairé par les étoiles, la Voie lactée et les lointaines galaxies. C'était le noir impénétrable de la tache.

Désormais, le ciel ne s'étendait plus d'un horizon à l'autre. Ce n'était plus qu'un trou en haut d'un bocal, l'ouverture d'un puits. Et avant la fin de la journée, il aurait entièrement disparu.

Caine s'éveilla avec une telle migraine qu'il crut que la douleur allait le faire tourner de l'œil. Il voulut porter les mains à son crâne mais elles refusèrent de lui obéir.

Ouvrant les yeux, il vit un bloc de ciment, rond comme un saladier, qui reposait sur la table basse. Il emprisonnait ses mains jusqu'aux poignets.

Caine tenta vainement de refouler la panique qui l'envahissait et cria:

— Non, non, non!

Il essaya de libérer ses mains mais elles étaient complètement immobilisées par le ciment qui lui brûlait la peau. Il avait infligé le même calvaire à d'autres que lui, et en connaissait les effets. Il savait que le ciment ne casserait pas facilement, et que jusqu'à nouvel ordre il était prisonnier, impuissant.

Il se redressa d'un bond. Le poids du ciment l'entraîna vers le sol, si bien qu'il trébucha et se cogna le genou contre le bord pointu du bloc. Mais la douleur causée par le choc n'était rien en comparaison du sentiment de panique qui l'étreignait et de la migraine atroce qui lui vrillait le crâne. Il se mit à gémir comme un enfant terrorisé et mobilisa toutes ses forces pour soulever le bloc de ciment. Il cognait contre ses cuisses mais, oui, il était capable de le porter. Sur une petite distance, du moins. Il voulut le reposer lourdement mais manqua la table, et le bloc tomba sur le sol en l'entraînant avec lui.

Il devait se ressaisir, surmonter sa panique et tenter de découvrir où... «Oh non.» Il était chez Penny. Une angoisse terrible l'assaillit.

Levant les yeux dans la mesure du possible, il la vit qui s'avançait vers lui. Elle s'arrêta à quelques centimètres de sa tête baissée.

— Ça te plaît?

Elle lui tendit un miroir ovale pour qu'il puisse examiner son visage, et il vit qu'il était couvert de gouttes de sang séché provenant de la couronne en papier d'aluminium qu'elle lui avait agrafée sur le crâne.

— Il n'y a pas de roi sans couronne, déclara-t-elle. Votre Altesse.

— Je vais t'écraser comme un ver, grogna-t-il.

— C'est drôle que tu parles de vers !

À cet instant, il vit un unique asticot émerger du bloc de ciment en se tortillant. Il le regarda avec des yeux ronds. Un second ver, pas plus gros qu'un grain de riz, se fraya un chemin sous sa peau avant de sortir à l'air libre...

Non, non, ce n'était qu'une de ses illusions. Pourtant, les vers semblaient creuser des sillons dans sa chair, et... «Non, non ! N'y crois pas ! Ce n'est pas réel !» Et pourtant, il sentait bel et bien que des centaines de vers lui dévoraient les mains.

— Arrête ! Arrête ! cria-t-il, les larmes aux yeux.

— Bien sûr, Votre Altesse.

Les asticots disparurent, mais même s'il savait avec certitude qu'ils n'étaient pas réels, la sensation persista, impossible à chasser.

— Maintenant on va faire une balade, annonça Penny.

— Quoi ?

— Ne sois pas timide. Il faut montrer ce ventre plat et cette belle couronne à tout le monde.

— Je n'irai nulle part, aboya Caine.

À cet instant, quelque chose de visqueux tomba sur sa paupière gauche. Il ne distingua qu'un petit corps mou et blanc, mais sa résistance céda.

En l'espace de quelques minutes, il était passé de roi à esclave. Désespéré, il souleva le bloc de ciment et tituba vers la porte. Penny l'ouvrit et parut hésiter sur le seuil.

— Il fait encore nuit, dit Caine.

Elle secoua la tête.

— Non, j'ai une horloge. C'est le matin.

Elle lui jeta un regard troublé, comme si elle le soupçonnait d'être l'auteur d'une mauvaise blague.

— Tu as peur, Penny, dit-il.

Retrouvant son air déterminé, elle répliqua :

— Avance, Caine. Je n'ai peur de rien. (Elle éclata de
rire.) La peur, c'est moi.

La formule lui plut tellement qu'elle la répéta en ricanant
comme une folle.

— La peur, c'est moi !

Diana se tenait sur le pont du voilier, une main posée
sur son ventre qu'elle caressait d'un air absent.

Elle vit les chefs – Sam, Edilio et Dekka – debout sur la
Péniche Blanche, les yeux fixés vers l'endroit où le soleil
était censé se lever.

« Mon bébé. » Sans qu'elle s'explique pourquoi, cette
pensée occultait toutes les autres. Tandis qu'elle observait
le ciel noir avec une horreur grandissante, tout ce qu'elle
était capable de penser, c'était : « Mon bébé ».

« Mon bébé. »

« Mon bébé. »

Cigare errait dans le noir sans savoir précisément où
il était. Dans son monde, les objets – maisons, trottoirs,
panneaux de signalisation, voitures à l'abandon – n'étaient
que des ombres. Il en distinguait juste assez les contours
pour ne pas rentrer dedans.

Quant aux créatures vivantes, elles changeaient de
forme et se paraient de reflets changeants et fantoma-
tiques. Un palmier devenait une longue tornade silencieuse.

Les buissons en bordure de route ressemblaient à des milliers de doigts crochus. Les mouettes planant dans le ciel lui évoquaient de petites mains blanches s'agitant pour lui dire au revoir.

Était-ce bien réel? Comment le savoir?

Cigare se rappelait l'époque où il était encore Bradley. Dans ses souvenirs, les gens lui apparaissaient en deux dimensions comme les photos d'un vieux magazine, et les lieux étaient si violemment éclairés que les couleurs ne ressortaient pas.

« Bradley, tu as rangé ta chambre? »

Sa chambre. Ses affaires. Sa Wii, dont la manette traînait parmi l'enchevêtrement de couvertures et de draps sur son lit.

« Il faut qu'on y aille, Bradley, alors fais-moi plaisir, range ta chambre, d'accord? Et ne me fais pas crier, hein? J'ai envie de passer une bonne journée. »

« Je vais le faire! Bon sang, je t'ai dit que j'allais le faire! »

Devant lui, il aperçut quelqu'un qui ressemblait à un renard et se hâtait dans la direction opposée en lui jetant des regards perçants par-dessus son épaule.

Cigare suivit le renard.

Il croisa d'autres personnes. On aurait dit une parade d'anges et de diables qui caracolaient, ainsi que des chiens debout sur leurs pattes de derrière et, oh! un poisson avec des nageoires de gaze. De la poussière rouge flottait autour d'eux et s'épaississait à mesure que d'autres enfants se joignaient au groupe. Bientôt, elle se mit à vibrer comme un cœur, comme des stroboscopes au ralenti.

Cigare sentit son sang se glacer.

Oh non, oh non, non, non. La poussière rouge, c'était la peur, et elle s'échappait aussi de lui. En y regardant de plus près, ce n'étaient pas des particules de poussière mais des centaines voire des milliers de minuscules vers.

Oh non, non, ça n'était pas réel. C'était l'une des visions de Penny. Mais la poussière rouge flottait au-dessus de leurs têtes, et ils en avaient dans les oreilles, dans la bouche, dans les yeux, tous ces enfants caracolant, tournoyant, courant comme des fous.

C'est alors que Cigare sentit la présence du petit garçon. Il tourna la tête dans sa direction mais l'enfant se trouvait toujours à la limite de son champ de vision, là où on ne pouvait pas le voir, seulement le sentir.

En réalité, le petit garçon n'était pas si petit que ça. Il était même très grand. Il était bien capable de faire tomber Cigare d'une chiquenaude. Mais peut-être que ce petit garçon était aussi suspect que tout ce qu'il voyait par ailleurs.

Cigare suivit la foule qui convergeait vers la place.

Lana s'avança sur son balcon. Il y avait juste assez de lumière pour distinguer la tache qui avait peint en noir la plus grande partie du ciel. Au-dessus de sa tête, un cercle bleu s'éclaircissait. Le dôme évoquait un énorme globe oculaire vu de l'intérieur avec un iris bleu, sauf que le blanc de cet œil-là était noir.

Elle avait pourtant eu l'occasion de détruire l'Ombre. Et elle portait sur ses épaules le poids de chaque calamité qu'avait fait naître par la suite cette monstrueuse entité.

L'Ombre avait triomphé d'elle. Elle l'avait fait ramper à quatre pattes. Elle s'était servie de son pouvoir. Elle avait mis des mots dans sa bouche. Elle l'avait forcée à tirer sur un ami.

Malgré elle, Lana porta la main à l'arme pendue à sa ceinture. Elle ferma les yeux, et il lui sembla presque voir le tentacule vert se déplier pour s'immiscer dans son esprit et dans son âme. Avec un soupir, elle fit tomber le mur de résistance qu'elle avait bâti autour d'elle. Elle tenait à lui faire savoir qu'elle n'était pas encore vaincue et qu'elle n'avait pas peur. Elle voulait être sûre que le gaïaphage l'entende.

Depuis peu, elle sentait de temps à autre qu'il avait faim de quelque chose, qu'un besoin terrible le tenaillait. Mais à présent, elle percevait aussi de la peur chez lui.

La cause de toutes les peurs avait peur, elle aussi.

Lana rouvrit brusquement les yeux. Un frisson lui parcourut l'échine.

— Alors, on a la trouille ? murmura-t-elle.

La créature avait désespérément besoin de quelque chose. Lana ferma de nouveau les yeux et, bien qu'elle ait toujours refusé de le faire jusque-là, se concentra pour franchir le vide qui la séparait du gaïaphage.

« Qu'est-ce que tu peux vouloir à ce point, espèce de monstre ? Qu'est-ce qu'il te faut ? »

Une voix féminine, dont Lana aurait pu jurer qu'elle était bien réelle, chuchota : « Mon bébé ».

Albert observa les enfants qui déferlaient sur la place en se bousculant. Il percevait leur peur et leur désespoir.

Les récoltes ne pourraient pas être ramassées. Le marché n'ouvrirait plus. C'était la fin.

Des gamins passèrent près de lui puis s'arrêtèrent en le reconnaissant, et l'un d'eux demanda :

— Qu'est-ce qu'on va devenir, Albert ? Qu'est-ce qu'on est censés faire ?

«Tremblez, songea Albert. Tremblez parce qu'il n'y a rien qui puisse nous sauver.» Bientôt, ils céderaient à la panique et sèmeraient la violence et la destruction. D'ici quelques heures, tout ce qu'il avait bâti n'existerait plus.

— Mais tu as toujours su que ça finirait mal, chuchota-t-il.

— Quoi ?

— Qu'est-ce qu'il a dit ?

Il regarda les enfants d'un air hébété. Une foule s'était amassée autour de lui. Or, les foules étaient dangereuses. Il devait maintenir le calme jusqu'à ce qu'il réussisse à s'échapper.

Il leva un sourcil, l'air désapprobateur.

— Vous allez commencer par ne pas vous affoler. Le roi s'occupera de tout. (Puis, avec l'arrogance et la froideur qui le caractérisaient, il ajouta :) Et dans le cas contraire, c'est moi qui prendrai les choses en main.

À ces mots, il s'éloigna. Derrière lui s'élevèrent quelques acclamations timides et des paroles d'encouragement. Pour l'instant, ils le croyaient.

Quelle bande d'idiots !

Tout en marchant, il dressa une liste dans sa tête. Sa domestique, Leslie-Ann, parce qu'elle lui avait sauvé la vie. Et Alicia, parce qu'elle savait se servir d'une arme mais qu'elle n'avait aucune ambition. Et en plus, elle était mignonne. Un de ses gardes du corps ? Non. Ils finiraient par se retourner contre lui. Non, il emmènerait cette fille surnommée Pug : elle était très costaud et trop bête pour lui créer des ennuis.

Tous quatre monteraient dans un bateau qui les emmènerait à Saint François de Sales. Quatre, ce serait assez pour monter la garde ou armer les missiles qu'il avait introduits en secret sur l'île. Et pour faire sauter tous les intrus qui arriveraient par la mer.

— AVANCE, ALTESSE, DIT Penny d'un ton moqueur. Plié en deux, Caine traînait le bloc de ciment entre ses jambes. Le sang avait séché sur sa tête, mais de temps à autre les minuscules coupures causées par les agrafes se rouvraient, et un filet de sang coulait sur son œil droit, teintant sa vision de rouge jusqu'à ce qu'il cligne des paupières.

Parfois, il avait la force de soulever le bloc pour parcourir péniblement quelques mètres, mais il ne tenait pas bien longtemps. La marche dans la ville fut donc longue, lente, infiniment douloureuse et humiliante. Il se sentait à bout de forces, la bouche et la gorge sèches.

Il crut d'abord qu'il faisait toujours nuit. La rue obscure était nimbée d'une clarté étrange qui ne ressemblait pas à un clair de lune. On aurait plutôt dit un faisceau de lumière ténue projeté du ciel. Comme si la Zone était éclairée au moyen d'une lampe électrique en fin de course.

Des ombres bizarres s'étiraient sur le sol. L'atmosphère elle-même avait pris la teinte sépia d'une vieille photo.

Caine vit Penny tendre le cou pour observer le ciel. Il essuya le sang sur ses yeux et leva péniblement la tête

247

à son tour. Le dôme était d'un noir de jais. Le ciel n'était plus qu'un trou bleu au sommet d'une sphère noire.

Caine nota la présence de quelques enfants dans les rues, qui convergeaient tous vers la place. Au ton inquiet de leur voix, il comprit qu'ils avaient peur. Ils marchaient voûtés, comme s'ils craignaient que le ciel ne leur tombe sur la tête.

Un long moment s'écoula avant que l'un d'eux ne remarque la présence de Penny et de Caine. Ses cris alertèrent le reste du groupe.

Caine ne savait pas à quoi s'attendre de leur part. De l'indignation ? De la joie ? Pour finir, ce fut un long silence qui accueillit son arrivée sur la place. Les enfants qui étaient en grande discussion, en le voyant traîner son bloc de ciment, se turent brusquement, écarquillant les yeux. S'ils retiraient du plaisir de ce spectacle, alors ils étaient très doués pour le cacher.

— Qu'est-ce qui est arrivé au ciel ? demanda Penny, qui semblait pour une fois s'intéresser à autre chose qu'à sa petite personne. (Elle jeta un regard noir au gamin le plus proche.) Réponds ou je vais te faire regretter d'être en vie !

L'enfant secoua la tête et s'éloigna en courant.

— Avance, toi, rugit-elle en poussant Caine vers l'hôtel de ville.

— Il me faut de l'eau, dit-il d'une voix rauque.

— Monte les marches !

— Va te faire voir !

Soudain, deux chiens enragés portant d'énormes colliers en fer surgirent derrière Caine, les crocs découverts, la gueule dégoulinante de bave rosâtre. Il sentit leurs dents s'enfoncer dans ses fesses.

Il ressentit une souffrance aiguë... «Non, non, pensa-t-il, c'est une illusion, une illusion.» Mais il lui était impossible de ne pas y croire et, poussant des cris de douleur et de rage tandis que les molosses le taillaient en pièces, il traîna son fardeau sur les marches. Les chiens reculèrent sans cesser de pousser des aboiements assourdissants.

Arrivé au sommet de l'escalier, à l'endroit précis où il s'était souvent adressé à la foule en tant que roi, Caine s'effondra, tremblant de fatigue, sur ses mains prisonnières.

Au bout d'un certain temps, quelqu'un lui releva la tête pour porter un récipient à ses lèvres. Il but goulûment en s'étouffant à moitié puis, ouvrant les yeux, il s'aperçut que le nombre d'enfants sur la place avait augmenté et qu'ils avançaient vers lui petit à petit. L'horreur et l'effroi se peignaient sur leurs visages.

Durant ses quatre mois de règne, il s'était fait des ennemis. Mais ce qui se passait maintenant avait tout changé. La foule était terrifiée. Les enfants levaient sans cesse les yeux vers le ciel.

Caine parcourut la foule d'un regard voilé. Il ne lui restait qu'un seul espoir : Albert. Il ne laisserait pas faire Penny. Il avait des gardes armés. En ce moment même, il était probablement en train de chercher un moyen de sauver Caine.

Mais, au fond de lui, il savait qu'il n'y avait aucun moyen de se débarrasser de ce bloc de ciment. S'il le savait, c'est parce qu'il avait infligé le même châtiment à d'autres mutants. Or, s'ils avaient réussi à s'échapper, c'était grâce à l'invitation du petit Pete.

À ce moment-là, Caine n'avait pas compris que c'était l'enfant qui les avait sauvés. Il fallait donc qu'il soit sourd, stupide et aveugle pour ne pas s'apercevoir que c'était un gamin autiste qui détenait le véritable pouvoir! Depuis, le petit Pete avait trouvé la mort. Ce qui signifiait que pour venir à bout du ciment, il faudrait l'attaquer centimètre par centimètre au marteau. La douleur serait intolérable. Tous les os de sa main seraient cassés. Lana pourrait peut-être le soigner, mais avant, il devrait endurer des souffrances atroces. Du moins si Albert réglait son compte à Penny.

— Le voilà, votre roi! s'écria-t-elle, triomphante. Elle vous plaît, la couronne que je lui ai fabriquée?

Personne ne répondit.

— Elle vous plaît? répéta Penny d'une voix stridente.

Quelques enfants hochèrent la tête ou marmonnèrent un «oui» apeuré.

— Très bien, fit Penny, soudain hésitante.

Caine comprit qu'elle n'avait pas poussé assez loin son rêve de domination et qu'elle s'efforçait maintenant de trouver un moyen de prolonger sa victoire.

«Temporaire, la victoire», songea-t-il.

— Je sais! s'exclama-t-elle. Voyons si le roi sait danser. Qu'est-ce que vous en dites?

De nouveau, la foule hébétée ne sut que répondre.

— Danse! glapit Penny. Danse, danse, danse!

Et soudain, des flammes jaillirent sous les pieds de Caine. La douleur fut instantanée et insupportable.

— Danse, danse, danse! répéta Penny en trépignant et en agitant ses bras maigres pour inciter les enfants à crier avec elle.

Et tandis que les flammes consumaient ses jambes, Caine se mit à gesticuler comme un fou dans une parodie bizarre de danse rituelle.

Les flammes cessèrent sur-le-champ et il attendit, hors d'haleine, la prochaine attaque. Mais Penny semblait à court d'idées. Elle se tourna vers lui pour l'observer et ses épaules s'affaissèrent un peu. Caine lui jeta un regard brûlant de haine, qui sembla n'avoir aucun effet sur elle. Il savait qu'elle était folle depuis le début, mais les fous pouvaient rendre des services. Cependant, le cas de Penny n'était pas aussi simple que celui de Drake avec son caractère impitoyable, son goût pour le mal. Les yeux de Penny n'exprimaient plus aucune lucidité. Elle était folle, et Caine avait contribué à ce qu'elle le devienne.

Et à présent, toute sa rage, toute sa jalousie, toute la haine qu'il avait cultivée chez elle pour servir son but se retournaient contre lui. Il n'était plus qu'un jouet impuissant entre les mains d'une démente qui détenait le pouvoir de le rendre aussi fou qu'elle.

«La Zone, pensa-t-il tristement. J'ai toujours su que ça se terminerait par la folie ou la mort.»

Pour la première fois, ses pensées se tournèrent vers le bébé que portait Diana. Son fils ou sa fille. C'était tout ce qui resterait de lui une fois que Penny en aurait terminé.

La foule semblait hésitante et nerveuse.

— Maintenant, c'est moi la reine. C'est moi le patron, annonça Penny. Je n'ai pas besoin de vous rappeler de quoi je suis capable, pas vrai?

Un silence prudent accueillit ces paroles, puis une voix s'éleva du fond de la foule.

— Relâche-le! On a besoin de lui!

Caine ne reconnut pas cette voix et Penny non plus, apparemment.

— Qui a dit ça?

Silence.

Caine entendait Penny respirer bruyamment. Elle semblait surexcitée. Visiblement, elle ne savait pas ce qu'elle ferait ensuite. Elle ne s'attendait pas que le monde soit plongé dans ces ténèbres épaisses.

— Où est Albert? demanda-t-elle avec colère. Je veux qu'il vienne ici pour lui expliquer comment ça va se passer à partir de maintenant.

Pas de réponse.

— Amenez-moi Albert, j'ai dit! hurla-t-elle. Albert! Albert! Montre-toi, trouillard!

Toujours rien. Mais la foule commençait à s'impatienter. Au lieu du réconfort que les enfants étaient venus chercher sur la place, ils avaient trouvé une fille hystérique qui avait réduit à néant la personne la plus puissante de la ville au moment précis où ils avaient désespérément besoin de quelqu'un qui prenne les choses en main.

— Relâche-le, idiote! Sorcière!

Caine apprécia l'insulte. Son côté calculateur reprit immédiatement le dessus: où était donc Albert? Il avait à sa disposition une demi-douzaine de gars susceptibles d'abattre Penny s'il l'ordonnait. Dans le même ordre d'idées, il lui aurait simplement suffi de dire: «Que tous ceux qui veulent encore avoir un boulot demain se jettent sur elle.»

Où était-il?

La partie du ciel encore visible s'éclaira. Mais les contours de la tache n'en étaient que plus apparents, évoquant une rangée de dents qui dévoraient lentement le ciel.

Où était Albert?

Quinn fit entrer ses bateaux dans la marina.

«C'est peut-être la dernière fois», pensa-t-il, le cœur serré.

En se réveillant à l'aube dans son campement au bord de la mer – il avait désormais l'horloge biologique d'un pêcheur – il avait vu que la tache occultait le soleil. Ils avaient pêché ce qu'ils avaient pu dans les premières heures de la matinée mais ils n'avaient pas le cœur à travailler. La grève était terminée, qu'ils le veuillent ou non: leur monde était à l'agonie, et ils avaient des problèmes plus graves que l'injustice subie par Cigare ou la loyauté qu'ils lui devaient.

Albert vint au-devant de lui sur le ponton, escorté de trois filles qui portaient chacune un sac à dos. Quant à Albert, il tenait à la main le gros livre de comptes dont il se servait pour garder une trace de ses affaires.

— Pourquoi vous ne pêchez pas? demanda-t-il.

Quinn vit tout de suite clair dans son jeu.

— Où tu vas, Albert?

Albert ne répondit pas. «Comme c'est rare, songea Quinn. Albert qui ne l'ouvre pas.»

— Ça ne te regarde pas, Quinn, dit-il enfin.

— Les rats quittent le navire.

Albert soupira et, se tournant vers son escorte, il dit:

— Montez dans le bateau. Le Boston Whaler. Oui, celui-là. (Se tournant de nouveau vers Quinn, il ajouta:)

C'était bien de faire affaire avec toi. Si tu veux, tu peux venir avec nous. Il nous reste une place. Tu es un bon gars.

— Et mes équipages?

— Nos ressources sont limitées, Quinn.

Quinn rit doucement.

— T'es un sale type, Albert.

Albert ne parut pas se formaliser de sa remarque.

— Je suis un homme d'affaires. Mon but, c'est de faire des profits et de survivre. J'ai maintenu en vie tout ce petit monde pendant des mois. C'est bien dommage que tu ne m'aimes pas, Quinn, mais là encore, les affaires sont les affaires. On va connaître une nouvelle famine. Et cette fois, ce sera dans le noir. Ce qui nous guette, c'est la folie.

Ses yeux étincelèrent quand il prononça ce dernier mot. Quinn lut de la peur dans son regard. Oui, la folie, c'était quelque chose qui devait terroriser un esprit aussi rationnel que celui d'Albert.

— Si je reste, poursuivit-il, je finirai par me faire tuer. Je suis déjà passé très près de la mort.

— Albert, tu es un chef. Tu es un organisateur né. On va avoir besoin de tes qualités.

Albert eut un geste impatient de la main et jeta un coup d'œil derrière lui pour s'assurer que le Boston Whaler était prêt.

— Caine est un chef. Sam est un chef. Moi? (Albert réfléchit quelques instants et secoua la tête.) Non. Je suis important, mais je n'ai rien d'un leader. Tu sais quoi, Quinn? En mon absence, tu auras le droit de parler en mon nom. Si ça t'aide, tant mieux.

Albert grimpa à bord du Boston Whaler. Pug mit en marche le moteur et Leslie-Ann largua les amarres. Grâce à une partie des dernières réserves d'essence de Perdido Beach, le bateau s'éloigna dans la marina.

— Hé, Quinn ! cria Albert. Ne t'approche pas de l'île sans agiter un drapeau blanc. Je ne voudrais pas te faire sauter !

Quinn se demanda comment il parviendrait à mettre le cap sur l'île dans le noir. Et comment Albert pourrait voir un drapeau blanc s'il réussissait à la retrouver. À moins que la situation ne change, ils n'y verraient plus rien. Ils évolueraient dans un monde d'aveugles.

Cette réflexion lui fit penser à Cigare et à ses petits yeux ronds comme des billes. Il devait le retrouver. En dépit de ce qui s'était passé, il faisait toujours partie de ses équipages.

Il entendit une clameur en provenance de la place puis une voix hystérique qu'il reconnut sur-le-champ. Il allait prendre la direction de la ville quand il se ravisa et attendit que ses pêcheurs se rassemblent autour de lui.

— Les gars, je... je ne sais pas ce qui se passe. Peut-être qu'on ne pêchera plus jamais ensemble. Mais... je crois qu'on devrait continuer à se serrer les coudes.

Pour un discours censé rallier les foules, c'était plutôt mauvais. Et pourtant, il fonctionna. Quinn se dirigea vers les cris de peur et de colère avec tous ses équipages derrière lui.

Lana rabattit la capuche de son sweat-shirt sur son visage. Elle ne voulait pas qu'on la reconnaisse dans la foule. Elle était descendue en ville dans le seul dessein de savoir si Caine serait d'accord pour lui attribuer une escorte armée, et elle s'était retrouvée au beau milieu d'une scène de film d'horreur.

Parmi les ombres inquiétantes de la place, une foule de deux cents enfants armés de battes de base-ball, de barres en fer, de pieds de table, de chaînes, de couteaux et de haches, portant des haillons dépareillés et des accessoires de déguisement, se tenaient face à une folle aux pieds nus et aux yeux écarquillés qui brandissait le poing en sautillant sur place. Elle était flanquée d'un beau garçon avec une couronne agrafée sur le crâne et les mains emprisonnées dans un bloc de ciment.

Les enfants criaient: «Relâche-le! Relâche-le!» Ils semblaient morts de peur et, en fin de compte, ils voulaient vraiment d'un roi. Ils voulaient quelqu'un qui soit capable de les sauver.

— Relâche-le! Relâche-le!

D'autres cris retentirent:

— On veut notre roi! On veut notre roi!

Soudain, des hurlements s'élevèrent de la foule rassemblée près des marches. Lana vit des enfants reculer en se griffant le visage.

Penny était passée à l'attaque!

— Tuez la sorcière! claironna quelqu'un.

Un club de golf vola dans les airs et rata Penny de peu. Un parpaing et un couteau suivirent, sans davantage de succès. Penny leva les mains en criant des obscénités. Un projectile l'atteignit au bras.

Les enfants touchés par ses visions s'enfuirent, paniqués, mais d'autres accouraient dans sa direction. C'était une véritable mêlée, un enchevêtrement de bras et de jambes, des cris, des ordres. Et soudain, venus d'un côté de la place, des gamins plus disciplinés s'avancèrent en rang, bras dessus bras dessous, en poussant la foule amassée devant les marches.

Reconnaissant le garçon au centre du rang, Lana éclata de rire, surprise.

— Quinn, murmura-t-elle. Tiens, tiens.

Penny contempla, paralysée d'horreur, la blessure sur son bras. Puis, apercevant Quinn, elle se précipita à sa rencontre.

— Toi !

Quinn poussa un cri de douleur. Il n'y avait aucun moyen de savoir ce que Penny lui infligeait, mais ce devait être affreux. Lana sentit qu'elle perdait son sang-froid. Il y avait déjà des blessés et il y en aurait d'autres. Elle devait renoncer à retrouver Diana dans l'immédiat.

— Poussez-vous de là, ordonna-t-elle à deux enfants qui lui barraient le passage.

Dégainant son pistolet, elle contourna rapidement la foule sans éveiller l'attention.

Une émeute avait éclaté au pied des marches tandis que Penny faisait fondre sur ses victimes toutes les calamités que son esprit tordu pouvait imaginer. Croyant s'en prendre à des monstres, les enfants se jetaient les uns sur les autres. Lana tressaillit en voyant une barre de fer s'abattre avec un bruit horrible.

Arrivée au pied des marches de l'église, elle les gravit à toute allure et se faufila jusqu'à l'hôtel de ville. Caine l'aperçut, contrairement à Penny.

— Ne bouge plus, dit Lana en braquant son arme sur elle.

Penny blêmit. Les visions qu'elle infligeait aux enfants en bas des marches cessèrent immédiatement. Ses victimes pleuraient à chaudes larmes en gémissant de douleur.

— Oh, ils doivent tous te lécher les bottes, hein, la Guérisseuse ? cracha Penny avec un rictus bestial, les doigts repliés comme des griffes.

— Si je te tire dessus, je ne te soignerai pas, dit calmement Lana.

Cette déclaration laissa Penny sans voix. Mais elle se ressaisit rapidement et partit d'un rire tonitruant. Soudain, le bras de Lana s'enflamma. Une corde jaillit du toit en ruines de l'église et vint s'enrouler autour de sa gorge. Les pavés sous ses pieds se muèrent brusquement en une forêt de couteaux effilés.

— Ça ne marche pas sur moi, lâcha Lana. Je me suis retrouvée face à face avec le gaïaphage. Il pourrait t'apprendre quelques trucs. Arrête ça tout de suite ou je te descends.

Le rire de Penny s'étrangla dans sa gorge. Les visions cessèrent aussi soudainement que si une main invisible venait d'appuyer sur un bouton.

— En général, je suis contre le meurtre, reprit Lana. Mais si tu ne pars pas loin d'ici, je te fais sauter la cervelle.

— Tu n'en es pas capable, bredouilla Penny. Tu… Non.

— Une fois, j'ai laissé passer l'occasion d'éliminer un monstre. Je l'ai toujours regretté. Mais toi, tu es un être humain. Enfin, si on veut. Alors je te donne une chance : pars et ne te retourne pas.

Pendant ce qui sembla une éternité, Penny regarda sans

haine mais avec incrédulité Lana qui la tenait toujours en joue. Elle recula d'un pas puis d'un autre, et la lueur de défi qui brillait dans son regard de folle s'éteignit.

Soudain, elle tourna les talons et s'enfuit. Quinn fit signe à trois de ses compagnons de la suivre. Une poignée d'enfants réclamait déjà à grands cris que le sang de la sorcière soit versé.

Lana rengaina son arme.

— Je ne crois pas que Caine soit en état, dit-elle. Élevant la voix pour se faire entendre, elle ajouta avec l'impatience et l'agacement qui la caractérisaient:

— Donc voilà ce qu'on va faire. C'est Quinn le patron. Pour le moment, en tout cas. Si vous lui cherchez des histoires, vous aurez affaire à moi. Et vous pourrez toujours courir pour que je vous soigne. Si vous perdez une jambe, je vous regarderai vous vider de votre sang. C'est clair?

Apparemment, tout le monde l'avait comprise.

— Bien. Maintenant j'ai du boulot qui m'attend, alors laissez-moi passer, conclut-elle en se dirigeant vers le chaos que Penny avait laissé derrière elle.

Quinn la rattrapa.

— Moi? fit-il.

— Pour l'instant, oui. Veille à ce que Penny quitte la ville. Tue-la si tu veux. Elle causera d'autres problèmes si on la laisse vivre.

Quinn fit la grimace.

— Je ne suis pas du genre à tuer les gens.

Lana sourit, ce qui n'arrivait que très rarement.

— Oui, je l'avais deviné, Quinn. Envoie quelqu'un chercher Sanjit. Il faut qu'il contacte Sam. Trouve-lui une arme. Taylor est fichue, et il faut qu'on collabore avec Sam, alors on sera obligés de communiquer à l'ancienne. Si on reste divisés, on est tous morts.

— Je suis bien d'accord.

Le sourire de Lana s'évanouit.

— L'Ombre est à la recherche de Diana. Il faut l'avertir.

— Diana ? Pourquoi ?

— Parce qu'elle porte un bébé dans son ventre. Et que l'Ombre a besoin de naître.

23

QUAND DRAKE RÉAPPARUT, il se trouvait dans un réduit humide où flottait une forte odeur d'essence. Il tourna la tête et se cogna contre un objet en fer. Le choc aurait été très douloureux autrefois mais il ne sentit rien.

Il cligna des yeux. Une faible clarté émanait d'une ouverture dans le plafond. Avec son tentacule, il tâtonna dans le minuscule espace. Il lui fallut un certain temps pour identifier ce qu'il touchait et recouper les détails. L'objet complexe en métal. L'ouverture dans le plafond. Le sol qui semblait tanguer légèrement sous ses pieds. L'odeur d'essence.

Il se trouvait sur un bateau, dans la salle des moteurs, et il avait à peine la place de bouger. Il sourit. Une maligne, cette Brittney. Bon travail. Elle avait trouvé un moyen de se glisser à bord de l'un des bateaux. Ce n'était probablement pas celui de Diana. Brittney la simple d'esprit n'était pas capable capable de réussir ce coup-là.

Non. Mais pas de doute, c'était un bateau. Bon début. Et maintenant? Il lui restait à mettre la main sur Diana. Plus facile à dire qu'à faire. D'abord, il devait découvrir où il était. Il passa une bonne vingtaine de minutes à se tortiller pour coller son visage à l'écoutille. Il s'appuya d'une main sur le moteur et poussa doucement l'écoutille du bout de son tentacule.

Elle s'ouvrit d'un demi-centimètre, par lequel il entrevit un gouvernail, un seau... et un pied. Il referma discrètement.

Un cognement sourd résonna contre le flanc du bateau. Puis il perçut le bruit étouffé d'une voix masculine. Il se figea en entendant une autre voix de garçon lui répondre. Sam ! Il distingua des pas qui se rapprochaient. Les deux voix se firent plus distinctes.

— Quoi de neuf, Roger ? demanda Sam. Salut, Justin. Salut, Atria. Comment ça va ? Vous tenez le coup ?

La première voix masculine, le fameux Roger, répondit :

— On fait aller.

— Bon. Je vais vous donner quelques soleils.

— Des soleils ? Alors... (Roger hésita.) Pourquoi vous n'iriez pas jouer, les enfants ? Les vieux doivent discuter. (Il y eut un bruit de pas qui s'éloignaient.) Alors c'est si sérieux que ça ?

— On n'est sûrs de rien, Roger, dit Sam d'un ton las.

Drake se demanda s'il pouvait le battre ici même, sans Brianna ni Dekka pour le seconder. Non, il ne parviendrait jamais à s'extraire de la salle des moteurs assez vite. Sam le réduirait en cendres. Sa mission consistait à enlever Diana, pas à se débarrasser de Sam.

— On sera dans le noir complet ? s'enquit Roger d'une voix qui tremblait un peu.

— Non, répondit Sam d'un ton qui se voulait rassurant. C'est pour ça que je suis là. Vous aurez plein de lumière sur votre bateau. Elle dort ou elle est réveillée ?

À cet instant, ils s'éloignèrent, sans doute pour descendre dans la cabine. Mais Drake avait entendu le pronom féminin.

Se pouvait-il que Diana soit sur ce bateau?

Il sourit dans l'obscurité. Il attendrait pour en avoir le cœur net. Une occasion finirait par se présenter. Sa foi dans le gaïaphage était toujours intacte.

Sam se déplaçait d'un bateau à l'autre. Dans chaque cabine, il allumait des soleils. Dans les canots à moteur et les petits voiliers, il en installait un ou deux.

Les soleils de Sammy étaient la manifestation durable de son pouvoir. En plus de projeter des rayons destructeurs, il était capable de former des boules de lumière qui brillaient sans répandre de chaleur et restaient suspendues dans l'air. Il s'aperçut bientôt que les soleils restaient à peu près en place quand le bateau bougeait, ce qui n'était pas sans importance.

Dans les gros bateaux comme les péniches, il alluma jusqu'à trois ou quatre soleils.

Parvenu au milieu de sa tâche, Sam se sentit très fatigué. Il avait la même sensation d'épuisement qu'après une bataille. Auparavant, il avait toujours mis cette fatigue sur le compte de la déprime qui suivait le combat. Maintenant il se demandait si l'usage de son pouvoir ne le vidait pas de ses forces.

C'était une possibilité. Mais qu'importait: les soleils de Sammy rassuraient les enfants. Personne, et Sam encore moins que les autres, ne pouvait tolérer l'idée d'être prisonnier de ténèbres sans fin. C'était inconcevable. Cette perspective le plongeait dans une angoisse terrible.

Il alluma les derniers soleils dans la grande péniche. Ils étaient cinq au total, dont un plus gros que les autres qui flottait au-dessus du bastingage à l'avant.

Ils seraient bientôt dans le noir. Mais ils ne seraient pas totalement aveugles.

— Ça nous aidera beaucoup, dit Edilio en l'accueillant à bord.

— Dans un premier temps, peut-être, répondit Sam d'un ton morne.

— Oui, dans un premier temps.

Sam ne put s'empêcher d'observer la berge avec ses jumelles. Orc était toujours à la recherche de Drake. Bien. Avec de la chance, il tomberait sur lui, et Sam viendrait lui prêter main forte. Mais ce n'était pas vraiment Orc qui l'intéressait. Il cherchait Astrid.

Serait-elle rentrée avant que le ciel soit complètement occulté ? Si elle se retrouvait piégée par les ténèbres, elle devrait marcher à tâtons sur la route. Et toutes les créatures n'avaient pas forcément besoin de lumière pour chasser et tuer leur proie. L'obscurité tiendrait peut-être Drake à distance, mais pour ce qui était des coyotes, des serpents et des vers…

Il devait agir mais comment ? Ça le rongeait de ne pas savoir quoi faire.

— Je pourrais allumer des soleils au bord de la route.

— Oui, une fois qu'on aura passé un accord avec Albert et Caine, dit Edilio. Mais si tu le fais maintenant, ce sera le signal pour que tout Perdido Beach débarque ici. Et on n'est pas prêts à les accueillir.

Sam serra les dents. Il ne s'attendait pas à la réaction d'Edilio. Il avait juste réfléchi tout haut. Et il était toujours furieux contre lui. Il avait besoin d'être furieux contre quelqu'un, et Edilio faisait les frais de sa colère.

Pour couronner le tout, celui-ci ne semblait pas craindre les ténèbres à venir. Il se montrait calme et compétent, comme à l'accoutumée. En temps normal, c'était rassurant. Mais Sam, lui, arrivait à peine à respirer. Il se sentait épuisé à force d'allumer des soleils et d'essayer de réconforter les enfants dans les bateaux.

Il ne croyait pas à ce qu'il disait. Astrid avait disparu dans la nature. L'obscurité gagnait du terrain. La fin de la partie était en train de se jouer, et il n'avait pas de plan.

Il leva les yeux. Le soleil commençait à se montrer au-delà de la tache, très haut dans le ciel, en répandant une lumière à la fois bienvenue et déprimante dès lors qu'il envisageait le fait qu'il la voyait peut-être pour la dernière fois.

L'eau du lac miroita et les coques blanches des bateaux se mirent à luire dans la pénombre. Le village, le petit campement et les bois alentour s'éclairèrent.

Edilio observait l'un des bateaux avec ses jumelles.

— Sinder demande la permission d'aller récolter ses légumes avec Jezzie.

— Oui, c'est d'accord, dit Sam, puis, élevant la voix, il appela : Brise ! Dekka ! Sur le pont ! (Il se tourna de nouveau vers Edilio.) Sinder aura besoin de quelqu'un pour surveiller ses arrières.

Brianna apparut sur-le-champ, et Dekka les rejoignit quelques instants plus tard.

— Il fait assez clair pour que tu y voies, Brise, dit Sam.

— Oui, c'est la Floride en juillet, ironisa-t-elle en levant les yeux vers l'étrange clarté.

— Je croyais que tu étais pressée de repartir, observa sèchement Sam.

— Évidemment ! Eh, détends-toi. Je plaisantais.

— Mouais, fit-il, les dents tellement serrées qu'il en avait mal à la mâchoire. Dès que Sinder aura mis un pied sur la berge, tu la rejoins. Tu ne les lâches pas, elle et Jezzie, tant qu'elles n'auront pas fini.

— Je ne vais pas leur tenir la main pendant qu'elles travaillent, protesta Brianna avec une innocence feinte. Enfin, je peux faire des allées et venues, quoi ! Jeter un œil sur elles, faire quelques kilomètres sur la route pour voir si...

Avant que Sam puisse répliquer, Edilio intervint :

— Il nous faut une stratégie, et pas des gens qui courent dans tous les sens. Astrid est probablement arrivée à Perdido Beach. Si Drake nous attaque ici, on aura besoin de toi, Brianna. Mais si tu tombes sur lui sans Sam, au mieux tu obtiendras un match nul.

La logique d'Edilio ne répondait pas à l'envie désespérée d'agir de Sam. Parler ou s'inquiéter, non. Agir !

L'équipée pour aller récupérer les missiles n'avait pas satisfait son besoin d'action. Malgré lui, il examina ses mains. À quand remontait la dernière fois qu'il avait déchaîné ses pouvoirs ? Il s'aperçut qu'Edilio et Dekka l'observaient d'un air solennel. Brianna souriait d'un air narquois. Visiblement, ils venaient tous trois de lire dans ses pensées.

— Eh bien, au moins on pourra manger des radis géants, dit-il sans conviction.

— Il faut juste qu'on tienne le coup, lui rappela Dekka.
Il ne s'agit pas de remporter une victoire.

— Drake se cache quelque part dans les parages, déclara
Edilio. Le gaïaphage est... on ne sait où. On n'est même
pas au courant de ce qui se passe à Perdido Beach. Que
manigance Albert ? Quelle est la position de Caine dans
cette histoire ? Quant à savoir pourquoi Taylor n'est pas
venue nous informer de la situation...

— Ça va, j'ai compris, lâcha Sam avec amertume. Astrid
a eu raison de partir pour Perdido Beach. Mais en attendant, on est coincés.

Sam avait des fourmis dans les mains. Il serra les poings.

Il y avait la logique. Mais il y avait aussi l'instinct. Et
celui de Sam lui criait qu'il était en train de perdre une
bataille à chaque seconde qui passait.

Le soleil levant jetait des ombres épaisses sur l'âme
d'Astrid. C'était une chose de savoir qu'un phénomène
allait se produire ; c'en était une autre de le voir de ses
propres yeux.

Le ciel était en train de disparaître. Ce serait la dernière
journée de la Zone.

Elle jeta un regard autour d'elle pour tenter de s'orienter
et réprima un élan de panique. Elle s'était éloignée de la
route et avait cheminé jusqu'à un vallon.

Les collines de San Katrina n'étaient pas très hautes,
comme leur nom l'indiquait, mais de près elles pouvaient
paraître imposantes.

Si Astrid rejoignait la route, elle s'apercevrait peut-être
qu'elle n'avait parcouru qu'un ou deux kilomètres depuis

qu'elle avait quitté le lac. Quelle humiliation ce serait de tomber sur Brianna !

Un semblant d'aube s'était levé. Les enfants de Perdido Beach avaient sans doute déjà mesuré l'imminence de la catastrophe sans son aide. Il ne lui restait donc plus qu'à transmettre un message de solidarité et proposer les services de Sam.

Pour aller plus vite, elle devrait passer par les collines.

Astrid se remit en marche. Après tous ces mois passés dans les bois, elle était en bonne condition physique et pouvait trotter pendant des heures tant qu'elle avait de l'eau.

Les collines se dressaient de toutes parts autour d'elle. Celle à sa droite, haute et menaçante, l'oppressait un peu. Elle était surmontée d'un gros rocher qui lui évoquait un visage sévère.

La piste n'était pas bien difficile à suivre. C'était le lit étroit d'une rivière désormais envahi d'herbes sèches.

Astrid distingua quelque chose à droite de son champ de vision, non loin du gros rocher. Sans ralentir, elle tourna la tête mais ne vit rien.

«Ne te laisse pas effrayer», se dit-elle. Ce genre de chose se produisait souvent dans la forêt : un bruit, un mouvement soudain, l'éclair d'une apparition furtive. Inévitablement, elle avait maintes fois cru que c'était Drake alors qu'il ne s'agissait que d'un oiseau, d'un écureuil ou d'un putois.

Mais à présent, elle avait du mal à se défaire de cette impression d'être épiée. Il lui semblait que la face lugubre du rocher l'observait d'un air réprobateur.

Devant elle, la piste bifurquait à gauche. En prenant le virage elle eut la sensation très nette que la créature qui l'espionnait se trouvait maintenant derrière elle, et qu'elle se rapprochait.

Elle résista tant bien que mal à l'envie de prendre ses jambes à son cou : elle ne voulait pas donner l'impression d'avoir peur.

Au détour du virage, elle tomba nez à nez sur un monstre et poussa un hurlement. Elle recula, dégaina fébrilement son arme et ses doigts tremblants cherchèrent la détente. Elle leva son fusil à hauteur d'épaule et visa les yeux de la créature, ces horribles billes blanches émergeant d'orbites couvertes de sang séché.

C'était un garçon, mais ce fait mit plusieurs longues secondes à parvenir jusqu'à son cerveau. Ce n'était pas un monstre gigantesque, non, juste un garçon aux épaules larges et à la peau hâlée. Il avait sur le visage des égratignures semblables à des coups de griffes. Elles semblaient assez récentes. C'est alors qu'Astrid remarqua le sang sur les doigts du garçon.

Son expression était indéchiffrable. Ses yeux ignobles gros comme des pois chiches n'exprimaient aucune émotion.

— Ne bouge pas ou je te fais sauter la cervelle, cria Astrid.

Le garçon s'immobilisa. Ses yeux s'agitaient en tous sens mais semblaient incapables de la localiser.

— Tu existes vraiment ? demanda-t-il.

— Oui, et ce fusil aussi.

Astrid perçut un tremblement dans sa voix, mais sa main, elle, ne tremblait pas. Une simple pression de son index droit et cette horrible tête exploserait comme une pastèque.

— Astrid… c'est toi?

Astrid déglutit péniblement. Comment connaissait-il son nom?

— Qui es-tu?

— Bradley. Mais tout le monde m'appelle Cigare.

Astrid baissa son arme.

— Hein? Cigare?

Le garçon esquissa un sourire révélant des dents manquantes ou cassées.

— Je te vois, dit-il en tendant ses mains ensanglantées vers elle comme un aveugle.

— Recule! cria-t-elle en braquant de nouveau son arme sur lui. Qu'est-ce qui t'est arrivé?

— Je…

Il esquissa un autre sourire qui se mua en rictus et poussa un gémissement terrible qui s'étira interminablement avant d'être interrompu par un brusque éclat de rire.

— Écoute, Cigare, il faut que tu me racontes ce qui t'est arrivé, le somma Astrid.

— Penny, murmura-t-il. Elle m'a montré des choses. Mes mains…

Il montra ses paumes mais ses yeux étaient ailleurs, et un autre geignement monta de sa gorge.

— C'est Penny qui t'a fait ça? dit Astrid en baissant son arme d'un geste hésitant, le doigt toujours sur la détente.

— J'aime les bonbons, tu vois, alors quand je les ai vus apparaître sur mon bras, je me suis jeté dessus et, oh! que c'était bon! Puis Penny m'en a donné d'autres et c'est là que j'ai commencé à avoir mal, et il y avait du sang partout, plein de sang…

Soudain, les minuscules globes oculaires fixèrent un point derrière Astrid.

— C'est le petit garçon, dit Cigare.

Malgré elle, Astrid jeta un regard furtif : elle n'était pas encore prête à baisser sa garde et à se retourner complètement. Quand elle reporta son attention sur Cigare, elle réalisa ce qu'elle venait de voir.

L'avait-elle vu ? Pas vraiment. C'était plutôt une distorsion de son champ de vision. Elle regarda de nouveau. Rien.

— Qu'est-ce que c'était ?

— Le petit garçon, répondit Cigare en gloussant.

Il porta la main à sa bouche comme s'il venait de dire un gros mot, puis répéta dans un souffle :

— Le petit garçon.

Astrid avait soudain la bouche sèche et la chair de poule.

— Quel petit garçon, Cigare ?

— Il te connaît, dit-il sur le ton de la confidence. Les cheveux jaunes qui crient, les yeux bleus perçants. Il te connaît, il me l'a dit.

Astrid essaya de parler mais sa question mourut sur ses lèvres. Elle avait trop peur de la réponse de Cigare. Enfin, elle réussit à demander d'une voix étranglée :

— Ce petit garçon, il ne s'appellerait pas Pete ?

Cigare porta la main à ses yeux puis suspendit son geste. Il resta silencieux un moment comme s'il écoutait quelqu'un lui parler à l'oreille. Pourtant, on n'entendait que le léger souffle de la brise et les stridulations des criquets. Puis il hocha la tête avec enthousiasme et répondit :

— Bonjour, grande sœur.

Dehors

CE N'ÉTAIT PAS parce que le sergent Darius Ashton s'y connaissait en moteurs de camion qu'il savait se débrouiller avec un compresseur d'air. Mais, d'après son lieutenant, ils avaient besoin d'un mécanicien sur un site de l'autre côté du dôme.

— C'est la base aérienne, mon lieutenant, protesta Darius. Ils n'ont pas de mécano là-bas ?

— Il leur en faut un qui ait une autorisation de sécurité, répondit le lieutenant.

— Une autorisation de sécurité pour un compresseur d'air ?

Le lieutenant n'était pas un mauvais bougre ; il était jeune et sans arrogance.

— Sergent, j'aurais pensé qu'avec votre longue expérience sous l'uniforme vous auriez appris que tous les ordres ne sont pas forcément logiques.

Darius ne pouvait pas le contredire. Après l'avoir salué, il tourna les talons. Une femme caporal à l'air jovial, l'attendait au volant d'une jeep. Darius chargea ses outils à l'arrière du véhicule. Comment savoir lesquels emporter ? On ne lui avait pas dit ce qu'il était censé réparer.

Comme Darius, le caporal avait servi à Kaboul, un sujet de conversation tout trouvé pour le long trajet qui les attendait. Ils parlèrent aussi de ce nouveau lanceur cubain qui avait rejoint les États-Unis à bord d'un radeau. Les Angels projetaient de lui faire signer un contrat.

Ils s'engagèrent d'abord sur l'autoroute puis empruntèrent une piste caillouteuse. Il existait un autre moyen de parvenir jusqu'à la base aérienne d'Evanston, mais il aurait fallu faire le tour pour prendre la nationale 5 puis filer vers le sud. La piste, bien que poussiéreuse et criblée d'ornières, était plus rapide.

Pendant la plus grande partie du trajet, le Bocal resta en vue. Darius avait fini par s'y habituer. Quinze kilomètres de haut, trente kilomètres de diamètre. On aurait dit qu'une petite lune bien lisse était tombée sur la côte californienne.

Il n'y avait aucune fissure visible. Le dôme n'était pas tombé du ciel ; il n'avait pas jailli de terre. Il s'était subitement matérialisé comme un gigantesque terrarium.

— Ça fait longtemps que vous êtes ici ? demanda Darius.

— On m'a mutée le mois dernier, répondit le caporal. J'avais vu le dôme à la télé, comme tout le monde. Mais c'est vraiment impressionnant de le voir en vrai.

— En effet.

— C'est dur d'imaginer qu'il y a des gosses à l'intérieur.

Ils s'arrêtèrent devant des installations militaires qui, à l'évidence, avaient été construites récemment avec ce minimalisme et cette rigueur obsessionnels propres à l'armée. À la douzaine de bâtiments parfaitement alignés comprenant une caserne, le quartier des officiers et un centre de communications avec des antennes paraboliques, s'ajoutait un certain nombre de caravanes réservées au commandement.

La base bourdonnait d'activité. Des hommes et des femmes couraient en tout sens avec un air affairé. Darius comprit avec un certain malaise que quelque chose de très important se préparait.

La base était protégée par un grillage surmonté de fils barbelés extrêmement dissuasifs. La grille était gardée par la police militaire qui vérifia leurs papiers d'identité bien qu'ils soient tous deux attendus.

Un policier les escorta jusqu'à l'une des caravanes. Le caporal s'écarta pour laisser passer Darius qui, en entrant, fut assailli par le souffle de l'air conditionné.

Un sergent lui redemanda ses papiers puis lui tendit un formulaire à signer, le sommant de ne pas révéler l'objet de sa visite, l'existence de la base, ce qu'on y faisait et l'identité du personnel. Il était rédigé dans un langage très formel avec quelques formules expressément menaçantes.

— Vous comprenez, sergent, que vous êtes soumis au protocole de sécurité ?

— Oui, sergent.

— Vous comprenez que toute violation de ce protocole est passible de poursuites criminelles ? reprit le sergent en insistant lourdement sur le mot « criminelles ».

— Je crois que j'ai compris le message, sergent.

Le sergent sourit.

— Ils ne plaisantent pas avec la sécurité. Présentez-vous au bâtiment 014. Votre chauffeur sait où c'est.

Le bâtiment en question se trouvait à un demi-kilomètre du camp, et à un kilomètre du dôme. C'était un vaste hangar en tôle peint de la couleur du désert alentour.

Darius se munit de sa boîte à outils et fut accueilli à la porte du bâtiment par un membre de la police militaire qui vérifia une fois de plus son identité. Puis il pénétra à l'intérieur du hangar.

Là, il ouvrit de grands yeux en voyant une demi-douzaine de camions remplis de terre et une tour qui semblait avoir été assemblée avec les débris d'un pont suspendu ou de la tour Eiffel.

Avant de prendre congé, son escorte le conduisit jusqu'à un homme en civil coiffé d'un casque de chantier, qui lui serra la main.

— Appelez-moi Charlie. Juste Charlie. Désolé de vous avoir fait venir, mais notre chef mécanicienne est en congé maternité et son assistant a réussi à se casser une cheville en surfant. Vous n'êtes pas claustrophobe, dites ?

Cette question prit Darius au dépourvu.

— Pourquoi ?

— Parce qu'on va descendre sous terre. Le ventilo que vous allez réparer se trouve au kilomètre six.

— Qu'est-ce que ça veut dire ?

— Qu'il est à deux kilomètres sous la surface, mon ami. Deux bornes en dessous et quatre bornes au sud.

Darius sentit un frisson glacé lui parcourir le dos.

— Ça nous amène... tout contre le dôme. Pourquoi... ?

Charlie haussa les épaules.

— Mon ami, la première chose qu'on apprend en bossant ici, c'est à ne pas poser de questions.

Le trajet en ascenseur lui sembla interminable, et cependant plus rapide que celui dans le train étroit qui filait dans un tunnel oppressant, bien qu'assez vaste pour accueillir deux lignes de chemin de fer. À intervalles réguliers, le tunnel était consolidé avec des traverses.

Le kilomètre six était une caverne plus grande que le hangar, fermée à une extrémité par la paroi du dôme. À cet endroit, elle était noire et non gris perle.

— On a eu de la chance de trouver cette grotte, expliqua Charlie. Ç'a été long et difficile de creuser jusque-là. D'habitude, on a une centaine de gars qui travaillent ici. Mais vous vous êtes peut-être aperçu que l'air se raréfiait un peu.

— C'est pour ça que je suis ici, pas vrai?

Dans un coin de la grotte se dressait un échafaudage qui penchait comme la tour de Pise. Darius s'y connaissait suffisamment en mécanique pour savoir qu'il s'agissait d'une plate-forme de forage.

À cet endroit, on avait creusé plus profond, sous le dôme. Ce n'était pas un tunnel conçu pour des hommes. Il s'agissait d'une ouverture tout juste assez large pour qu'on y glisse une bombe.

Charlie avait dû remarquer l'expression de Darius car il lui agrippa le bras pour l'entraîner à l'écart. Ils étaient seuls, pourtant Charlie parla à voix basse :

— OK, vous n'êtes pas stupide. Vous avez compris ce qui se passe. Mais vous devez savoir que tous ceux qui entrent ou sortent d'ici sont surveillés de près. Dorénavant, votre téléphone portable sera sur écoute, et votre chambre truffée de micros. À bon entendeur...

Darius hocha la tête.

— En vrai, qu'est-ce qui est arrivé à votre mécano?

Charlie eut un rire attristé.

— Il a ouvert sa gueule dans un bar. Trente minutes plus tard, le FBI l'a arrêté alors qu'il regagnait sa voiture.

24

A STRID AVAIT RÉUSSI à convaincre Cigare de rester avec elle.

Après avoir trouvé refuge au bord du ruisseau asséché, derrière un gros massif de rhododendrons rabougri, elle demanda à Cigare de s'asseoir et l'aida à s'installer sur une avancée de terre qui formait presque un banc.

Elle s'assit à quelques pas de lui, les yeux fixés sur la colline menaçante. Même à présent, son ombre la troublait sans qu'elle puisse s'expliquer pourquoi.

Astrid entendait dans sa tête le tic-tac incessant qui la poussait vers Perdido Beach. Mais peut-être que ce qui se jouait là était encore plus important. Et, de toute façon, elle ne pouvait pas partir. Pas avec ce que lui avait dit Cigare.

— Bradley, je veux que tu te sentes à l'aise. Je vais te poser des questions. Tu devras juste me répondre par oui ou par non, d'accord?

Les minuscules globes oculaires se mirent à bouger frénétiquement. Cigare répondit:

— Pourquoi il dit que tes cheveux crient? Tu es un

ange aux ailes brillantes, avec une longue épée qui crache des flammes, et...

— Écoute-moi, d'accord?

Il hocha la tête et sourit timidement.

— Tu as fait quelque chose de mal?

— Oui, répondit-il d'un ton solennel.

— Et ils t'ont puni en te livrant à Penny pendant une demi-heure.

— Une demi-heure? (Il gloussa et fit la grimace.) Ah non, pas une demi-heure.

— Ils t'ont livré à Penny, reprit patiemment Astrid.

— Lever, coucher du soleil.

D'abord Astrid crut qu'il parlait du ciel. Mais peu à peu un soupçon se forma dans son esprit.

— Ils t'ont livré à Penny pendant une journée entière?

— Oui, fit Cigare, l'air soudain calme et raisonnable.

Astrid, elle, n'avait plus envie de l'être. Quel genre d'ordure était capable de condamner ce garçon à une journée entière en compagnie de Penny? Pas étonnant qu'il ait perdu la tête. Elle comprit alors qu'il s'était lui-même arraché les yeux, et ce constat lui donna envie de vomir.

— Ces nouveaux yeux, c'est Lana qui te les a donnés?

— Lana est un ange, elle aussi. Mais il la touche tout le temps. Il essaie de l'attirer vers lui.

— Oui, mais elle est trop forte, dit Astrid.

— Trop puissante, renchérit Cigare.

Astrid acquiesça. Cigare avait quitté la ville et erré seul dans le désert. Ça signifiait que les choses allaient mal à Perdido Beach.

— Tu fais partie des pêcheurs de Quinn, non ? demanda Astrid.

— Oui, répondit Cigare avec un sourire de dément tandis que des plis d'anxiété creusaient son front. Oui, je pêche. Ha Ha !

— Et le petit garçon...

— Je pêche !

— Le petit garçon, répéta Astrid en posant la main sur la sienne.

Ce contact lui fit l'effet d'un électrochoc, et il retira vivement sa main. Craignant de le faire fuir, Astrid ajouta précipitamment :

— Reste, Cigare. Reste. Quinn te conseillerait de rester et de me parler.

— Quinn, dit-il dans un sanglot avant de pousser un hurlement. Il est venu me chercher. Il a frappé Penny. Je n'y voyais rien mais je l'ai entendu. Quinn et paf ! puis « Aaaaah ! » et « On va voir Lana, je vais te tuer, sorcière ».

— C'est un bon gars, Quinn.

— Oui, dit Cigare.

— Il veut que tu me parles du petit garçon.

— Le petit garçon ? Il est juste à côté de toi.

Astrid réprima l'envie de se tourner.

— Je ne le vois pas.

Cigare hocha la tête comme si ça ne l'étonnait guère.

— C'est un petit garçon. Mais il est grand aussi. Il peut toucher le ciel.

— C'est vrai ?

— Oh oui. Le petit garçon est mieux qu'un ange, tu

sais. Il brille tellement que sa lumière passe à travers toi. Pfiou... Comme ça.

— Et il s'appelle Pete?

Cigare se tut, baissa la tête comme s'il écoutait. Mais peut-être n'entendait-il que les horribles hurlements provenant des cauchemars à l'intérieur de sa tête. Enfin, avec une lucidité plus inquiétante encore que ses tics, il répondit :

— Il s'appelait Pete.

Astrid réprima un sanglot.

— C'était son nom quand il avait un corps, reprit Cigare.

— Oui, fit-elle, trop émue pour songer à sécher ses larmes. Il... il peut m'entendre?

— Il entend tout! s'écria Cigare avec un ricanement presque extatique.

— Je regrette, Pete. Je regrette vraiment.

— Le petit garçon est libre maintenant, dit Cigare d'un ton incantatoire. Il joue à un jeu.

— Je sais, murmura Astrid. Pete? Il ne faut pas jouer à ce jeu. Tu blesses des gens.

Une fois de plus, Cigare baissa la tête comme pour tendre l'oreille. Astrid attendit longtemps qu'il reprenne la parole, mais il garda le silence.

— Pete, dit-elle enfin en s'efforçant de maîtriser sa voix. Pete, la barrière noircit. Tu as le pouvoir d'arrêter ça?

Cigare rit.

— Le petit garçon est parti.

Astrid sentit qu'il disait vrai. L'impression d'être épiée par un être invisible s'était dissipée.

Sanjit ne voyageait pas seul. Il en avait eu l'intention, mais en atteignant l'autoroute, il était tombé sur une vingtaine d'enfants qui fuyaient Perdido Beach. Trois d'entre eux s'étaient joints à lui. Deux filles d'une douzaine d'années, Keira et Tabitha, et un petit garçon de trois ans environ qui répondait au nom très adulte de Mason.

Mason essayait d'être un bon petit soldat, mais il n'était qu'un tout petit garçon qui avait emporté un sac à dos rempli de ses objets favoris : quelques jouets cassés, un livre d'images intitulé *Bébés chouettes* et une photo encadrée de sa famille. À peine sorti de la ville il titubait déjà sur ses petites jambes éreintées. Les filles étaient plus robustes ; ayant passé beaucoup de temps à travailler dans les champs, elles avaient la résistance nécessaire pour marcher plusieurs heures d'affilée.

Elles poussaient un vieux caddie avec une roue tordue, dans lequel s'entassaient leurs affaires, de la nourriture et de l'eau. Sanjit était sûr qu'il ne survivrait pas à la piste de terre et de cailloux qui menait au lac.

Mason compliquait encore la situation en insistant pour porter un masque d'Iron Man qui lui couvrait tout le visage. Il était armé d'un petit couteau de cuisine pendu à une ceinture blanche de femme.

En lui remettant l'enveloppe sale avec le mot à l'intérieur, Lana avait recommandé à Sanjit de ne pas traîner en route. Pourtant, il ne pouvait se résoudre à abandonner ses trois compagnons de voyage. Il avait donc fini par porter Mason sur son dos.

— Est-ce que toi et Lana vous êtes ensemble ? s'enquit Tabitha.

— Euh… oui, je crois qu'on peut dire ça.

— Il paraît qu'elle est méchante, dit Keira.

— Non, protesta Sanjit. Elle est coriace, c'est tout.

— Tu sais qui est vraiment méchant ? lança Tabitha. Turk. Il m'a poussée une fois et je me suis égratigné les genoux en tombant.

— Désolé que…

— Et puis je suis allée voir Lana et elle m'a dit d'aller me laver dans la mer et d'arrêter de l'embêter, continua Tabitha. (Elle baissa la voix avant d'ajouter :) Sauf qu'elle l'a dit plus méchamment que ça en y mettant des gros mots.

Sanjit réprima un sourire. Oui, c'était bien le genre de Lana.

— Peut-être qu'elle était occupée.

Il appréciait ces bavardages insignifiants qui les distrayaient tous. Les deux filles semblaient intarissables : elles savaient qui détestait qui, qui aimait qui en secret.

Sanjit ne connaissait pas la moitié des enfants dont elles parlaient, mais c'était toujours plus agréable que de regarder le ciel, la tache qui s'agrandissait et le cercle de lumière qui rétrécissait à vue d'œil. Qu'allaient-ils faire une fois qu'ils seraient plongés dans le noir complet ?

Comme si elle lisait dans ses pensées – à moins qu'elle n'ait remarqué son expression soucieuse –, Keira dit :

— Sam Temple, lui, il peut faire de la lumière.

— Avec ses mains, renchérit Tabitha.

— C'est comme des petites lampes. (Keira tapota la tête de Mason en ajoutant :) Ne t'inquiète pas, Mase : c'est pour ça qu'on va au lac.

Mason éclata en sanglots.

Sanjit ne pouvait pas l'en blâmer. Dans la Zone, rien ne semblait plus vain que des paroles de réconfort.

Une fois qu'il aurait remis son message à Sam, il devrait retrouver le chemin de Perdido Beach. Y aurait-il encore de la lumière ? Parviendrait-il à rejoindre Lana s'il fallait marcher pendant quinze kilomètres dans le noir ? Une chose était certaine : il rentrerait coûte que coûte.

— J'ai envie de faire pipi, dit Mason.

Sanjit le laissa descendre de son dos.

Plus ils prenaient du retard, moins il aurait de chances d'avoir de la lumière pour le trajet du retour.

Le soleil avait déjà parcouru la plus grande partie de sa course dans l'étroit bout de ciel. Sanjit savait qu'il aurait dû distancer les autres, qu'il était capable de parcourir les derniers kilomètres en courant pour remettre sa lettre plus vite, et rentrer plus vite chez lui...

Soudain, il vit quelque chose se glisser furtivement dans les broussailles, à la limite de son champ de vision.

Des coyotes.

Lana avait insisté pour qu'il emporte un pistolet.

— Je ne sais pas tirer, avait-il protesté en repoussant l'arme.

— Prends-le ou je te descends.

Après quoi, ils avaient échangé un bref baiser dans l'ombre de l'église puis Lana s'était dirigée vers les enfants blessés. Sanjit avait plaqué un sourire désinvolte sur son visage, agité nonchalamment la main en signe d'adieu et s'était mis en route.

Et s'il ne la revoyait jamais ?

Mason avait fini. Les coyotes avaient disparu. Le soleil arrivait au bout du restant de ciel.

Caine avait attendu patiemment, puisque les circonstances l'y contraignaient. Lana avait d'abord aidé les victimes de l'attaque de Penny.

Quinn courait dans tous les sens. Il avait donné des ordres pour que la maigre pêche de la matinée soit transportée sur la place et qu'on allume un grand feu. Caine dut admettre qu'il avait pris la bonne décision. L'odeur du poisson grillé et le crépitement réconfortant du feu dissuaderaient peut-être certains enfants de fuir. Une fois sa tâche terminée, Quinn vint aider Caine.

— Sors-moi de là, ordonna celui-ci.

— Ce n'est pas si facile, protesta Quinn. Tu devrais le savoir, c'est toi, le salaud qui a inventé le concept.

Caine le laissa dire. Il n'avait pas le choix. Pour couronner le tout, il s'était uriné dessus. Il ne s'en était pas aperçu sur le moment ; il avait dû s'oublier pendant l'une des attaques sadiques de Penny, et à présent il empestait. Tout cela le mettait dans une position très vulnérable.

— Il va falloir casser le ciment petit à petit, reprit Quinn. Avec un gros marteau, on risquerait de te briser les poignets.

Il chargea deux de ses pêcheurs, Paul et Lucas, de se mettre au travail. Après d'âpres négociations, ils se procurèrent un burin et un petit marteau qui appartenaient à deux gamins, lesquels s'en servaient pour se défendre. Il fallut les payer, or plus personne n'acceptait les bertos ; seul le troc avait encore cours.

— Tu me préviens si ça fait mal, dit Paul en donnant un coup de marteau sur le burin que tenait Lucas.

CLANG!

La douleur sourde causée par la violence du choc se répercuta dans tous les os de la main de Caine. C'était presque aussi douloureux que d'être directement frappé par le marteau.

Caine serra les dents.

— Continue.

Lana s'avança d'un pas nonchalant, la cigarette aux lèvres. On entendait encore sangloter quelques blessés, mais Caine ne voyait plus beaucoup de cas graves. Dahra Baidoo aidait Lana. Caine avait toujours trouvé Dahra un peu bizarre ; elle lui faisait penser à un somnambule ou au patient d'une clinique psychiatrique shooté aux médicaments. Mais depuis que la folie était devenue la norme, il ne s'étonnait plus de rien. Et Dahra avait de bonnes raisons d'avoir perdu la tête : elle avait été le premier témoin des ravages causés par l'attaque des insectes en ville.

Lana posa la main sur sa tête et pendant un bref instant la serra contre son épaule. Dahra ferma les yeux comme pour retenir ses larmes. Puis elle s'essuya les yeux du revers de la main et secoua violemment la tête.

Lucas donna un deuxième coup de marteau et un fragment de ciment de quelques centimètres tomba sur le sol.

— Caine, dit Lana.

— Oui, Lana ? Tu veux faire un commentaire vachard sur l'ironie et le karma ?

Lana haussa les épaules.

— Non, ce serait trop facile.

Accablée par une fatigue soudaine, elle s'assit en tailleur.

— Écoute, Caine. J'ai envoyé Sanjit prévenir Sam au sujet de...

— Au sujet de la vague de réfugiés en chemin vers le lac? Il s'en apercevra bien assez tôt, non? Il peut créer de la lumière. (Il jeta un regard noir vers le ciel, comme s'il s'agissait d'un ennemi personnel.) Dans deux heures, ce sera la seule préoccupation de tout le monde.

— Ce n'est pas pour ça que Sanjit est parti. Si je l'ai envoyé là-bas, c'est parce que je crois que Diana est en danger.

Caine se figea et, la gorge nouée, il demanda en s'efforçant de garder un air impassible :

— En danger? Tu veux dire plus que le reste d'entre nous?

CLANG!

Paul et Lucas continuaient de casser le ciment. À chaque coup de marteau Caine tressaillait. Il se demanda s'ils n'étaient pas en train de lui briser tous les os. Comment feraient-ils pour ôter la dernière couche de ciment, celle qui était en contact avec sa chair? Entre deux pics de souffrance, il éprouvait une douleur diffuse et sa peau le démangeait atrocement.

— Je le sens encore en moi quelquefois, dit Lana.

Caine lui jeta un regard perçant.

— De qui tu parles?

CLANG!

— Ne fais pas l'idiot, Caine.

Elle posa la main sur sa tête, à l'endroit où du sang perlait encore des agrafes plantées dans sa chair. La douleur cessa presque immédiatement. Mais elle ne lui fut d'aucune aide quand le coup de marteau suivant lui donna l'impression que ses doigts étaient brisés.

CLANG!

— Aaaah! cria-t-il.

— Tu as passé du temps avec lui, reprit Lana. Je sais que tu sens encore sa présence de temps à autre.

— Non, grogna Caine.

Lana accueillit sa réponse avec ricanement incrédule. Ils connaissaient tous les deux la vérité. C'était un point commun qu'il avait avec la Guérisseuse : ils s'étaient approchés trop près du gaïaphage. Et, oui, ça laissait des traces : Caine avait parfois l'impression que la créature pouvait frôler sa conscience.

Il ferma les yeux et le cauchemar resurgit comme une vague poussée par une tempête. À l'époque, le gaïaphage avait besoin de l'uranium de la centrale. Il éprouvait alors une faim si dévorante que Caine la sentait encore lui serrer le cœur.

CLANG!

— Je ne laisse pas l'Ombre me toucher, dit-il entre ses dents.

Le burin coupait plus près de la chair maintenant que plus de la moitié du ciment avait été cassé. Vraiment, Penny n'avait pas fait un bon mélange. Il n'y avait pas de gravier. Or, c'était le gravier qui durcissait le ciment. Caine avait appris ça avec Drake.

— Le soleil se couche, observa Lana d'une voix dépourvue d'émotion. Dans la panique, les enfants vont allumer des feux. C'est peut-être ce qui devrait nous inquiéter en priorité : ils pourraient bien terminer le boulot de Zil en faisant brûler ce qui reste de la ville.

— Si vous me sortez de là, je les en empêcherai, répondit Caine en étouffant un cri de douleur au moment où le marteau s'abattait de nouveau.

— Il en a après Diana, tu sais. Il veut le bébé. Ton bébé, Caine.

— Hein ?

Stupéfait, Paul suspendit son geste ; ce n'était pas à proprement parler une conversation privée. Puis, émergeant de sa torpeur, il donna un autre coup de marteau.

CLANG !

— Tu ne le sens pas ? demanda Lana.

— Tout ce que je sens, c'est mes doigts ! rugit Caine.

— Je te soignerai, répliqua-t-elle avec impatience. Ce que je veux savoir c'est si tu le sens. Tu le laisses s'immiscer dans tes pensées ?

— Non !

— Tu as peur ?

— Bien sûr que j'ai peur. J'ai réussi à lui échapper une fois. Tu insinues que je devrais encore m'ouvrir à lui ?

CLANG !

— Moi je n'ai pas peur de lui, déclara Lana, et Caine se demanda si elle disait la vérité. Je le déteste. Je m'en veux de ne pas l'avoir tué quand j'en avais l'occasion.

Ses yeux noirs comme du charbon étincelaient de haine.

— Je le déteste, répéta-t-elle.

CLANG !

— Je... je refuse..., dit Caine entre deux hoquets de souffrance. Qu'est-ce qui te fait croire qu'il en a après Diana ?

— Je n'en suis pas tout à fait sûre, et c'est bien pour ça que je t'en parle. Je pensais que ça t'intéresserait de savoir que ce monstre cherche à s'emparer de son enfant.

Le bloc s'était cassé en deux, mais les deux mains de Caine étaient toujours prisonnières d'un gros morceau de ciment.

Paul et Lucas changèrent de position tandis que Caine levait les mains et, avec mille précautions, se grattait le nez à l'aide d'un fragment de ciment.

— Caine..., dit Paul.

— Donnez-moi une minute, marmonna Caine. Juste une minute.

Il ferma les yeux. La douleur était atroce, sans parler de l'humiliation. Penny avait été plus maligne que lui. Il se retrouvait contraint de subir la torture que Drake et lui-même avaient inventée.

Il était assis sur les marches de l'hôtel de ville, à l'endroit précis où, deux jours plus tôt, il exerçait encore son autorité. Son pantalon puait l'urine, et il se sentait faible, petit, lâche devant Lana.

Il ne s'était pas senti aussi diminué depuis qu'il s'était exilé dans le désert avec Chef après sa défaite. Depuis qu'il avait rampé, désespéré, les joues inondées de larmes, vers ce monstre malfaisant qui lui avait broyé le cerveau.

Lana le laissait s'immiscer dans ses pensées. Elle était donc si forte que ça ? Caine, lui, ne s'en sentait pas capable. «Mais quelle importance ?» songea-t-il. La fin était proche. Les ténèbres s'abattraient sur le monde, le soleil ne se lèverait plus et ils erreraient dans le noir jusqu'à ce que la faim les emporte. Les plus malins iraient sans doute se noyer dans l'océan.

Qu'est-ce qu'il en avait à faire de Diana et du bébé ? Son image s'imprima dans son esprit. Qu'elle était belle, Diana. Et assez intelligente pour se mesurer à lui. Ils avaient été heureux sur l'île. C'était le bon temps. Puis Quinn était venu lui demander de sauver Perdido Beach.

Il était revenu, malgré les mises en garde de Diana. Il s'était proclamé roi parce que ces enfants avaient besoin d'être gouvernés, et parce que après avoir sauvé leurs vies misérables il méritait d'être ce roi-là. Diana avait là encore essayé de l'en dissuader.

À peine couronné, il avait compris que le vrai patron, c'était Albert. Personne ne respectait vraiment Caine. Ils ne voyaient pas tout ce qu'il avait fait pour eux, ces ingrats.

Et maintenant, ils réclamaient sa présence, mais seulement parce qu'ils avaient peur du noir.

— On va essayer avec un marteau plus petit maintenant, dit Paul d'un ton anxieux.

Caine serra les dents et attendit le prochain coup.

CLANG !

— Aaaaah !

Le burin avait dévié de sa trajectoire et était allé s'enfoncer dans son poignet. Du sang se mit à couler sur le ciment.

Caine avait envie de pleurer, non pas sur sa souffrance, mais sur sa vie misérable. Il avait besoin d'aller aux toilettes et il n'était même pas capable de baisser son propre pantalon.

Lana lui prit le poignet et le sang cessa de couler.

— Il faut que tu les laisses faire jusqu'au bout, dit-elle. Ce serait encore pire de finir de nuit.

Caine acquiesça. Il n'avait rien à ajouter. Il baissa la tête et fondit en larmes.

25

12 HEURES
40 MINUTES

S INDER PLEURAIT en arrachant ses légumes avec l'aide de Jezzie. Tout était fini. Leur dur labeur touchait à sa fin. Cette récolte serait la dernière.

Leur rêve de contribuer à améliorer le sort de tous s'achevait. Et comme tous les espoirs déçus, il leur semblait dérisoire. Elles avaient été bêtes d'espérer. Dans la Zone, l'espoir était récompensé par un coup de pied dans la figure.

Elles remplissaient des sacs en plastique avec des carottes et des tomates pendant que Brianna les surveillait en feignant de ne pas voir leurs larmes.

Orc avait du mal à plier la nuque pour contempler le ciel. Son cou épais avait perdu sa souplesse de jadis. Mais au prix d'un gros effort il y parvint au moment précis où le soleil était englouti par la tache noire à une vitesse vertigineuse.

Là, juste au-dessus de sa tête, le ciel limpide d'un début d'après-midi californien. Mais juste en dessous, un mur noir.

Orc était animé d'une énergie bizarre. Il n'avait pas dormi, ayant passé toute la nuit à chercher Drake, certain qu'il

293

finirait par repérer sa cachette. Ou, sinon, qu'il se trouverait là au moment où il réapparaîtrait et qu'il le taillerait en pièces avant de le dévorer morceau par morceau. Et Howard serait vengé.

Sam, Edilio et les autres s'en fichaient qu'Howard soit mort. Tout ce qui les intéressait, c'était la catastrophe qui s'annonçait. Quelqu'un devait pourtant se soucier de la disparition d'Howard. Et ce quelqu'un, c'était Orc.

Personne n'était au courant, mais Orc était encore capable de pleurer. Ils croyaient tous qu'il ne pouvait plus... Non, à vrai dire, ils ne croyaient rien du tout. Ils ne voyaient en lui qu'un monstre de pierre. Il ne pouvait pas leur en vouloir.

Le seul qui voyait au-delà des apparences, c'était Howard. D'accord, il se servait peut-être d'Orc, mais ce n'était pas grave, parce que la réciproque était tout aussi vraie. « On se sert des autres, c'est comme ça, songea Orc. Même quand on les aime. Même quand ce sont nos amis. Nos meilleurs amis. Nos seuls amis. »

Orc suivait un itinéraire précis. Il longea les abords du dôme jusqu'au ponton. De là, il parcourut une centaine de mètres dans un sens puis dans l'autre. Il avait aussi marché jusqu'à l'autre bout du lac avant de revenir. Mais son petit doigt lui disait que Drake n'était pas si loin.

Orc connaissait un peu Drake du temps où il travaillait pour Caine à Perdido Beach. À cette époque, Drake était déjà une ordure, mais c'était encore un être humain.

Il l'avait aussi côtoyé lorsque Howard et lui étaient ses geôliers. Il avait passé de nombreuses heures à l'écouter divaguer. C'était d'ailleurs sa faute s'il avait fini par s'évader.

Drake pouvait user de ruse, bien sûr, mais il n'avait pas l'intelligence d'un Jack ou d'une Astrid. Il n'avait pas de plan précis. Il se contentait de se cacher jusqu'à ce qu'une occasion se présente.

Une occasion de faire quoi ? Orc n'en avait aucune idée. Sam et les autres ne lui en avaient pas parlé. On lui avait seulement expliqué que Drake avait tué Howard, qu'il avait laissé les coyotes dévorer son cadavre. Et qu'il était quelque part dans les parages.

Orc restait fixé sur l'essentiel. C'était plus simple comme ça. Il cherchait des empreintes de coyotes dans la terre, voire celles de Drake. Il avait souvent entendu dire qu'il était invincible. Qu'on pouvait l'écrabouiller ou le couper en rondelles, et qu'il parvenait encore à se reconstituer.

Eh bien, ça en décourageait peut-être beaucoup, mais autant quand il était ivre, Orc baissait facilement les bras, autant lorsqu'il était sobre et déterminé, il avait du temps et de l'énergie à revendre. L'idée de découper Drake en morceaux puis de recommencer ne l'effrayait pas. Il ne se sentait pas fatigué. Il se sentait même plus alerte que jamais.

Orc marchait dans l'ombre d'une avancée rocheuse. Il y avait des crevasses un peu partout, qu'il avait décidé de vérifier une par une.

Il s'immobilisa. Oui, c'était bien une empreinte de pas. Le sol était dur, et s'il y avait une trace visible à cet endroit, c'était seulement parce qu'un rongeur avait creusé des trous en soulevant un peu de terre fraîche, sur laquelle se détachait l'empreinte d'un pied nu.

Orc l'examina longuement et plaça son propre pied à

côté. Elle semblait bien trop petite pour être l'empreinte du pied de Drake, qui était assez grand. Non, elle appartenait à un petit enfant, ou à une fille.

Il distingua le contour de trois orteils pointés vers l'eau. Il regarda dans cette direction. Dans la semi-pénombre, les berges du lac avaient un aspect étrange. Son attention fut momentanément distraite par la vue de Sinder et de Jezzie en train de travailler dans leur jardin pendant que Brianna faisait le guet. Soudain, Orc s'aperçut que c'était lui qu'elle regardait, et pas Sinder et Jezzie.

Il lui fit signe de la main et, un instant plus tard, elle se matérialisa près de lui.

— Salut, Orc. On échange nos boulots ? Sam m'a demandé de baby-sitter les deux pleureuses pendant qu'elles jardinaient. Tu pourrais me remplacer.

— Non, fit-il en secouant la tête.

Orc se souvenait de la première fois qu'il avait vu Brianna, alors qu'elle arrivait du pensionnat Coates avec Sam. Depuis ce temps-là, elle avait pris la grosse tête.

— Tu cherches Drake pour lui rendre la monnaie de sa pièce, c'est ça ? demanda-t-elle. Je te comprends parfaitement. Howard, c'était ton pote.

— Pas la peine de faire semblant, grommela Orc.

— Hein ? J'ai pas entendu ce que t'as dit.

— Pas la peine de faire semblant ! rugit-il. Tout le monde s'en fiche qu'Howard soit mort. Il n'y a qu'à moi que ça fait de la peine.

À ces mots, il souleva un petit rocher et le jeta au loin d'un geste rageur. Le rocher fit un vol de quelques mètres avant de s'écraser contre la paroi rocheuse, déclenchant une petite avalanche de cailloux… et la fuite éperdue d'une bande de coyotes paniqués.

Orc les regarda s'éloigner avec des yeux ronds. Le visage de Brianna s'éclaira. Elle s'approcha d'Orc et lui glissa à l'oreille :

— Je parie que ce sont ces coyotes qui l'ont bouffé. Je te donne le choix : tu veux que je m'occupe d'eux ou pas ?

Orc déglutit péniblement. Les coyotes avaient déjà atteint le sommet de la pente. D'ici quelques instants, ils auraient disparu. Il ne pourrait jamais les rattraper.

— Garde-m'en un, dit-il.

Brianna lui adressa un clin d'œil et s'éclipsa.

Albert avait échafaudé son plan avec soin.

Pour ceux qui ne possédaient pas les pouvoirs de Caine ou de Dekka, aborder dans l'île était très difficile, aussi avait-il chargé Taylor de nouer une longue corde autour d'un arbre robuste et de la laisser pendre le long de la falaise.

Elle était là, droit devant lui. Tous ceux qui naviguaient le long des rivages ouest de l'île, au-delà du yacht échoué, pouvaient la voir. Albert avait payé quelqu'un pour y attacher des bouts de tissu multicolores, si bien que, même dans cette drôle de pénombre brune, elle était facile à repérer.

Il gouverna le bateau dans sa direction. Il n'y avait pas de vagues, seulement la légère houle habituelle. Albert n'était pas un grand navigateur, mais il se débrouillait assez pour être capable de positionner le bateau près de la corde qui tombait dans l'eau.

Les nœuds à intervalles réguliers en faisaient un genre d'échelle. Mais une échelle très instable qui avait tendance à se balancer. Cependant, dès lors qu'on avait pris un bon départ, ce n'était pas trop difficile de grimper, d'autant que l'extrémité de la corde avait été nouée au coffre installé au fond du bateau.

C'était une longue ascension. Albert regrettait de ne pas avoir largué les amarres plus tôt. Il n'aurait pas dû attendre autant. D'ici une ou deux heures, il ne pourrait plus voir la corde et encore moins y grimper.

Il fut le premier à atteindre le bord de la falaise. Au prix d'un ultime effort il se hissa sur la terre ferme, roula dans les herbes hautes et, étendu sur le dos, contempla le ciel.

Quel spectacle bizarre ! C'était un peu comme se trouver à l'intérieur d'un œuf à la coque dont on aurait ôté l'extrémité de la coquille. Le ciel « normal » n'occupait plus qu'un quart de l'espace.

Et la tache qui s'agrandissait n'avait pas l'apparence de la nuit. On n'y voyait pas la moindre étoile. Rien que le néant.

Après s'être relevé, Albert aida les filles à se hisser l'une après l'autre jusqu'au sommet de la falaise.

L'océan s'étendait sur des kilomètres avant d'aller clapoter contre le dôme noir. Loin vers le sud-est, Albert distinguait Perdido Beach nimbée d'une lumière sépia comme les photos d'un autre temps.

Albert se retourna pour admirer tranquillement son nouveau domaine. Il n'y avait pas de lumière aux fenêtres. Le générateur n'était pas allumé, ce qui signifiait que Taylor ne se trouvait pas dans la maison.

Taylor était la seule inquiétude d'Albert. Elle pouvait aller et venir à sa guise, ce qui pourrait s'avérer utile : elle le tiendrait informé de ce qui se passait à Perdido

Beach et au lac. Mais, d'un autre côté, cette fille était difficile à contrôler, raison pour laquelle il avait apporté deux cadenas, un pour le garde-manger, l'autre pour le générateur. Comme il serait le seul à connaître les deux combinaisons, il serait aussi le seul à contrôler la nourriture et la lumière. Ça calmerait un peu les velléités d'indépendance de Taylor.

Il ordonna aux filles de remonter la corde et de l'enrouler à l'écart de la falaise. Puis il scruta la mer : pas un seul bateau à l'horizon. Ce qui signifiait qu'Albert n'aurait pas de visite avant longtemps.

Mais ils finiraient par venir. Immobiles dans le noir, terrifiés et affamés, en voyant un point lumineux dans le lointain ils comprendraient que c'était l'île, et que la lumière était synonyme d'espoir.

Donc, dès qu'ils se seraient un peu reposés, qu'ils auraient mangé un morceau et visité les lieux, Albert chargerait les filles de transporter deux roquettes à l'étage de la propriété. Quand ce bateau viendrait, lui aussi serait éclairé. Un point lumineux dans les ténèbres.

Albert poussa un soupir. Il survivrait mais il avait dû renoncer à tout ce qu'il avait accompli. Ses affaires lui manqueraient beaucoup.

— Venez, dit-il. Allons découvrir notre nouvelle maison.

Drake était presque certain que Brittney avait émergé au moins une fois depuis qu'il se terrait dans cet endroit confiné empestant l'essence. Mais il était de retour maintenant, et elle n'avait pas bougé. Peut-être qu'elle s'était mis du plomb dans la cervelle.

Il guetta la voix de Sam mais n'entendit rien, ce qui ne prouvait pas qu'il était parti. Ça impliquait en revanche que Drake pouvait prendre un petit risque.

Du bout de son tentacule, il ouvrit l'écoutille d'un demi-centimètre.

Manifestement, la lumière avait changé. Elle semblait briller à travers une bouteille de Coca-Cola. Il ouvrit un peu plus l'écoutille et aperçut un pied immobile, les orteils dans sa direction. En se contorsionnant un peu, il distingua un deuxième pied. Quelqu'un était assis à deux pas de lui.

Était-ce un problème ou une opportunité ? Bonne question.

L'écoutille retomba brusquement et Drake perçut le bruit de pieds qui couraient.

— Hé, les enfants, faites attention !

La voix de Diana ! Il l'aurait reconnue entre mille.

— Justin, tu vas te rompre le cou !

Drake ferma les yeux et se laissa submerger par le plaisir de cette découverte. Elle était ici même. Et d'après ce qu'il venait d'entendre, il y avait aussi de jeunes enfants à bord.

Parfait. Absolument parfait.

Passé l'autoroute, aux portes du désert, Penny marcha sur un tesson de bouteille qui s'enfonça dans la chair de son talon.

Elle poussa un cri de douleur et des larmes lui montèrent aux yeux. Du sang coula de son pied sur le sable. S'asseyant lourdement par terre pour examiner la blessure, elle se souvint qu'elle n'avait pas de pansements. Elle se mit à sangloter bruyamment. Elle était blessée et personne ne lui viendrait en aide. Que lui arriverait-il quand il ferait complètement noir ?

Quelle injustice ! Son triomphe n'avait même pas duré cinq minutes. Elle tenait pourtant Caine à sa merci ! Mais tout le monde la détestait, et voilà qu'en plus elle s'était fait mal au pied.

Ce n'était rien comparé aux souffrances qu'elle avait dû endurer après s'être cassé les jambes. Et elle y avait survécu, non ? Elle se demanda comment Caine s'en sortait avec son bloc de ciment. S'ils essayaient de le briser, ils lui casseraient les os des mains et il connaîtrait le même calvaire qu'elle... sauf que lui, Lana serait là pour l'aider.

Elle aurait dû se débarrasser d'elle quand elle en avait l'occasion. La Guérisseuse était peut-être immunisée contre le pouvoir de Penny, mais elle ne pouvait rien contre un pistolet. Penny aurait dû charger Turk de descendre la Guérisseuse. Oui, c'est ce qu'elle aurait dû faire.

Penny avait l'impression d'être au fond d'un puits avec le soleil directement au-dessus de sa tête. Bientôt elle se retrouverait dans le noir complet et, alors, que ferait-elle ?

Diana se leva péniblement au moment où Justin, qui débordait d'énergie, repassait en courant près d'elle. Atria, qui fatiguait un peu, s'était installée à la proue pour lire.

Soudain, Justin trébucha et tomba la tête la première sur l'énorme ventre de Diana. Mais, au dernier moment, il fut tiré en arrière et heurta violemment le pont.

Diana se précipitait tant bien que mal pour le relever, l'air anxieux, quand elle aperçut le tentacule enroulé autour de sa cheville et se figea. Ça n'avait pas de sens. Il semblait avoir surgi du sol !

À cet instant, une trappe s'ouvrit brusquement et Drake se hissa maladroitement sur le pont. Diana jeta un regard affolé autour d'elle dans l'espoir d'apercevoir une arme. Rien.

Drake se redressa en lui souriant de toutes ses dents. Elle savait qu'elle aurait dû donner l'alerte, mais la peur lui coupait le souffle et son cœur tambourinait dans sa poitrine.

Drake souleva le petit garçon sans le moindre effort, le porta jusqu'au bastingage et lui plongea la tête dans l'eau.

Diana le considéra d'un air horrifié. Comment était-il arrivé jusqu'ici ?

— Quoi ? T'as perdu ta langue, Diana ?

Diana vit les jambes de Justin s'agiter désespérément au-dessus de la surface. Drake relâcha un peu son étreinte pour que Diana puisse voir le visage du petit garçon, ses yeux blancs révulsés, sa bouche grande ouverte expulsant ses dernières bulles d'air.

— Lâche-le, dit-elle d'une voix faible, car elle savait que Drake ne l'écouterait pas.

— Il y a un canot amarré au bateau. Pose tes jolies fesses à l'intérieur, Diana. Je ne le libérerai pas avant que tu m'aies obéi, alors si j'étais toi, je me dépêcherais.

Diana laissa échapper un sanglot. Elle lut de la terreur dans les yeux du petit garçon. Des supplications. Si elle hésitait trop longtemps, il se noierait, et Drake ne s'en irait pas pour autant.

Diana se précipita à la proue du bateau, enjamba le bastingage et se laissa choir maladroitement dans le canot.

— Ça y est ! cria-t-elle. Lâche-le, maintenant.

Drake s'avança vers elle d'un pas nonchalant en traînant au bout de son tentacule le petit garçon qui avait toujours la tête sous l'eau. En l'apercevant, Atria poussa un hurlement. Il y eut un bruit de pas précipités, et Roger surgit sur le pont, hors d'haleine. Drake lui adressa un sourire.

— Je ne crois pas qu'on ait fait connaissance, dit-il en sortant Justin de l'eau.

L'enfant, pâle comme la mort, avait les paupières closes. Une rage meurtrière s'empara de Roger, et il se jeta sur Drake en rugissant. Drake laissa tomber Justin par terre et frappa Roger si violemment qu'il le fit passer par-dessus bord. Puis il rejoignit la proue, croisa le regard larmoyant de Diana et jeta Justin dans le canot comme un vulgaire sac de patates.

— J'ai l'impression qu'il fait une sieste, dit-il en sautant à son tour dans l'embarcation.

Diana s'agenouilla au-dessus de Justin. Ses lèvres étaient bleues. Touchant son visage, elle constata qu'il était glacé. Les souvenirs lointains d'une vidéo montrée en classe refirent surface dans son esprit. Diana se pencha pour plaquer ses lèvres sur celles du petit garçon et, lui soulevant la tête, elle expulsa de l'air dans sa bouche, fit une pause, recommença.

Drake défit les amarres en sifflotant et commença à ramer.

Pendant ce temps, Diana poursuivait son bouche-à-bouche en pressant deux doigts sur la gorge de l'enfant. Soudain, elle sentit battre le pouls de Justin. Il toussa, recracha un filet d'eau et se laissa asseoir par Diana.

— Eh bien, Diana, on dirait que tu viens de le sauver, dit Drake. Si tu veux qu'il reste en vie, je te conseille de fermer ton clapet. Un mot de ta part et je le noie comme un chiot.

Déjà, le canot n'était plus qu'à quelques coups de rames de la berge. Diana jeta un regard vers la péniche et vit Dekka, debout sur le pont, la tête levée vers le ciel. Aucune trace de Sam ni d'Edilio.

— Eh oui, c'est bête, hein ? lança Drake d'un ton jovial. De toute façon, Dekka n'aurait rien pu faire à cette distance.

Diana scruta la berge près d'eux. Personne. Non... Sinder s'avançait vers l'eau en traînant un énorme sac. Jezzie marchait derrière elle.

En voyant une lueur d'espoir s'allumer dans le regard de Diana, Drake cligna de l'œil.

— Oh, t'inquiète, on va s'arrêter pour discuter un brin. On leur expliquera que tu as décidé de prendre des vacances auprès de Caine.

Drake était-il assez idiot pour croire qu'elles goberaient son histoire et qu'elles accepteraient de bavarder tranquillement avec lui ? Peut-être. Comment savoir ce qu'il manigançait ? Qui pouvait dire jusqu'à quel point son cerveau malade s'était détérioré ?

Il s'était remis à siffler en rythme avec le mouvement des rames.

— Qu'est-ce que tu veux, Drake ? demanda Diana, s'armant de courage.

Drake sourit.

— Je t'ai déjà remerciée de m'avoir scié le bras, Diana ?

Sur le moment, j'étais furax, mais si tu ne l'avais pas fait, on ne m'appellerait pas Fouet.

— J'aurais dû te scier le cou, cracha-t-elle.

— Oui, dit-il en soutenant son regard à la fois haineux et terrifié. Tu aurais vraiment dû.

Dehors

LE SERGENT DARIUS ASHTON s'aperçut immédiatement que sa chambre avait été fouillée en son absence. La plupart des gens n'auraient rien remarqué, mais il avait toujours été un homme très ordonné. Il occupait une chambre pas plus grande qu'un dressing dans le quartier des sous-officiers. Le lit était étroit et la couverture fournie par l'armée si raide qu'on aurait pu faire ricocher une pièce dessus. Or, il repéra un minuscule pli à l'endroit où quelqu'un s'était assis sur le bord du lit.

— Pff, vous croyiez m'avoir aussi facilement? dit-il avec dédain.

Il inspecta sa malle. Oui, ils avaient été très prudents, mais ils l'avaient fouillée.

Il restait à savoir où ils avaient planqué le micro. Ils avaient sûrement mis son téléphone portable sur écoute et ils se serviraient de son GPS pour le suivre à la trace. Mais avaient-ils aussi placé un micro ici?

Il éteignit le dispositif de localisation de son téléphone. Ils pourraient encore voir quelles antennes-relais avaient capté son signal, mais c'était un moyen nettement moins précis de le localiser. Le GPS aurait donné sa position au mètre près. Les antennes-relais ne permettaient que de le localiser dans un rayon d'un ou deux kilomètres.

Ensuite, il se mit à la recherche du micro et ne mit pas longtemps à le repérer. La pièce était petite et ne comportait pas beaucoup de cachettes. Le dispositif, qui n'était pas plus gros qu'un vermicelle, avait été dissimulé dans le pied d'une lampe. On y avait percé un trou minuscule pour assurer une meilleure réception.

Bon. Dorénavant, il devrait redoubler de prudence.

Il avait déjà décidé d'aller tout raconter à Connie. Il avait accepté de signer un document de confidentialité. Néanmoins, il avait passé assez de temps dans l'armée pour savoir que plus une mission était secrète, plus elle risquait d'être tordue. Et faire exploser à l'arme nucléaire une bande d'enfants qui luttaient pour leur survie, c'était tordu. Pour ne pas dire mal.

Si la nouvelle s'ébruitait, l'opinion américaine ferait obstacle à cette décision. Le sergent Darius Ashton était un soldat américain. Il obéissait à une chaîne hiérarchique, de son lieutenant à son capitaine, de son capitaine à son colonel, de son colonel à son général, et de son général au président des États-Unis. Mais en aucun cas un soldat américain ne pouvait être contraint à tuer des citoyens américains sur le sol américain. Ce n'était pas la promesse que Darius avait faite le jour où il avait prêté serment.

D'un autre côté, Darius n'avait aucune envie de finir ses jours au fond d'une cellule sans fenêtre. Le plus difficile serait donc de faire le bien sans se faire pincer.

Il s'étendit sur son lit pour réfléchir. Le temps pressait, il en était certain. Il y avait trop d'effervescence à la base. S'il laissait son téléphone en sortant, ils sauraient qu'il

manigançait quelque chose. Il fallait qu'il reste en mouvement. Quant à ses e-mails et à ses textos, ils seraient tous
interceptés. Il lui faudrait donc communiquer à l'ancienne.
Et au cas où la situation tournerait mal, il devrait veiller
à ne laisser aucune preuve derrière lui.

Il s'efforça de se rappeler tout ce qu'il savait sur Connie
Temple. Que pouvait-elle fabriquer en ce moment même ?
Où était-elle ? Quel jour on était ? Jeudi ? Non, vendredi.

Il était trop tôt pour que Connie ait commencé à faire
griller des côtelettes, mais pas trop tôt en revanche pour
la trouver au supermarché en train de faire ses courses
pour son barbecue. C'était un coup à tenter.

Si Connie Temple avait l'intention de servir des côtelettes
à ses invités, il n'y avait que deux endroits où elle pouvait
s'en procurer. Par chance, la supérette et la boucherie
étaient situées dans le même centre commercial.

Darius remit son téléphone dans sa poche et, en chemin
vers la sortie, s'arrêta chez un collègue pour annoncer qu'il
allait acheter des bières et de quoi grignoter au supermarché
du coin. Son ami lui demanda de lui rapporter un sachet
de chips épicées.

Le trajet en voiture jusqu'au supermarché dura vingt
minutes. Et comme c'était direct par l'autoroute, il était
à peu près certain qu'on ne l'avait pas suivi. Ils n'avaient
aucune raison de le soupçonner, de toute manière ; ils
avaient probablement beaucoup de monde à espionner.

En chemin, il passa près de la caravane de Connie.
Sa voiture, une Kia gris métallisé, n'était pas à sa place
habituelle. Malheureusement, elle ne se trouvait pas non
plus sur le parking de la supérette.

Darius tua le temps en faisant le plein d'essence à la station-service. De là, il avait une bonne vue sur le parking. Puis il alla se chercher un café au McDonald's.

Après quoi, il ne lui resta plus qu'à attendre. Il pourrait encore justifier une heure d'absence, mais deux ? Ce serait pousser le bouchon un peu loin.

C'est alors qu'une idée lui vint : le cinéma local programmait trois films, tous trois mauvais, or il avait vu l'un d'eux. Parfait. Il prit une place pour ce dernier avec sa carte de crédit puis, avant d'entrer dans la salle, il acheta pour quinze dollars de pop-corn et de bonbons. Dès que les bandes-annonces eurent commencé, il jeta le pop-corn et sortit en empruntant une des issues de secours. Il prit soin de garder son ticket.

Une fois dehors, il repéra immédiatement la voiture gris métallisé.

Il y aurait des caméras de sécurité à l'intérieur de la supérette, aussi il gara sa voiture près de celle de Connie et attendit.

Bientôt, elle sortit du centre commercial en poussant un caddie à moitié rempli de sacs en plastique. Elle ne remarqua pas sa présence avant de s'être assise au volant de sa voiture. Il baissa sa vitre et elle l'imita.

— Je mets ma vie entre tes mains, Connie, annonça-t-il.

— De quoi tu parles ?

— De la prison à perpète si jamais je me fais prendre.

Elle fronça les sourcils, ce qui lui donnait l'air plus âgé. Ça ne posait pas de problème à Darius : il avait toujours aimé les vraies femmes.

— Qu'y a-t-il, Darius ?

— Ils vont faire exploser le dôme.

26

E N ENTENDANT ROGER l'appeler du voilier, Edilio comprit immédiatement qu'il était porteur d'une mauvaise nouvelle. Roger montra la berge avec des gestes frénétiques et Edilio sentit son sang se glacer.

Un canot à rames se dirigeait à vive allure vers la terre ferme. Edilio dévala quatre à quatre les marches de la cabine, prit les jumelles de Sam et remonta précipitamment sur le pont, Sam et Dekka sur les talons.

Le canot avait déjà touché la berge. Edilio colla les jumelles à ses yeux. Pas de doute, c'était bien un tentacule qui venait de soulever Diana puis de la jeter à terre.

— C'est Drake, annonça Edilio. Diana et Justin sont avec lui.

Comme s'il venait d'entendre prononcer son nom, Drake se retourna et, levant l'une des rames, l'agita à l'intention d'Edilio. Puis il la brisa en deux en la frappant contre le sol et, ramassant un des bouts de bois déchiquetés, il le pointa vers la gorge de Justin. Le petit garçon sanglotait; Edilio voyait des larmes rouler sur ses joues. D'un geste moqueur, Drake lui fit signe de venir le chercher.

Le message était clair. Et Edilio ne doutait pas que Drake mettrait ses menaces à exécution.

— Où est Brise? cria Sam. Tire, Edilio!

Edilio ne l'entendit pas, ou alors il fut incapable d'établir un lien entre son ordre et une action quelconque. Il se tourna vers Roger, qui semblait anéanti. Edilio brandit le poing comme pour lui signifier qu'il partageait sa peine et qu'il ne fallait pas perdre espoir.

Sam dégaina l'arme d'Edilio et tira trois coups en l'air. Si Brianna était dans les parages, elle les entendrait et comprendrait le message.

Drake marchait d'un bon pas en poussant de temps à autre Diana qui titubait devant lui, et que Justin tentait maladroitement de soutenir. D'ici quelques instants, ils auraient disparu à l'horizon.

Sam maudit Brianna pour son imprudence et sa légèreté. Dekka s'élançait déjà sur le ponton, mais elle n'avait aucune chance de rattraper Drake. Sam courut derrière elle. Il n'obtiendrait pas plus de résultats, mais Edilio le savait incapable de rester les bras ballants.

— Sam, non! cria-t-il.

Sam s'arrêta pour lui lancer un regard perplexe.

— On s'éparpille, là. Et je ne peux pas te laisser risquer ta vie. Si tu meurs, plus de lumière.

— Tu as perdu la tête? Tu crois que je vais laisser Drake emmener Diana?

— Ce n'est pas à toi d'y aller, Sam. Dekka, oui. Orc, oui. Il est là-bas, lui aussi. Tu n'as qu'à envoyer Jack en renfort. N'importe qui mais pas toi.

Sam regarda Edilio, bouche bée, fit mine de protester puis se ravisa.

— Tu n'es pas remplaçable, Sam. Mets-toi ça dans le crâne, tu veux bien ? Il va bientôt faire nuit noire et la seule source de lumière, c'est toi. Donc, cette fois-ci, tu ne te battras pas. C'est à nous de nous en charger. (Une lueur de tristesse passa dans le regard d'Edilio.) Moi aussi, je vais rester là. Ma place est ici. Je ne suis pas de taille à lutter contre Drake. Je ferais une victime de plus.

Il jeta un regard à Roger qui ouvrit les bras dans un geste d'incompréhension qu'Edilio interpréta sans mal. « Pourquoi vous n'allez pas sauver Justin ? semblait-il dire. Pourquoi vous restez là les bras ballants ? »

Edilio savait que, depuis les bateaux, tous les enfants avaient assisté à la scène. Ils avaient entendu les coups de feu. Certains d'entre eux avaient aperçu Dekka seule sur la berge : ils pointaient le doigt vers elle puis regardaient leurs chefs impuissants, les sourcils froncés.

Edilio vit Jack, debout sur un canot à moteur. Comme il était hors de portée de voix, Edilio lui fit signe. Jack répondit par un geste qui semblait dire : « Moi ? » À l'instar d'Edilio, Sam braqua l'index sur lui puis indiqua la berge d'un grand moulinet du bras.

Jack gagna à contrecœur l'arrière du canot et le toussotement d'un moteur retentit dans la pénombre.

Edilio regarda de nouveau Roger. Il semblait abattu, désemparé. Edilio détourna la tête au prix d'un effort et suivit des yeux Jack qui se dirigeait vers la berge. Quant à Dekka, elle se faisait léviter pour gravir les hauteurs qui dominaient le lac. Et là-bas, Orc venait à sa rencontre.

Edilio reprit un peu espoir. Orc, Jack et Dekka. Pouvaient-ils y arriver ?

Les coyotes progressaient avec cette constance qui en faisait de grands prédateurs. Brianna les repéra à près d'un kilomètre du lac. Devant eux, elle aperçut le reste de la meute. À moins que c'en soit une autre ? Aucune importance : ils étaient déjà tous morts. Elle s'occuperait des vivants. Puis elle retrouverait Drake avant même que Sam remarque sa disparition.

L'un des coyotes s'aperçut de sa présence, ce qui donna lieu à une panique assez réjouissante. Elle en compta quatre qui fuyaient ventre à terre.

La lumière étant assez mauvaise et le terrain accidenté, elle ne pouvait pas accélérer. Mais ce n'était pas bien grave : un coyote était capable de courir jusqu'à trente, peut-être quarante kilomètres/heure. Or, même à son minimum, Brianna était deux fois plus rapide.

Elle s'avança vers le coyote le plus proche qui, lorsqu'il la regarda, avait la mort imprimée dans ses yeux inexpressifs.

— Eh oui, fit-elle. Les chiens vont au paradis, les coyotes dans la direction opposée.

Et à ces mots elle abattit sa machette. La tête de l'animal roula dans la poussière.

Deux autres créatures décidèrent de faire front ensemble. Elles se dressèrent devant elle, hors d'haleine, la langue pendante, déjà épuisées. L'une d'elles avait le poil taché de sang séché.

— Salut, les toutous, lança Brianna.

Les coyotes firent claquer leurs mâchoires au moment où elle fondait sur eux, mais ils n'étaient pas de taille à lutter. Elle en décapita un ; son compagnon, celui qui était couvert du sang d'Howard Bassem, fit demi-tour et détala.

— Je n'ai jamais beaucoup aimé Howard, dit Brianna en lui tranchant la tête. Mais je t'aime encore moins.

Le quatrième coyote avait disparu. Il avait probablement décidé de se cacher. Dans la pénombre, il était difficile de distinguer les formes. Tout était d'un brun sale, y compris l'air ambiant.

Brianna se résolut à attendre patiemment.

Mais pour peu que le coyote se montre plus patient qu'elle, il sortirait de son trou à la faveur de l'obscurité totale. De toute manière, elle avait une autre affaire plus importante à régler. Les coyotes n'étaient que de simples figurants. Son principal objectif, c'était Drake.

Brianna rebroussa chemin à la vitesse raisonnable d'un cheval au galop, tenaillée par la culpabilité à l'idée de ce que Sam dirait s'il la voyait revenir avec rien de plus que trois coyotes sur son tableau de chasse.

Elle devait retrouver Drake pour mettre fin aux doléances de Sam.

Où étaient passés les coyotes ? Drake s'attendait qu'ils le rejoignent dès qu'il aurait atteint la colline. Ils étaient censés l'attendre là.

Or, il ne les voyait pas venir. C'était mauvais signe. Ils l'avaient sans doute abandonné. Ce qui signifiait qu'ils avaient aussi abandonné son maître. Les rats quittaient le navire.

Drake fut assailli par une bouffée d'angoisse. Ces imbéciles de coyotes avaient peut-être raison de désobéir aux ordres. Et si le pouvoir du gaïaphage déclinait ? Et si le maître de Drake était faible, en fin de compte ?

Mais s'il réussissait, le gaïaphage lui en serait éternellement reconnaissant. Il devait agir vite. Une fois la nuit tombée il serait en sécurité, mais d'ici là…

Drake avait deux craintes. La première, que Brittney émerge juste au moment où il faudrait se battre. La seconde, Brianna. Le problème avec elle, c'est qu'elle pouvait surgir à tout instant.

Heureusement, à la tombée de la nuit, elle deviendrait parfaitement inoffensive. Même cette lumière brunâtre était dangereuse pour elle, mais il ne se sentirait pas tranquille tant que les ténèbres complètes ne seraient pas là.

Ensuite, il lui faudrait retrouver son chemin jusqu'au gaïaphage. Les coyotes pouvaient se repérer grâce aux odeurs et à leur sens inné de l'orientation, mais pas lui.

— Laisse-nous partir, Drake, dit Diana. On te ralentit.

— Alors avancez plus vite !

À ces mots, il fit claquer son fouet qui déchira le tee-shirt de Diana et laissa une marque rouge sur son dos. Ah, que c'était bon de l'entendre crier de douleur ! Dommage qu'il n'ait pas le loisir d'en profiter. Il devait rester prudent : auparavant, il avait déjà commis l'erreur de se laisser distraire par son plaisir. Cette fois, il devrait s'acquitter de sa mission jusqu'au bout et livrer Diana à son maître.

— Avance ou le môme va goûter de mon fouet.

Un bruit lui fit tourner la tête, et il s'attendit presque à voir une machette s'abattre sur lui à une vitesse prodigieuse. Il aurait dû s'occuper de Brianna au pensionnat, quand elle n'était encore personne. À cette époque-là, c'est tout juste s'il la remarquait, alors qu'à présent elle était son cauchemar incarné. Il aurait dû la liquider, cette sale gamine. Le souvenir de ses railleries le hantait encore. Il la haïssait autant que Diana et que ce glaçon d'Astrid.

S'il aimait se rappeler combien il avait humilié Sam, même maintenant, le souvenir de son triomphe sur Astrid réchauffait tout son être. Il pouvait haïr un garçon, vouloir l'anéantir, se repaître de sa souffrance, mais il ne lui inspirerait jamais autant d'aversion qu'une fille. Son ressentiment pour Sam était une brise fraîche en comparaison de la haine brûlante qu'il vouait à Diana, à Astrid et à Brianna.

Il enroula son fouet autour de la cheville de Diana, qui trébucha et tomba à plat ventre par terre. Il eut un moment de frayeur. Il avait peut-être blessé le bébé. Il n'osait songer aux conséquences que cela pourrait entraîner.

Justin se tourna vers lui et, serrant ses petits poings, il cria :

— Laisse-la tranquille !

Drake sourit d'un air narquois. Brave gamin. Quand Brianna pointerait son nez, il se servirait de lui comme d'un bouclier. Voyons si elle aurait le cran de s'en prendre à un petit garçon pour l'atteindre ! Où était-elle, d'ailleurs ?

Diana se releva et le défia du regard.

— Pourquoi tu ne me tues pas tout de suite pour qu'on

en finisse, Drake? C'est le seul moyen que tu as trouvé pour prendre ton pied, espèce de...
— Avance! rugit-il.
Diana tressaillit mais ne se remit pas en marche.
— On a peur, Drake? C'est Sam qui te fait flipper? (Elle le jaugea du regard, la tête inclinée sur le côté.) Oh non, c'est Brianna, pas vrai? Évidemment, quand on déteste les femmes comme toi! Au fait, c'est quoi ton problème avec les filles? Tu as découvert que ta mère était une prostituée?

L'explosion de fureur que cette question déclencha surprit même Drake. Avec un hurlement de rage, il se jeta sur Diana et la frappa à coups de poing. Elle s'effondra par terre; se dressant au-dessus d'elle, il fit claquer son fouet.
— Justin, cours! cria Diana.
Le petit garçon se mit à courir aussi vite que ses petites jambes le lui permettaient. Drake essaya de le rattraper avec son tentacule et manqua sa cible de quelques centimètres. Il poussa un rugissement de bête et un voile rouge obscurcit sa vision.
— Hé! fit une voix au-dessus de lui.
Il lui fallut un moment pour en identifier l'origine. Jack le Crack sauta d'une quinzaine de mètres pour le rejoindre. Drake ne l'avait encore jamais vu accomplir un tel prodige. La brume rouge s'était dissipée et, du coin de l'œil, il vit Diana s'éloigner en rampant.
— Hé! fit de nouveau Jack.
Il avait atterri à une centaine de mètres de là. Justin courut dans sa direction. Le problème, c'est que Jack était plus rapide que Drake, surtout que celui-ci devait traîner

Diana dans le désert tel un animal récalcitrant alors que la lumière déclinait à toute vitesse.

Drake marcha droit sur Jack.

— Salut, Jack, ça fait des lustres ! Qu'est-ce que tu fais ici ?

— Rien, répondit Jack, sur la défensive.

— Rien ? Tu te balades, c'est ça ? ironisa Drake sans cesser d'avancer.

— Relâche Diana et Justin, dit Jack d'une voix tremblante.

À cet instant, Justin se précipita vers lui et s'agrippa à ses jambes, l'air terrifié. C'est le moment que choisit Drake pour piquer un sprint.

Au moment où Jack repoussait Justin, le fouet de Drake s'abattit sur son épaule et lui arracha un cri de douleur. Sans la moindre hésitation, Drake enroula son tentacule autour de son cou et se mit à serrer. À son propre étonnement, Jack eut le réflexe de bander ses muscles et résista de toutes ses forces à l'assaut de Drake, qui avait l'impression d'étrangler un tronc d'arbre.

Jack tenta d'agripper son fouet. Drake l'esquiva de justesse. Reculant d'un pas, il trébucha et rétablit son équilibre *in extremis*. Si Jack l'avait attaqué à cet instant précis, il aurait peut-être réussi à prendre le dessus. Mais Jack n'était pas un combattant. S'apercevant de son hésitation, Drake sourit.

Il repartit immédiatement à l'attaque et, faisant tournoyer son fouet au-dessus de sa tête, il l'abattit encore et encore tandis que Jack s'efforçait vainement de battre en retraite. Soudain, le tentacule lui lacéra le cou en faisant jaillir un flot de sang. Jack porta la main à sa blessure et considéra d'un air incrédule sa paume maculée de rouge. Il tomba à genoux dans la poussière, sous le regard effaré de Justin qui gémissait doucement.

Drake enroula son tentacule autour du petit garçon et l'envoya valser dans la direction de Diana. Puis, laissant Jack se vider de son sang dans la poussière, il dit :

— Bon, on s'est bien amusés, mais maintenant, vous avez intérêt à vous bouger si vous ne voulez pas que je perde ma bonne humeur.

Orc et Dekka avaient un point commun, ils ne couraient pas très vite. Jack était parti en éclaireur ce qui, aux yeux de Dekka, était un acte étonnamment courageux, voire inconscient, pour ne pas dire stupide. Mais courageux tout de même. Elle ne voulait pas avoir de raisons d'apprécier Jack, mais elle mettait le courage au-dessus de toutes les autres qualités, et il fallait bien admettre qu'il en avait fait preuve.

Orc et Dekka le trouvèrent étendu dans une flaque de sang.

— Son pouls bat encore, dit Dekka.

— Hmm, fit Orc. Drake.

— Oui. (Elle appliqua la paume de sa main sur la blessure de Jack.) Arrache-lui son tee-shirt.

Orc s'exécuta avec autant de facilité que s'il déchirait une feuille de papier toilette et tendit le tee-shirt à Dekka qui l'appuya contre la blessure. Le sang coulait sans interruption.

— Allez, Jack, tu ne vas pas me claquer dans les bras, murmura-t-elle. (Se tournant vers Orc, elle ajouta :) Il a dû toucher une artère. Je n'arrive pas à arrêter le sang. Tu es plus costaud, remplace-moi !

Orc pressa le tee-shirt ensanglanté contre la gorge de Jack. Le sang cessa de couler, mais, du fait de la pression de sa main, la respiration de Jack devint plus rauque et plus laborieuse.

Dekka jeta un regard affolé autour d'elle, comme si elle s'attendait à trouver une trousse de premiers secours dans les parages.

— Il nous faut du fil et une aiguille. (Elle poussa un juron.) On va devoir le ramener au lac. Au moins, là-bas, quelqu'un pourra le recoudre. Il faut faire vite.

— Et Drake ? demanda Orc.

— Orc, tu vas être obligé de le porter. Tu le ramènes là-bas, et puis tu reviens.

— Il va bientôt faire complètement noir.

— On ne peut pas le laisser mourir, Orc.

Orc regarda dans la direction où Drake était parti. L'espace d'une seconde, Dekka crut qu'il allait s'élancer derrière lui. À sa grande honte, elle n'était pas loin de souhaiter que Jack meure à l'instant même puisque de toute manière il ne survivrait probablement pas, et que Drake allait leur échapper une fois de plus.

— Je l'emmène, décréta Orc. Toi, tu t'occupes de Drake. Mais ne te bats pas contre lui avant que je sois revenu.

— Crois-moi, je ne vais pas me faire prier pour attendre les renforts, dit-elle, prenant soudain conscience qu'elle n'avait aucune chance de vaincre Drake toute seule.

Elle se remit en marche en suivant les empreintes sur le sol, encore visibles malgré la lumière déclinante.

Sanjit était maintenant accompagné d'une foule toujours plus nombreuse d'enfants terrifiés qui titubaient dans la pénombre. Il enrageait d'avoir pris autant de retard. Rien ne se passait comme prévu. Il aurait déjà dû atteindre le lac. Et les ténèbres s'épaississaient rapidement.

Une deuxième meute de coyotes frappa sans prévenir après que la troupe bruyante et désorganisée eut quitté l'autoroute pour emprunter la piste caillouteuse qui menait au lac. Des collines s'étendaient à la gauche de Sanjit, et au loin à l'ouest il distinguait la ligne sombre d'une forêt qui indiquait probablement la limite du parc national de Stefano Rey.

Ni Sanjit ni ses camarades – les deux filles de douze ans, Keira et Tabitha, ainsi que le petit Mason – ne furent les cibles immédiates des coyotes. Ils étaient au nombre de cinq, et semblaient venir du lac. Ils déferlèrent sur la route, dépassèrent un groupe de préados et convergèrent brusquement vers une petite fille de deux ans.

Sanjit fut alerté par les hurlements des enfants. Il se mit à courir dans la direction du bruit et dégaina le pistolet que lui avait confié Lana, bien qu'il n'y voie pas suffisamment pour faire mouche. Quelques enfants paniqués couraient vers lui. D'autres s'étaient éparpillés sur le bas-côté de la route en poussant des cris affolés.

Le coyote en tête de la meute mordit le bras de la petite fille, puis la traîna vers les collines. Mais très vite il lâcha prise et, après s'être relevée d'un bond, sa proie se remit à courir. Avec des mouvements presque désinvoltes, les autres coyotes formèrent un demi-cercle autour d'elle.

— Écartez-vous ! cria Sanjit. Écartez-vous !

Les cris avaient redoublé. Des nuages de poussière

dansaient dans l'air. Dans la pénombre brunâtre, Sanjit discernait les ombres des coyotes et celles des enfants qui fuyaient.

Une deuxième créature rattrapa l'enfant par le bas de sa robe et la traîna sur le sol. Sanjit tira un coup de feu en l'air ; les coyotes tressaillirent. Deux d'entre eux s'éloignèrent à une distance respectable, mais le coyote qui tenait l'enfant à sa merci ne bougea pas.

Sanjit se trouvait maintenant assez près pour voir le sang de la petite fille, les crocs jaunis de son assaillant et ses yeux brillants d'intelligence. Il visa la bête et tira. PAN ! Le coyote lâcha la petite et s'éloigna de quelques mètres.

Sanjit et la sœur aînée de la gamine se précipitèrent. L'enfant, bien que couverte de sang, n'était pas gravement blessée. Elle hurlait, comme tout le monde autour d'elle, d'ailleurs. Quelques enfants tremblants de frayeur brandissaient un peu tard un canif ou un bâton.

Les coyotes trépignaient d'impatience, à portée de tir, mais Sanjit savait qu'il n'avait aucune chance d'en abattre un seul.

— Avancez ! cria-t-il. Si on est encore dehors à la nuit tombée, on est morts.

Les enfants, au nombre de deux douzaines environ, se remirent en marche en se serrant les uns contre les autres, tandis que les coyotes affamés les fixaient des yeux, la langue pendante, dans l'attente de chair fraîche.

Brianna avait suivi la route jusqu'aux collines. En voyant des enfants arriver de Perdido Beach, elle comprit que Drake n'était pas passé par là. Ce qui signifiait probablement qu'il s'était réfugié du côté de la base aérienne. Elle courut jusque là-bas mais n'y trouva personne.

Si Drake était resté dans les environs du lac, elle l'aurait forcément vu. Il n'avait pas pu prendre la route. S'il ne se trouvait pas non plus du côté de la base, où pouvait-il bien être ?

Malgré sa fatigue et sa frustration, Brianna craignait de s'attirer les foudres de Sam. Elle s'aventura donc jusqu'au pensionnat Coates de peur de rentrer les mains vides. Elle était la Brise, l'anti-Drake – de son point de vue du moins. Et s'il rôdait dans les parages, c'était à elle de lui mettre la main dessus.

Mais, au lieu de Drake, elle n'avait trouvé qu'une bande de gosses qui fuyaient Perdido Beach en divaguant sur la fin du monde, au pensionnat, des lapins qui proliféraient et, sur la route entre le lac et la base aérienne, un pot de Nutella qu'elle s'était empressée de vider.

Dans le ciel, la partie sombre formait une nouvelle ligne d'horizon dentelée. Et s'il faisait totalement noir jusqu'à la fin des temps, que deviendrait-elle ? Elle errerait indéfiniment comme tout le monde. Elle deviendrait une fille comme les autres.

Sam n'aurait plus besoin d'elle. Elle ne serait plus sa sauveuse. Brianna, la personne la plus dangereuse de la Zone après Sam et Caine.

Prendre de l'altitude, voilà ce qu'il fallait faire ! Trouver un bon point de vue tant que c'était encore possible.

En filant vers les collines de San Katrina, elle passa en trombe près d'une série d'empreintes de pas, les repéra tardivement et dut rebrousser chemin pour les retrouver. Après un bref examen, elle identifia les traces d'une paire de bottes et d'une paire de baskets qui se dirigeaient vers Perdido Beach. Elles n'étaient pas assez grandes pour être celles de Drake et, de plus, il ne pouvait pas se rendre dans cette direction.

Brianna jeta un regard inquiet vers le ciel. Elle ne pouvait pas s'attarder dans le coin, mais elle ne pouvait pas non plus retourner auprès de Sam les mains vides. Elle avait déjà désobéi aux ordres par le passé, mais subir un tel échec, n'avoir que quelques coyotes sur son tableau de chasse... Et ses pouvoirs qui seraient bientôt inutiles... Elle n'était rien si elle n'était pas la Brise.

Elle gravit la colline la plus proche, dont le sommet pelé se trouvait à un peu plus de cinq cents mètres d'altitude. De là, elle vit le lac qui miroitait bizarrement dans la pénombre et, dans la direction opposée, l'océan. Quant à la route, elle n'était pas visible de cet endroit.

C'est alors qu'elle aperçut une silhouette qui marchait en direction du nord. Il était difficile d'en jurer en raison de la lumière ténue et de l'étroitesse du passage entre deux collines, mais il lui sembla qu'elle était seule.

Brianna pria pour qu'il s'agisse de Drake. Elle avait un plan pour se débarrasser de lui. Un plan qui ferait la fierté de Sam. Elle avait l'intention de découper Drake en petits morceaux et, rapide comme l'éclair, de les éparpiller dans toute la Zone. « Ha ! voyons s'il peut se reconstituer après un coup pareil », songea-t-elle.

27

10 HEURES
54 MINUTES

LES JAMBES DE DIANA la faisaient souffrir et elle avait les pieds en sang. Chaque fois qu'elle trébuchait ou qu'elle ralentissait le pas, Drake faisait claquer son fouet. À ce train-là, elle serait morte avant d'avoir été conduite devant le gaïaphage.

Diana savait que c'était là l'objectif de Drake. Il n'avait pas pu s'empêcher de s'en vanter. Elle avait eu maintes fois l'occasion de se moquer de lui, mais chaque raillerie lui valait un nouveau coup de fouet. Ou pire, il s'en prenait à Justin. Elle s'était donc résignée à marcher en silence.

— Je ne sais pas ce qu'il te veut, dit Drake pour la énième fois, mais je me contenterai des restes. Essaie un peu de faire la maligne en présence du gaïaphage pour voir !

Il regardait constamment derrière lui. Diana mettait ce geste sur le compte de la frayeur que lui inspirait Brianna.

— Qu'elle vienne, reprit-il. On verra bien si elle peut me découper en rondelles sans blesser le môme.

La peur de Drake était presque palpable. Et ce n'était pas seulement Brianna qu'il redoutait ; le ciel qui s'assombrissait semblait aussi l'effrayer. « Il faut qu'on soit là-bas avant que la nuit tombe », l'avait-elle entendu marmonner à plusieurs reprises. Dans le noir complet, Drake serait aussi perdu que n'importe qui d'autre. Et alors, comment pourrait-il garder un œil sur ses prisonniers ?

C'était un maigre réconfort pour Diana. Oui, ils pourraient enfin échapper à Drake, mais ensuite ? Elle porta la main à son ventre. Le bébé donnait des coups de pied. Un bébé à trois barres. C'était lui, bien sûr, qui intéressait le gaïaphage. Diana n'avait aucun doute là-dessus. Il voulait son bébé.

Quand elle parvenait à oublier pendant quelques secondes la douleur et la peur qui la tenaillait, Diana essayait de comprendre. Pourquoi la créature voulait-elle son bébé ?

Elle trébucha et tomba lourdement sur les genoux, poussa un cri de douleur puis un autre en sentant le fouet de Drake s'abattre sur son dos. Prise d'un accès de rage incontrôlable, elle se jeta sur lui pour le frapper, mais, plus rapide qu'elle, il lui donna un coup de poing qui lui fit voir trente-six chandelles. « Comme dans un dessin animé », songea-t-elle avant de tomber à la renverse.

En revenant à elle, elle vit Justin agenouillé dans la poussière, qui se serrait contre elle en sanglotant. Brittney était assise à quelques pas d'eux.

Au-dessus de leurs têtes, le cercle de ciel bleu, à présent de la couleur d'un jean neuf, s'était visiblement réduit.

— T'es enceinte, pas vrai ? demanda timidement Brittney.

Il fallut quelques instants à Diana pour retrouver des idées claires. Drake avait disparu. Et il ne pourrait pas revenir tant que Brittney serait là.

Diana se releva péniblement.

— Viens, Justin, on s'en va.

— J'ai trouvé des cailloux, dit Brittney en montrant les pierres qu'elle tenait dans chaque main. Je peux vous frapper avec.

Diana lui rit au nez.

— C'est ça, espèce de zombie. Tu n'es pas la seule à savoir te servir d'un caillou.

— C'est vrai, concéda Brittney. Mais moi, je ne sentirai pas tes coups. Et tu ne peux pas me tuer. (Après un silence, elle ajouta :) D'ailleurs, je ne suis pas un zombie. Je ne mange pas les gens.

— Pourquoi tu fais ça, Brittney ? Tu te souviens, à la centrale, quand tu te battais contre nous ? Tu étais du côté de Sam. Ça t'est sorti de la tête ?

— Non, je m'en souviens.

Le cerveau de Diana bouillonnait. Si elle ordonnait à Justin de fuir en direction du lac, il n'irait pas bien loin avant que les ténèbres ne se referment sur lui. Qu'est-ce qui était pire ? Qu'il erre seul dans le noir jusqu'à ce qu'il tombe dans un précipice ? Jusqu'à ce qu'un coyote flaire sa présence ? Jusqu'à ce qu'il s'égare dans un champ infesté de vers ?

— Alors qu'est-ce qui t'est arrivé ? demanda Diana. Pourquoi tu aides Drake ? Tu devrais le combattre dès que tu en as l'occasion.

Brittney sourit et Diana distingua les fils cassés de son appareil dentaire.

— Je ne peux pas me battre contre Drake. On n'est jamais ensemble au même endroit.

— C'est vrai. Mais quand il est parti, tu peux...

— Je ne fais pas ça pour Drake, protesta Brittney avec véhémence. Je fais ça pour mon seigneur.

— Ton... ton quoi ? Tu crois que c'est la volonté de Dieu, ça ? T'es devenue idiote par-dessus le marché ?

— Nous devons tous le servir, récita Brittney comme s'il s'agissait d'une leçon apprise depuis longtemps.

— Et tu crois que menacer une fille enceinte avec une pierre, c'est la volonté de Dieu ? C'est ça ta théorie religieuse ? Dieu est d'accord pour que tu aides un tueur sadique à me livrer à un monstre tapi au fond d'une grotte ? J'ai dû rater un passage de la Bible. C'est dans le Sermon sur la montagne ?

Brittney attendit, l'air grave, que Diana ait fini de déverser sa bile.

— Ça, c'était l'ancien dieu, Diana. Ce dieu-là ne vit pas dans la Zone.

Diana éprouva soudain l'envie d'étrangler Brittney. Si elle avait été certaine que ça serve à quelque chose, elle l'aurait fait avec joie. Elle se demanda si elle était capable de l'étourdir assez longtemps pour s'échapper. Un gros caillou pourrait l'assommer, non ?

Malheureusement, tout le monde savait ce qui s'était passé quand Brianna s'était mesurée à Drake. Elle l'avait découpé en tranches comme un rosbif, et pourtant il avait survécu. C'était aussi valable pour Brittney et, en outre, Diana n'avait pas de machette sur elle.

— Dieu est partout, dit-elle. Toi qui étais si pieuse, tu dois savoir ça.

Brittney se pencha vers elle, le regard fiévreux.

— Non. Je ne suis plus obligée de suivre un dieu invisible. Celui-là, je peux le voir ! Je peux le toucher ! Je sais où il habite, et à quoi il ressemble. Les histoires à dormir debout, c'est fini. Il te veut, toi. C'est pour ça qu'on est venus te chercher. (Puis, sur le ton de la réprimande, elle ajouta :) Tu devrais être contente.

— Tu sais quoi ? J'ai hâte que Drake revienne. Il est sadique, mais au moins il n'est pas idiot.

À ces mots, Diana se leva.

— Justin ?

— Oui ?

— Tu vois ces collines ? Le lac est juste derrière. Cours.

— Et toi, tu viens ? demanda Justin d'une voix suppliante.

— J'arrive tout de suite. Allez, cours !

Au lieu de s'en prendre à Diana, qui se dirigeait vers elle, Brittney courut derrière Justin. Elle le rattrapa facilement. Diana voulut s'interposer, mais son ventre la gênait pour courir dans le sable.

D'un bras, Brittney maintint Justin contre elle et approcha la pierre qu'elle tenait à la main de sa petite bouche tremblante d'un geste presque maternel. Diana songea de nouveau à qui avait été Brittney : une fille honnête et courageuse qui avait refusé de décevoir Sam et Edilio.

C'était Diana, Caine et Drake qui avaient tué cette Brittney-là. Eux et l'Ombre, bien sûr. Quel petit groupe malfaisant ils formaient ! Combien de catastrophes avaient-ils déclenchées ?

Et voilà qu'ils étaient sur le point d'être réunis. Diana,

Drake et le gaïaphage. Quant au rôle de Caine, il serait tenu par sa propre descendance.

Diana avait pourtant désespérément essayé d'échapper à tout ça. Pendant un bref moment, elle s'était crue capable de changer Caine, et c'est alors qu'ils avaient fait cet enfant qui bougeait dans son ventre.

— Remets-toi en route, dit Brittney en caressant le visage de Justin avec sa pierre. S'il te plaît.

La silhouette que Brianna avait vue au loin n'était pas Drake. C'était Dekka. Et Brianna l'avait déjà rejointe, la machette à la main, quand elle s'en aperçut. Elle s'arrêta brusquement.

Dekka avait le visage et les bras maculés de sang.

— Où t'étais passée? demanda-t-elle en guise de salut.

Brianna rengaina sa machette et jugea plus sage de ne pas répondre.

— C'est quoi, ce sang?

— C'est celui de ton petit copain.

— Mon quoi?

— Jack. Il est parti à la poursuite de Drake tout seul. Drake l'a blessé à la gorge.

Brianna considéra Dekka d'un air médusé.

— T'es dingue? Jack s'est frotté à Drake? Ce n'est pas son genre, ça.

— En l'occurrence, il n'avait pas le choix.

Dekka évitait le regard de Brianna, et celle-ci faisait de même. C'était la fin du monde. Jack était blessé, mourant peut-être, voire déjà mort, et pourtant elles étaient toujours aussi empruntées l'une avec l'autre.

— Drake a enlevé Diana et Justin. Il se dirige vers la mine et le gaïaphage, reprit Dekka.

Brianna secoua la tête, l'air perdu.

— Qui est Justin ?

— Où t'étais pendant tout ce temps ? Tu devais rester à portée de voix. Sam a tiré des coups de feu en l'air et tu n'es pas venue.

— J'étais partie à la recherche de Drake, protesta Brianna, sur la défensive.

Dekka lui jeta un regard furieux.

— Tu n'es pas amoureuse de Jack. Tu t'en fiches, pas vrai ? Tu ne m'as même pas demandé comment il allait.

Brianna recula d'un pas.

— Pourquoi tu me détestes comme ça ?

Dekka en resta bouche bée.

— Comment tu peux être aussi larguée ? Tu ne vois pas que tu es complètement irresponsable ? En ce moment même, Orc est en route pour le lac avec Jack qui se vide de son sang. Et Drake est dans le désert, en train de faire sa fête à Diana.

— Ce n'est pas ma faute ! J'étais justement partie le chercher.

Soudain, le poing de Dekka jaillit. Brianna l'évita sans mal et, trop surprise pour lui rendre son coup, dévisagea Dekka avec des yeux ronds. Mais celle-ci n'en avait pas terminé. Elle donna un coup de pied à Brianna, qui perdit l'équilibre et tomba lourdement par terre. Tout à coup, Brianna se retrouva prisonnière d'une colonne de sable. Elle voulut fuir mais elle ne sentait plus le sol sous ses pieds. Dekka venait de suspendre la gravité.

Excédée, Brianna dégaina son fusil à canon scié et le pointa sur elle.

— Repose-moi ou je te descends !

— Tu en serais capable, hein ?

Dekka balaya le vide d'un geste furieux et Brianna regagna la terre ferme.

— Ça t'arrive de t'intéresser à autre chose qu'à toi-même ? s'écria Dekka.

Brianna s'aperçut avec étonnement que Dekka avait les larmes aux yeux. Elle s'essuya du revers de la main en laissant une traînée de sang sur sa joue.

— Bon, je suis désolée ! s'exclama Brianna avec colère. Qu'est-ce que tu veux que je te dise ? J'espère que Jack s'en sortira. Et je tuerai Drake si j'en ai l'occasion. Qu'est-ce que tu veux de moi ?

Un enchevêtrement d'émotions incompréhensibles pour Brianna se lisait sur le visage de Dekka. La seule chose qui était sûre, c'est qu'elle était furieuse.

— Ça fait quatre mois et tu ne m'as toujours rien dit, s'offusqua-t-elle.

— C'est faux, je t'ai parlé ! protesta Brianna.

Mais elle détourna les yeux en disant ces mots, l'air soudain gêné. Elle pouvait encaisser les coups de colère, mais les démonstrations de sentiments c'était une autre paire de manches.

— Je...

Dekka s'interrompit, la gorge nouée par l'émotion. Il lui fallut quelques instants pour retrouver sa voix.

— Je croyais que j'étais fichue, poursuivit-elle en détournant les yeux. Pourtant, je ne suis pas du genre à m'effrayer facilement. Mais la douleur... (Elle s'interrompit de nouveau, puis secoua la tête avec colère.) J'étais mourante. J'aurais dû y passer. Et je ne voulais pas mourir sans m'être confiée à toi.

— Laisse tomber, dit Brianna, qui n'était pas loin de prendre la fuite à deux cents kilomètres/heure.

— Je t'ai dit que je t'aimais.

— Hmm hmm.

— Et tu n'as rien répondu. Rien. Pendant quatre mois.

Brianna haussa les épaules.

— Bon, écoute, commença-t-elle. En dehors de moi, tu es la fille la plus courageuse, la plus coriace de la Zone. J'ai toujours pensé qu'on était un peu comme des sœurs, tu vois ? Des sœurs d'armes !

L'étincelle de rage qui brillait dans les yeux de Dekka s'éteignit. Pendant un long moment, elle resta immobile, le regard perdu dans le vide.

— Des sœurs ? répéta-t-elle en soupirant.

— Ouais, mais des vraies dures à cuire, hein !

— Alors... tu ne...

Brianna ne connaissait pas cette Dekka-là. Elle lui faisait penser à une grande poupée de chiffon dont on aurait ôté le rembourrage. L'obscurité gagnait du terrain de plus en plus vite. Les ombres s'épaississaient.

Dekka redressa les épaules. Elle semblait en proie à un conflit intérieur.

— Tu n'es pas lesbienne, dit-elle enfin. Tu n'aimes pas les filles.

Brianna fronça les sourcils.

— Non, je ne crois pas.

— Alors tu aimes les garçons? demanda Dekka d'un ton crispé.

Brianna haussa les épaules, l'air gêné.

— Je n'en sais rien! Avec Jack, on s'est bécoté deux ou trois fois. Mais c'était parce que je m'ennuyais.

— Tu t'ennuyais?

— Oui. Et ça n'a pas changé grand-chose.

— Tu n'es pas amoureuse de Jack?

Brianna éclata de rire, surprise.

— Jack le Crack? Je l'aime bien. Il est gentil. Quand je lis un livre que je ne comprends pas, il est toujours d'accord pour m'expliquer des trucs. Il est très intelligent. Mais ce n'est pas…

Elle s'interrompit. À son grand étonnement, Dekka laissa échapper un ricanement incrédule.

— C'est tout toi, ça, hein?

Brianna plissa les yeux. Qu'entendait-elle par là?

— Et moi, pendant tout ce temps… (Dekka ne prit pas la peine de finir sa phrase.) Pourquoi tu ne me l'as pas dit?

— Quoi?

Dekka serra les poings.

— Je vais finir par t'étrangler si tu continues à jouer les idiotes!

— J'aime les garçons, ça te va? Enfin, je crois. Je n'ai que treize ans, bon sang! Je sais que c'est la Zone, mais je ne suis qu'une gamine!

Brianna rougit. Qu'est-ce qui lui avait pris de dire ça? Elle n'était pas une gamine. Elle était la Brise, la personne la plus dangereuse… OK, après Sam et Caine. Mais elle n'était pas une gamine.

Malgré tous ses pouvoirs, elle ne pouvait pas retirer ce qu'elle avait dit. Jack était peut-être mort. L'obscurité allait tout recouvrir. Peut-être que, finalement, c'était une bonne chose de parler.

— C'est vrai, dit Dekka doucement. J'avais oublié. J'avais oublié, répéta-t-elle tristement.

— Tu sais, j'aurais pu avoir le béguin pour Sam, comme toutes les filles... Enfin, à part toi, j'imagine... Mais... tu sais... (Elle baissa la voix.) Moi, ce qui me plaît avant tout, c'est d'être la Brise avec un B majuscule.

— J'avais oublié, Brianna, murmura Dekka, que toute colère avait quittée. Je te vois agir avec tellement de courage... Je sais à quel point Sam compte sur toi. Sam, et tous les autres, d'ailleurs. Bref, quand je te regarde, je me dis que tu es tout ce que je recherche chez une fille. Et j'oublie que tu n'es qu'une gamine.

— Je ne suis pas si jeune, protesta Brianna, qui commençait à regretter ses paroles.

Dekka soupira.

— Dans un an ou deux, peut-être..., reprit Brianna qui sentait que la conversation prenait un tour dangereux.

Dekka rit.

— Non, Brianna. Le béguin pour Sam? Le flirt avec Jack? Non. Je ne voyais que ce que j'avais envie de voir. Mais je ne te voyais pas toi.

— Mais toi et moi, on n'est pas fâchées?

Dekka s'était mise à pleurer, mais elle sécha ses larmes avec un éclat de rire.

— Brise, comment tu veux qu'on se fâche? On est des sœurs d'armes, non?

— Qu'est-ce qu'on fait, maintenant? Je ne peux pas courir très vite dans le noir.

— Peut-être, mais il faut qu'on rattrape Drake. Il détient Diana, et on ne peut pas la laisser entre ses griffes. Il déteste les filles, tu sais.

— Oui, j'avais remarqué.

Brianna eut un regain d'énergie; la fatigue et la frustration s'étaient dissipées. Quant à l'obscurité qui progressait, eh bien, elle ne l'empêcherait pas de se servir très vite de sa machette.

— Ce type déteste les filles, hein? On va lui donner une bonne raison de les haïr.

Astrid marchait en tenant la main de Cigare. Parfois, pris de panique, il se persuadait qu'elle allait le dévorer. À l'évidence, il avait perdu la tête temporairement sinon de façon définitive.

Mais il pouvait voir des choses invisibles. Il avait vu son petit frère. Elle avait deviné depuis le début, en voyant le coyote à visage humain. C'était l'œuvre d'une personne ou d'une créature qui détenait des pouvoirs phénoménaux mais qui ne savait pas comment s'en servir.

Le petit Pete était un dieu invisible et tout-puissant qui s'amusait en toute innocence avec les créatures sans défense de la Zone.

Peut-être que la tache était aussi sa création. Peut-être que c'était à cause de lui qu'ils n'avaient plus de lumière. Ils finiraient bien par le découvrir, non? Tôt ou tard le jeu devrait prendre fin.

Elle cheminait en direction de Perdido Beach tout en sachant que ses efforts étaient vains.

Ils n'étaient que des êtres humains, après tout. Avec, en guise de dieu pour les gouverner tous, un enfant irresponsable et insensible à leur sort.

28

— JE NE PEUX rien faire de plus, dit Roger.

Le bas de son visage et le devant de son tee-shirt étaient couverts de sang. Il y en avait aussi partout sur le pont.

Sam baissa les yeux vers Jack, emmitouflé dans une couverture. Ils ne pouvaient pas le déplacer. À vrai dire, ils ne pouvaient pas grand-chose pour lui tant qu'ils n'auraient pas trouvé un moyen de faire venir Lana.

Roger avait commencé avec du fil vert. Dans un premier temps, c'était tout ce qu'on avait pu trouver. Avec ce fil, il avait ligaturé l'artère – ou la veine, allez savoir – qu'avait ouverte Drake dans la gorge de Jack.

Ensuite, il avait recousu la plaie avec du fil blanc qui était à présent rougi de sang.

Ils avaient puisé dans leur précieuse réserve de crème antiseptique puis pansé la blessure avec des bandes découpées dans un vieux drapeau. Le tissu rouge, blanc et bleu qui enveloppait le cou de Jack était désormais maculé de sang, lui aussi.

Si Roger faisait office d'infirmier, c'est surtout parce qu'il avait bon cœur et qu'il avait accepté de recoudre Jack.

— Merci, Roger, dit Sam. Heureusement que tu t'es porté volontaire, mon pote.

— Il est blanc comme un linge, murmura Roger.

Sam n'avait rien à répondre à ça. La seule personne capable de sauver Jack, c'était Lana, mais elle était loin et bientôt ils n'auraient plus aucun moyen d'entrer en contact avec elle.

Où était passée cette petite écervelée de Taylor ? Pile au moment où ils avaient besoin d'elle.

Sam avait cessé de pester contre Brianna, car il était tout simplement trop furieux contre elle. Si elle était partie à la recherche de Drake, il la tuerait. Il commencerait par la serrer dans ses bras, puis il la tuerait.

Pauvre Jack ! Il n'avait peut-être pas toujours été le garçon le plus combatif du monde, mais il n'y avait pas une once de méchanceté chez lui. Et Brise qui manquait à l'appel. Diana, enlevée. Howard, mort. Orc, disparu dans la nature.

Et Astrid.

Il voyait son monde se désintégrer autour de lui.

— On a Astrid, Dekka, Diana – et Brianna, j'espère – dans le désert avec Drake, dit-il. Orc est retourné là-bas. Et d'ici une heure, tout ce petit monde sera dans le noir complet.

— Tu oublies Justin, ajouta Roger.

— Et Justin.

Edilio se passa la main sur le visage, un signe de nervosité chez ce garçon d'ordinaire impassible.

Sam se souvint de la première fois où il était tombé sur Edilio après l'apparition de la Zone. C'était à l'hôtel Clifftop. Edilio essayait de creuser sous la paroi. Déjà pragmatique, à l'époque.

— Ici, les gens ont de la lumière, reprit Sam. Ce n'est pas grand-chose, mais c'est déjà ça. Au moins, ils y voient. Mais ceux qui sont dans le désert, quelle chance ont-ils de s'en sortir ?

— De toute façon, Drake est probablement déjà arrivé à la mine, répondit Edilio.

— Non, fit Roger d'un ton cassant. Non, ne fais pas ça. Ne fais pas une croix sur Justin comme ça.

Sam vit la honte se peindre sur le visage d'Edilio.

— Je suis désolé. Tu sais bien que j'aime beaucoup ce petit gars. Je ne voulais pas dire ça.

Edilio fit mine de prendre Roger dans ses bras puis se ravisa après avoir jeté un regard en coin à Sam. Roger, qui avait eu le même geste, se figea lui aussi, l'air gêné.

Sam baissa les yeux, et pendant quelques secondes interminables personne ne dit mot. Ce fut Sam qui rompit le silence.

— Edilio, il faut que j'aille les chercher.

— Tu n'as pas le droit de risquer ta vie, Sam. Et si tu te faisais tuer ? Tu es le seul à pouvoir nous protéger de l'obscurité.

— De toute manière, on va tous mourir, Edilio, dit Sam en ouvrant les bras dans un geste d'impuissance. On ne survivra pas longtemps dans le noir complet. Ce ne sont pas quelques Soleils qui vont nous sauver !

— Écoute, le plus important, c'est de maintenir le calme.

La tâche leur parut soudain beaucoup plus difficile quand une bande de gamins affolés, au nombre d'une douzaine, dévalèrent la pente dans leur direction.

— Aidez-nous ! Aidez-nous ! criaient-ils.

Les coyotes savaient que leurs proies allaient bientôt se trouver en lieu sûr. C'est à cette conclusion que parvint Sanjit en les voyant se rapprocher.

Les enfants se blottissaient les uns contre les autres tandis que les ténèbres s'épaississaient. Ceux qui étaient partis plus tard avaient couru jusqu'à tomber de fatigue pour rattraper leur retard.

Ceux qui marchaient en tête commençaient à penser qu'il n'était peut-être pas très sage d'ouvrir la marche. Les rangs s'étaient donc resserrés et formaient un groupe d'une trentaine d'enfants, qui avançaient aussi vite qu'ils le pouvaient en pleurant, gémissant, pestant bruyamment.

C'était un vrai fiasco, Sanjit s'en rendait bien compte. Une de ces tentatives vouées à l'échec. Sa petite mission, qui consistait à informer Sam de ce qui se passait à Perdido Beach et à solliciter des soleils pour la ville, était une perte de temps.

Il était trop tard. Et de toute manière, la foule de réfugiés se rendait dans la même direction que lui.

Il ne pouvait pas blâmer Lana de l'avoir envoyé au lac. Il ne lui serait jamais venu à l'esprit de lui en vouloir. Il était fou amoureux d'elle. Mais elle admettrait – si un jour il la revoyait – que son plan n'avait pas marché comme prévu.

Il n'y voyait pas à vingt mètres de chaque côté de la route. La pénombre brunâtre s'était épaissie et avait changé de couleur. Le peu de lumière qu'il restait avait pris une teinte bleu sombre et un aspect opaque, comme si elle était voilée de brouillard.

Vingt mètres, c'était assez pour distinguer la meute de coyotes, leur langue pendante, leurs yeux jaunes, alertes, brillants d'intelligence, leurs oreilles qui se dressaient au moindre bruit.

Dès qu'il ferait noir, ils se jetteraient sur leurs proies. À moins que celles-ci réussissent à atteindre le lac. Sanjit percevait de l'anxiété dans l'expression avide des bêtes et leur façon de faire les cent pas.

— Continuez à avancer en restant groupés, cria-t-il.

Sans trop savoir comment, il avait pris le contrôle de la situation. Peut-être parce qu'il était le seul à être armé d'un pistolet, les autres disposant de l'arsenal habituel. À moins qu'il ne bénéficie de l'aura de Lana, qu'ils révéraient tous, ou de son statut d'aîné.

Sanjit soupira. Choo lui manquait. Ses autres frères et sœurs aussi, mais Choo plus encore. Il était l'éternel pessimiste, en comparaison duquel Sanjit faisait figure d'optimiste forcené.

L'un des coyotes, lassé d'attendre, trotta d'un air décidé vers le groupe d'enfants.

— N'approche pas ! cria Sanjit en le visant de son pistolet.

Au vu de son inexpérience, il n'avait aucune chance d'abattre l'animal à cette distance, dans cette obscurité. Mais le coyote s'arrêta net et le considéra avec plus de curiosité que d'appréhension.

Sanjit sentit que l'animal jaugeait la situation. D'après la logique d'un coyote, la décision la plus intelligente aurait été de tuer autant d'enfants qu'il était possible pour la meute. La viande n'avait pas besoin d'être fraîche. Ils pourraient traîner les corps où bon leur semblait et ils auraient de quoi manger pendant des semaines.

C'est alors que le coyote prit la parole d'une voix hésitante et gutturale.

— Donne-nous les petits, dit-il.

— Je vais tirer ! menaça Sanjit en faisant quelques pas dans sa direction, tenant l'arme à deux mains comme il l'avait vu faire dans des dizaines de séries policières.

— Donnes-en trois, dit le coyote sans trahir la moindre frayeur.

Sanjit répondit par une insulte, mais quelqu'un d'autre cria :

— C'est toujours mieux que de se faire tous bouffer !

— Ne sois pas bête, répliqua Sanjit avec colère. Ils savent qu'on arrive au lac, voilà tout. Ils essaient de nous distraire pour...

La terrible réalité de ses propres mots lui sauta à la figure. Trop tard. Il fit volte-face et cria : « Attention ! » Trois coyotes, profitant du fait que tous les regards étaient fixés sur leur chef, attaquaient les enfants à l'arrière du groupe.

Des cris de souffrance et de terreur s'élevèrent. Des cris qui donnèrent à Sanjit l'impression que c'était sa propre chair qu'on taillait en pièces.

Il courut dans la direction des hurlements, mais c'était le signal qu'attendaient Chef et deux autres coyotes pour attaquer par l'autre côté.

Les enfants couraient en tous sens en se bousculant et en se piétinant. Leurs cris et leurs supplications se mêlaient aux grognements atroces des coyotes qui s'en prenaient aux plus vulnérables.

Sanjit tira. PAN! PAN! PAN!

Si les coyotes entendirent les coups de feu, ils ne montrèrent aucun signe d'inquiétude.

Sanjit vit Mason tomber sous les crocs de deux d'entre eux. Quant aux deux filles plus âgées, elles fuyaient déjà sur la route. Keira se retourna, ralentit, les yeux écarquillés d'horreur, puis se remit à courir de plus belle.

Sanjit se jeta de tout son poids sur un des coyotes. L'animal roula sur le sol et se redressa d'un bond tandis que Sanjit se remettait à peine de sa chute. Un enfant ou un coyote, il n'aurait su dire, le bouscula. Il retomba par terre et, en un éclair, une des créatures se jeta sur lui, tous crocs dehors.

PAN!

L'œil droit du coyote explosa et la bête s'effondra sur lui.

Deux coyotes se disputaient Mason tels des chiens se battant pour un jouet. L'enfant était mort, visiblement. Sanjit tira à l'aveuglette, les mains tremblantes, le souffle court.

PAN!

L'un des deux coyotes s'enfuit avec une jambe du bambin dans sa gueule.

Devant comme derrière Sanjit, d'autres enfants se faisaient tailler en pièces. Et la foule, le troupeau – car ce n'était plus qu'un troupeau terrifié en tous points semblable à des antilopes pourchassées par des lions – courait aussi vite qu'il le pouvait.

Sanjit regarda la scène, impuissant.

Soudain, Chef se dressa face à lui, les pattes écartées.

Il tenait dans sa gueule un morceau de chair répugnant.

Il fixa Sanjit des yeux en grondant.

Sanjit prit ses jambes à son cou.

Diana leva les yeux vers le ciel. C'était devenu une habitude désormais. Une habitude effrayante.

Tandis qu'ils marchaient, Justin se cramponnait à elle, et elle à lui. «Qu'est-ce qui est pire? se demandait-elle. Atteindre ou pas la mine avant la tombée de la nuit?»

Elle traînait les pieds pour gagner du temps, partant du principe que la volonté du gaïaphage ne pouvait pas être en accord avec la sienne. Mais Drake revenait à la charge, et chaque fois qu'elle ralentissait, elle le payait très cher. Il les faisait avancer à coups de fouet comme un contre-maître battant ses esclaves. Mais Diana s'aperçut que lui aussi fixait le ciel d'un air anxieux et qu'il craignait autant qu'eux la tombée de la nuit.

Ils avaient atteint la ville fantôme dont il ne restait pas grand-chose hormis quelques tas de planches suggérant l'ancien emplacement d'un saloon ou d'un hôtel. À l'écart des ruines, il y avait une construction encore debout, et c'est de cet endroit que surgit Brianna.

Diana faillit s'évanouir de soulagement.

— Salut, les gars, lança Brianna. On fait une petite balade?

— Toi! siffla Drake.

— On ne m'attendait pas? répliqua-t-elle en feignant l'embarras. Je n'étais pas invitée?

Drake fit claquer son fouet qui alla s'enrouler autour de Justin. Il souleva dans les airs le petit garçon terrifié et le maintint au-dessus de sa tête.

— Tu bouges et je lui fais exploser la cervelle, cracha-t-il.

— Et après ? s'enquit Brianna d'une voix suave.

— Après ce sera au tour de Diana.

— Ça m'étonnerait, Drake. Ça m'étonnerait que tu l'aies amenée jusqu'ici pour la tuer. (Se tournant vers Diana, Brianna ajouta :) Qu'est-ce que tu en penses, Diana ? Il t'a dit ce qu'il voulait ?

Brianna cherchait à gagner du temps, Diana s'en rendait compte, mais Drake l'avait-il compris ? Si quelqu'un d'aussi impétueux que Brianna avait recours à ce genre de stratagème, c'était parce qu'elle avait un allié. Quelqu'un qui, à l'évidence, était moins rapide qu'elle.

— C'est mon bébé qu'il veut, répondit Diana.

Brianna prit l'air étonné.

— C'est vrai, Drake ? Tu aimes les enfants à ce point ?

Drake jeta un coup d'œil vers la route qui escaladait la colline. Il ne se trouvait qu'à quelques centaines de mètres de l'entrée de la mine et se savait capable de retrouver son chemin dans le noir. Mais il n'était pas certain que Brianna se souciât du sort de Justin. Même ralentie par l'obscurité, elle pouvait encore courir plus vite que Drake et le tailler en pièces.

— Si tu trébuches dans le noir à deux cents kilomètres/heure, ce sera fini pour toi, Brianna. Et si tu ne te tues pas en percutant un rocher, c'est moi qui m'occuperai de toi.

— Repose-moi par terre ! pleurnicha Justin. S'il te plaît, repose-moi. J'ai peur là-haut.

— T'entends ça, Brianna ? Il a peur que je le laisse tomber.

Brianna hocha la tête comme si elle réfléchissait à la question, et Diana la vit jeter un coup d'œil à sa droite. Qui attendait-elle ? Sam, peut-être. Ou Dekka. Ils étaient les seuls à pouvoir se mesurer à Drake, et aussi les seuls capables de la convaincre d'attendre.

Diana se remit à espérer. Si Dekka les rejoignait, elle empêcherait Justin de se briser le cou en tombant. Si c'était Sam, peut-être parviendrait-il enfin à débarrasser l'univers de Drake.

Un bruit s'éleva dans l'obscurité, quelque part dans la rue principale de cette ville fantôme depuis longtemps oubliée.

Diana vit un sourire de triomphe étirer les lèvres de Brianna. Elle dégaina sa machette. Et c'est alors que la silhouette menue d'une fille aux pieds nus, en robe à bretelles, surgit de la pénombre.

Dehors

— PROFESSEUR STANEVICH ?

— Oui, fit une voix cassante avec un fort accent. Qui êtes-vous ? C'est un numéro privé.

— Professeur Stanevich, écoutez-moi, je vous en prie ! s'exclama Connie Temple d'une voix implorante. On est passés ensemble sur CNN. Vous ne vous en souvenez peut-être pas. Je fais partie des familles des enfants disparus.

Il y eut un silence à l'autre bout du fil. Connie avait choisi une vieille cabine téléphonique couverte de graffitis située devant une station-service à la sortie d'Arroyo Grande. Elle avait renoncé à utiliser son portable de peur de trahir Darius, ainsi que le numéro de téléphone du bureau de Stanevich au cas où il serait lui aussi sur écoute.

— Comment avez-vous eu ce numéro ? demanda Stanevich.

— Par Internet. S'il vous plaît, écoutez-moi. Je détiens des informations, et il faudrait que vous m'expliquiez quelque chose.

Stanevich soupira bruyamment dans le combiné.

— Je suis au restaurant avec mes enfants. C'est très bruyant, ici. Dites-moi ce que vous savez.

Un autre soupir, puis Connie perçut un bruit de couverts et de jeux vidéo.

— La personne qui m'a donné ces informations aura de gros problèmes si on remonte jusqu'à elle. L'armée a creusé un tunnel secret sous la paroi est du dôme. Il est très profond. Et placé sous haute sécurité.

— Ils creusent sans doute dans l'espoir de mesurer l'impact du changement récent de la signature énergétique…

— Non, professeur, avec tout le respect que je vous dois. Ils ont fait venir une équipe d'ingénieurs spécialisés dans le nucléaire. Et le tunnel qu'ils ont creusé fait quatre-vingts centimètres de diamètre.

Un silence s'installa à l'autre bout du fil. On n'entendait plus que le bruit des jeux vidéo.

— Ils n'ont pas besoin de creuser un trou aussi large pour une sonde ou une caméra, poursuivit Connie. Et ma source prétend qu'ils ont installé un rail.

Toujours pas de réponse. Puis, au moment où elle commençait à croire qu'il avait raccroché, le professeur murmura :

— Ce que vous suggérez est impossible.

— Ce n'est pas impossible, et vous le savez. Vous faites partie de ceux qui affirment que casser le dôme est potentiellement dangereux. Si l'opinion en a aussi peur, c'est en partie à cause de vous.

Connie retint son souffle. Était-elle allée trop loin ?

— Je me suis contenté d'examiner quelques hypothèses, protesta Stanevich d'un ton offusqué. Je ne suis pas responsable de toutes les bêtises qu'on raconte dans les médias.

— Professeur, je veux que vous examiniez l'hypothèse d'un recours à l'arme atomique… S'il vous plaît. Si ça permet de libérer les enfants, c'est une chose. Mais…

— Vous pensez bien que ça ne servira pas à les libérer ! (Stanevich ricana dans le combiné.) Il y a deux possibilités, et aucune d'elles n'implique la libération des enfants piégés à l'intérieur.

— Ces deux possibilités, quelles sont-elles ?

Une voiture de police entra dans la station-service ; la main de Connie se crispa sur le combiné. La voiture s'arrêta sur une place de parking et le regard du policier se posa sur elle. L'avait-il reconnue à cause de la télé ?

— Ça dépend, répondit Stanevich d'un ton vague. Il existe deux théories concernant les ondes J. Je vais vous épargner les détails… Vous ne comprendriez pas, de toute manière.

Le policier descendit de voiture, s'étira, verrouilla les portières et se dirigea vers la boutique de la station.

— L'arme nucléaire libérerait une grande quantité d'énergie qui risquerait de surcharger le dôme et le ferait sans doute exploser. Imaginez un sèche-cheveux alimenté par du deux cent vingt volts qu'on brancherait subitement sur du dix mille.

Le professeur semblait aussi détaché que s'il récitait un cours devant une salle pleine d'étudiants, apparemment tout content d'avoir trouvé l'analogie avec le sèche-cheveux.

— D'accord, dit Connie d'une voix tendue. Est-ce que ça n'anéantirait pas aussi tout ce qui se trouve dans les parages ?

— Oh, certainement, approuva Stanevich. Pas la bombe en elle-même, comprenez bien, pas si elle est enfouie profondément sous la terre. Une sphère de trente kilomètres de diamètre qui explose entraînerait la destruction de tout ce qui se trouve à l'intérieur mais aussi, peut-être, de la zone autour du dôme.

Connie avait le cœur au bord des lèvres.

— Vous avez parlé de deux possibilités.

— Ah, fit Stanevich, l'autre est plus intéressante. Il se peut également que le dôme résiste à la surcharge soudaine d'énergie et qu'il l'absorbe comme une batterie hyper efficace. Ou, disons, une éponge. (Il émit un grognement mécontent.) Mon analogie laisse à désirer. Ah, voilà : la signature énergétique de la paroi est en train de changer, n'est-ce pas ? Elle s'affaiblit. Bref, imaginez un homme affamé à qui on offre enfin un bon repas équilibré.

— Si ça se produit, que deviendra la paroi ? Peut-être que ce sera plus facile de la percer.

— À moins qu'elle ne se solidifie, suggéra Stanevich. Un changement imprévisible pourrait se produire. Mais ce serait fascinant. Un beau sujet de thèse.

Connie raccrocha et se dirigea au pas de course vers sa voiture, la tête bourdonnante. Stanevich s'était montré aussi désagréable qu'à la télévision mais, malgré les détails horribles, ses spéculations se révélaient fort utiles.

Elle avait encore le temps de tout arrêter et de causer un esclandre public. Elle devait juste réfléchir au moyen d'y arriver. Parler aux médias, d'accord, mais comment faire pression sur le gouvernement et l'armée pour stopper la marche impitoyable des événements ?

En reprenant la route, elle croisa une colonne de véhicules militaires. À trois kilomètres de Perdido Beach, elle distingua au loin les gyrophares de plusieurs voitures de police qui déviaient la circulation de l'autoroute vers une route transversale filant vers le sud.

Connie s'arrêta sur la bande d'arrêt d'urgence, le souffle court. Évidemment qu'ils l'avaient vue. Elle ne pourrait pas les distancer. La police la contraindrait à s'arrêter sur le bas-côté pour lui demander pourquoi elle avait fui, et elle serait obligée de fournir une explication.

Elle redémarra et roula jusqu'au barrage routier contrôlé à la fois par la police et par l'armée. Elle reconnut quelques visages en se penchant par la vitre.

— Bonjour, qu'est-ce qui se passe ?

— Madame Temple, dit le caporal. Un camion transportant du gaz innervant a déversé sa cargaison sur la route.

Connie scruta le visage juvénile du caporal.

— C'est ce qu'on vous a ordonné de dire ?

— Comment ça, madame ?

— Cette route est fermée depuis près d'un an, et vous prétendez qu'un camionneur transportant des produits chimiques dangereux a raté un virage ?

Un lieutenant de la police militaire s'avança vers sa voiture.

— Madame Temple, c'est pour votre propre sécurité. La circulation est interdite dans le périmètre jusqu'à ce qu'on ait réussi à contenir la pollution.

Connie éclata de rire. C'était ça leur excuse ? Ils s'attendaient vraiment à ce qu'elle les croie ? Elle aurait du mal à prendre l'air convaincu.

— Prenez la route transversale, ordonna le lieutenant en désignant d'un geste brusque la direction qu'elle était censée emprunter. (Puis, d'un ton à la fois sévère et compatissant, il ajouta :) Ce n'est pas une suggestion, madame. Vous connaissez l'aéroport d'Oceano ? C'est le lieu de rendez-vous. Je suis certain que là-bas on vous expliquera tous les détails.

29

S AM SAUTA de la péniche sur le ponton, courut en direction des réfugiés, les bouscula sans ménagement et poursuivit son chemin. Après être passé en trombe devant le Trou, il fonça vers les cris et les coups de feu.

Il tomba littéralement sur Sanjit, qu'il ne reconnut pas tout de suite.

— Écarte-toi de là, dit-il avant de se précipiter vers la scène du massacre.

Visiblement, il arrivait trop tard. Les coyotes ne tuaient plus leurs proies ; ils les démembraient et se nourrissaient directement sur elles.

Il leva les bras. Un rayon aveuglant de lumière verte jaillit de ses paumes et emporta la tête et une partie du corps du coyote le plus proche.

Sam dirigea le rayon meurtrier vers les autres coyotes qui s'enfuyaient déjà sur la route en traînant des morceaux de corps dans la poussière. Il toucha l'arrière-train d'un deuxième coyote qui partit en flammes. Avec un hurlement de douleur l'animal tomba, tenta de se hisser sur ses pattes de devant et acheva de se consumer par terre.

Le reste de la meute était désormais hors de portée. Sanjit rejoignit Sam qui s'efforçait de reprendre son souffle.

Un gamin d'une douzaine d'années, méconnaissable mais toujours en vie, gisait dans les broussailles un peu à l'écart de la route, le corps déchiqueté. Sam inspira profondément puis se dirigea vers lui et, après avoir visé soigneusement, il perça un trou bien net dans son crâne, puis il promena le rayon sur son cadavre jusqu'à ce qu'il ne reste que des cendres.

Il jeta un regard furieux à Sanjit.

— Tu as quelque chose à dire ?

Sanjit secoua la tête, incapable de formuler une pensée cohérente. Il semblait à deux doigts de vomir. Sam lui-même avait la nausée.

— Si c'était moi…, bredouilla Sanjit avant de s'interrompre, à court de mots.

Sa détresse apaisa un peu la colère de Sam, sans toutefois la calmer complètement. Tout était sa faute. C'était son boulot de les protéger. Pourquoi n'avait-il pas ordonné à Brianna d'exterminer les derniers coyotes ? Pourquoi n'avait-il pas pensé à envoyer une patrouille sur la route pour accueillir les inévitables réfugiés ?

Maintenant, c'était à lui de brûler les cadavres. Il ne pouvait les laisser à la vue de leurs frères, de leurs sœurs, de leurs amis. Ces morceaux méconnaissables de chair mutilée ne pouvaient pas être le dernier souvenir qu'ils emporteraient de leurs proches.

— Pourquoi tu es venu ? demanda Sam en s'attelant à sa tâche macabre. C'est toi qui as conduit ces enfants jusqu'ici ?

— Lana m'a confié une mission.

— Explique-toi.

Sam ne connaissait pas bien Sanjit. De lui, il savait seulement qu'il avait accompli un miracle en faisant voler un hélicoptère de l'île jusqu'à Perdido Beach.

— Ça va mal à Perdido Beach, dit Sanjit. Penny a réussi à emprisonner les mains de Caine dans du ciment. Ils essaient de le libérer, mais la dernière fois que je l'ai vu il pleurait à chaudes larmes pendant qu'on lui tapait sur les mains avec un marteau.

La réaction de Sam l'étonna lui-même : il ressentit de l'inquiétude pour Caine, voire de l'indignation contre son sort.

Caine était pourtant son ennemi depuis le début. Il était responsable de maintes batailles sanglantes. Il avait failli le tuer à plus d'une occasion. Peut-être, songea-t-il, que sa réaction s'expliquait par le fait que Caine était son frère, tout simplement.

Non, il y avait une autre raison. Malgré sa soif de pouvoir insupportable, Caine s'efforçait de maintenir l'ordre. S'il l'avait pu, il aurait probablement essayé d'endiguer la panique. Toujours dans l'objectif de servir ses propres intérêts, d'accord, mais…

— Donc c'est Albert qui commande maintenant, dit Sam d'un ton pensif en s'attaquant au pied d'un cadavre, lequel, de façon presque comique, restait droit comme un i.

— Albert s'est enfui. Quinn lui a parlé avant qu'il mette le cap sur l'île avec trois filles.

C'était une nouvelle encore pire que l'annonce de la destitution de Caine. Les trois personnes qui comptaient dans la Zone étaient Albert, Caine et Sam. En combinant leurs pouvoirs, leur autorité et leurs compétences, ils auraient peut-être réussi à maintenir l'ordre pendant quelques jours, voire une semaine, jusqu'à… jusqu'à ce qu'un miracle se produise. Albert, Caine et Sam. Ils étaient le fondement de la stabilité et de la paix des quatre derniers mois.

— Tu as vu Astrid ? demanda Sam.

— Astrid ? Non. Je ne suis même pas sûr de la reconnaître ; je ne l'ai vue qu'une fois, il y a plusieurs mois.

— Elle est partie vous mettre en garde au sujet de la tache. Et vous offrir mes services… d'éclairagiste.

— Eh bien, je dois dire que je suis soulagé de ne pas être le seul à jouer à cache-cache dans le noir.

Sam jeta un regard perçant à Sanjit. Ce gamin-là était un dur à cuire. Il avait été le dernier à fuir devant les coyotes. Et, au vu du gros pistolet qu'il tenait à la main et des armes abandonnées sur la route, le seul à les affronter.

— Sanjit, c'est ça ? fit Sam en lui tendant la main.

Sanjit la serra.

— Je sais qui tu es, Sam. Comme tout le monde.

— Sanjit, tu restes avec nous pour le moment.

Sam leva les yeux vers le ciel.

— J'ai une famille, protesta Sanjit. Il faut que je rentre.

— Le courage, c'est une chose. La bêtise, c'en est une autre. Les coyotes n'auront pas besoin de lumière pour te retrouver. Tu es un ami de Lana ?

Sanjit hocha la tête.

— Oui. On habite au Clifftop avec elle.

— La Guérisseuse te laisse vivre sous son toit ? s'exclama Sam d'un ton incrédule. J'en apprends, des choses, aujourd'hui.

— C'est ma petite amie.

Sam déchaîna son pouvoir sur les restes d'un enfant.

— Si ta famille est avec Lana, alors ils sont en sécurité. Ce n'est pas en te faisant tuer que tu les aideras. Tu es avec nous maintenant. Un conseil : tu peux parler librement à Edilio, mais pas aux autres, c'est clair ? Si les enfants apprennent qu'Albert est parti... (Il secoua la tête.) J'attendais mieux de lui.

La fuite d'Albert lui laissait un goût amer dans la bouche. C'était sans nul doute la décision la plus sage à prendre du point de vue des affaires. Mais il avait le mot « trahison » sur le bout de la langue. Traître.

Astrid était sur le point d'offrir une alliance à un « roi » vaincu et humilié, et à un « homme d'affaires » poltron. Il chassa de son esprit l'image de la jeune fille dévorée par les coyotes avant d'avoir atteint la ville. C'était une hypothèse trop horrible pour être envisagée.

Il devait réfléchir posément et ne pas se laisser distraire par des visions atroces d'Astrid attaquée par des coyotes, des vers ou Drake dans quelque lieu isolé.

Il ferma les yeux.

— Ça va ? demanda Sanjit.

Sam secoua la tête.

— Non, ça ne va pas. Les gars sur qui je comptais, je peux faire une croix dessus. La situation était déjà désespérée, mais maintenant...

— Lana est toujours là-bas. Et Quinn aussi.

— Quinn ? (Sam fronça les sourcils.) Qu'est-ce qu'il vient faire là-dedans ?

— Lana l'a nommé chef. Il a ses équipages avec lui.

Sam hocha distraitement la tête. Dans son esprit, il voyait un échiquier. La plupart des pièces qu'il aurait éventuellement jouées, ses fous, ses cavaliers, ses tours, manquaient à l'appel. Dekka, Brianna, Jack, Albert, Caine, tous avaient disparu. Son fidèle cavalier, Edilio, devrait surveiller le lac, ce qui ne laissait à Sam que ses pions.

Face à lui, Drake, voire Penny, les coyotes, et le roi rival, le gaïaphage, si bien protégé qu'il était presque impossible de l'atteindre.

— C'était quoi, déjà, cette émission de télé? demanda Sam en se frottant le visage pour en ôter la fumée noire des cadavres brûlés. Celle où les candidats devaient remporter des épreuves sur une île?

— *Koh-Lanta*?

— C'est ça. Eh bien, j'ai perdu. Tu viens d'entrer dans l'équipe des losers, Sanjit. Il ne me reste rien. Et bientôt, je serai aveugle.

— Non, pas toi, Sam. Tu es le seul qui pourra voir.

— Tu veux parler de mes soleils? (Sam ricana.) Ça ne vaut pas mieux que des bougies.

— Au royaume des aveugles, les borgnes sont rois, observa Sanjit.

— Dans l'obscurité, celui qui tient une bougie est une cible facile, répliqua Sam.

Une chose était claire pour lui: son rôle ne consistait pas à protéger les enfants réfugiés sur le lac. Ça revenait à laisser l'ennemi rassembler ses forces pour les attaquer. Il n'avait pas encore tout perdu.

Sans un mot de plus pour Sanjit, il se dirigea vers le lac.

En voyant Penny, Diana sentit ses genoux se dérober sous elle. Elle s'assit lourdement dans la terre, le souffle court.

Penny examina d'abord Drake, son terrible tentacule, le petit garçon suspendu dans le vide. Puis elle jeta un regard intrigué à Brianna, comme si elle la voyait pour la première fois. Enfin, elle se tourna vers Diana, et une lueur de triomphe s'alluma dans ses yeux. Un sourire étira ses lèvres, laissant bientôt place à un éclat de rire.

— Trop bien, s'exclama-t-elle en frappant dans ses mains. Trop bien.

Le cerveau de Diana avait cessé de fonctionner. La peur l'empêchait de réagir. Un gémissement sourd s'échappa de sa gorge.

Drake lança un coup d'œil à Penny.

— T'es qui, toi?

— Penny, répondit-elle. À Coates, tu me bousculais pour passer. J'étais une moins que rien à tes yeux.

— T'as quelque chose contre moi? demanda-t-il sans trahir la moindre inquiétude.

Penny sourit.

— Mais non, idiot. Pas particulièrement. Diana, par contre... (Elle partit d'un rire dément.) Je l'adore. Elle s'est si bien occupée de moi sur l'île.

Diana s'entendit répondre d'un ton suppliant, comme s'il s'agissait de la voix d'une autre:

— Laisse-moi tranquille!

«Mon Dieu, sauve-moi, implora-t-elle. Sauve-moi, sauve-moi, sauve-moi.»

— Comment va le bébé, Diana? demanda Penny d'une

voix mielleuse, les yeux brillants. Tu veux une fille ou un garçon ?

Et soudain, le bébé se réveilla dans le ventre de Diana : tel un tigre, il sortit les griffes, et sa face d'insecte aux mandibules effilées comme des sabres lui déchira les entrailles. Il avait les traits de Caine grossièrement peinturlurés sur sa tête de fourmi sans âme, et ses griffes arrachaient des hurlements de douleur à Diana.

Quand elle revint à elle, elle gisait face contre terre. Les pieds nus de Penny se trouvaient tout près d'elle. Il n'y avait pas de bébé monstrueux. Son ventre ne s'était pas ouvert. Elle se mit à sangloter.

— Cool, hein ? fit Penny.

— Qu'est-ce que tu lui as fait ? demanda Drake, fasciné.

— Oh, elle a vu son bébé se transformer en monstre et lui ouvrir le ventre. Elle l'a senti, aussi.

— T'es une mutante ?

Penny rit.

— La reine des mutantes.

— Ne fais pas de mal au bébé, lui dit Drake sur le ton de la mise en garde en lâchant Justin, qui atterrit sans dommage dans la poussière.

Penny, qui ne semblait pas le moins du monde intimidée par Drake, demanda :

— Qu'est-ce qu'il y a là-bas ?

Elle montra du doigt la piste étroite qui conduisait à l'entrée de la mine.

Drake ne répondit pas. Il était prêt à lui faire tâter de son fouet mais il ne savait pas encore s'il avait affaire à une alliée ou à une ennemie.

— J'ai senti quelque chose, reprit Penny, le regard tourné vers la mine. Je marchais sans savoir où j'allais. Et puis, peu à peu, je me suis rendu compte que j'avais une destination. Que mes pas me conduisaient ici. (Elle sursauta, comme quelqu'un s'éveillant d'un rêve, et ajouta :) C'est la chose que Caine est allé voir, pas vrai ? L'Ombre. La chose qui t'a donné ton fouet.

— Tu veux que je te présente ? suggéra Drake.

— Oui, j'aimerais bien, répondit Penny d'un ton solennel.

Diana jetait à la dérobée des regards larmoyants vers Brianna, qui semblait disposée à laisser la conversation se poursuivre dans la mesure où cela lui permettait de gagner du temps.

— Vous n'irez nulle part, tous les deux, dit-elle enfin.

Et, à ces mots, elle se jeta sur Drake.

D'un coup de machette, elle sectionna la moitié de son fouet. Un segment de tentacule rose d'un mètre cinquante tomba dans la poussière comme un python mort.

Brianna repartit à l'attaque, mais cette fois ses yeux étaient fixés sur le sol, elle semblait distraite, et soudain elle poussa un cri, trébucha et fit un bond de côté.

Penny avait frappé.

Drake ramassa son tentacule sectionné et pressa les deux tronçons l'un contre l'autre. Ils fusionnèrent. Il paraissait moins furieux que grognon. Sa blessure n'était, au pire, qu'un désagrément temporaire à ses yeux.

Brianna sautillait sur place comme une folle en faisant des moulinets des bras.

— Qu'est-ce qu'elle fabrique ? demanda Drake.

Penny éclata de rire.

— Elle essaie de ne pas tomber dans la lave. Et, tu sais, sa copine Dekka? Celle dont elle attendait l'arrivée? Elle est quelque part là-bas... (D'un signe de tête, elle désigna le désert plongé dans l'obscurité.) Elle essaie de ramener son petit cerveau à la réalité.

Diana vit de la méfiance se peindre sur le visage de Drake. Il commençait à comprendre que Penny était peut-être trop difficile à contrôler.

— Allez, le gaïaphage nous attend.

— Tu me trouves mignonne? demanda Penny.

Drake se figea de surprise, et son expression se fit encore plus circonspecte.

— Ouais, dit-il. Ouais, t'es mignonne.

Son tentacule avait repris un aspect lisse. Il le fit claquer sous le nez de Diana.

— Allez, avance.

Diana lança un regard à Brianna qui se démenait toujours comme une folle, prisonnière d'une illusion de danger. Puis elle vit Justin, le petit garçon, ramper devant elle dans l'obscurité.

Dekka sanglotait dans le noir. Elle arrivait à peine à distinguer ses mains devant elle.

Elle ne comprenait pas ce qui lui était arrivé. Elle savait juste que, d'un seul coup, elle s'était complètement paralysée. Elle était couverte d'une matière visqueuse, d'un blanc translucide, semblable à de la silicone, qui s'était introduite comme des doigts invisibles jusque dans ses tympans, si bien qu'elle n'entendait plus rien hormis les battements de son cœur. La substance était aussi remontée dans ses sinus. Dekka devait respirer par la bouche, mais dès qu'elle entrouvrait les lèvres, la pâte blanche s'insinuait dans sa gorge et sous sa langue. Elle avait beau essayer de la recracher, rien n'y faisait. Elle sentait la matière froide et gluante peser dans ses poumons.

Elle voulait crier mais aucun ne sortait de sa bouche.

Dans un recoin de son esprit, Dekka savait que tout cela n'était pas réel, que c'était Penny qui était à l'origine de cette vision.

Il n'en restait pas moins qu'elle ne pouvait pas respirer. Elle avait l'impression d'être enterrée vivante.

C'était forcément une illusion. À moins que... Comment être sûre que ce n'était pas réel dans ce monde peuplé de cauchemars?

Si Dekka ne pouvait pas respirer, elle s'aperçut néanmoins qu'elle n'était pas mourante. Son cœur battait toujours. Soudain, il lui sembla que la matière blanche durcissait comme de l'argile. Déjà ses dents se heurtaient à quelque chose d'aussi dur que de la porcelaine. Et c'est alors que les insectes se mirent à éclore en elle.

Elle savait en son for intérieur que ce n'était pas vrai. Ils les avaient tous exterminés. Il était donc impossible qu'ils creusent des sillons dans ses intestins, surtout que Sam n'était pas là pour les extraire de son corps. Elle était prisonnière d'une tombe en porcelaine et les insectes la dévoraient de l'intérieur. Elle poussa un hurlement et, soudain, ils se volatilisèrent.

Allongée dans la terre, elle respira par le nez et ouvrit les yeux. Une fille se tenait au-dessus d'elle.

— C'est une nouveauté. Ça te plaît? dit-elle.

Dekka, qui tremblait comme une feuille, ne répondit pas. Elle se contenta d'aspirer une grande bouffée d'air.

— T'as pas intérêt à me suivre, reprit la fille.

Dekka n'avait aucune intention de lui désobéir.

— Sonne l'alerte, ordonna Sam.

Edilio adressa un signe de tête à Roger, qui courut sonner la cloche de la marina.

— Qu'est-ce que tu vas faire ? demanda Edilio.

— Pourquoi tu ne m'as pas dit que tu étais gay ?

Edilio dévisagea Sam comme s'il venait de le gifler, mais il se ressaisit rapidement et répondit, l'air à la fois gêné et méfiant :

— Tu avais assez de problèmes à régler comme ça.

— Des problèmes ? La disparition de ma petite amie, la fin du monde, la traque de Drake, je veux bien. Mais le fait que tu aies quelqu'un dans ta vie, pourquoi ce serait un problème pour moi ?

— Je ne sais pas, je... Moi-même, il m'a fallu du temps pour m'y faire, tu sais.

— Est-ce que tout le monde est au courant sauf moi ?

Sam avait conscience que le moment était mal choisi pour se plaindre de ne pas avoir été mis dans la confidence. Mais, depuis le premier jour ou presque, Edilio avait été son plus proche ami. Il se sentait vexé à l'idée d'être resté si longtemps dans l'ignorance.

— Non, mon pote, le rassura Edilio. Non. Et ce n'est pas que j'ai honte, c'est juste que... j'ai beaucoup de responsabilités. Je veux que les gens me fassent confiance. Et il y en aura toujours pour me traiter de tapette ou je ne sais quoi.

— Sérieux? On va se retrouver plongés dans l'obscurité jusqu'à la fin des temps et tu t'inquiètes de ce qu'ils risquent de penser?

Comme Edilio ne répondait pas, Sam sentit qu'il en savait peut-être plus que lui sur le sujet. Il choisit de revenir à celui qui les occupait.

— Pour parler franchement, reprit-il en secouant la tête, je ne vois pas comment on va se sortir de là. Je n'ai même pas le début d'une solution. Je ne crois pas qu'on puisse s'en tirer, cette fois.

Edilio acquiesça comme s'il savait déjà. Comme s'il était prêt à entendre la vérité.

— Bref, au cas où je ne reviendrais pas, je tiens à te remercier. Tu t'es conduit comme un frère avec moi. Un vrai frère, ajouta-t-il en évitant le regard de son ami.

— Oui, eh bien ce n'est pas encore fini, répliqua Edilio d'un ton bourru. (Puis, après un silence:) Alors tu t'en vas?

— Tu as entièrement raison. Il ne faudrait pas que je me fasse tuer. Du moins dans l'immédiat. Mais une fois que j'aurai allumé quelques lumières, on ne sera pas plus avancés si on ne trouve pas un moyen d'arrêter ce phénomène. On ne pourra ni cultiver la terre ni pêcher. On a besoin de soleil pour vivre. Les enfants vont commencer à allumer des feux. Perdido Beach finira par disparaître dans les flammes, et la forêt aussi. Les enfants ne survivront pas dans l'obscurité.

Il fut interrompu par le tintement de la cloche. Quand elle se tut, il poursuivit :

— Je ne suis pas le seul à avoir peur du noir, Edilio. De toute façon, ce n'est que le début. Quelque chose de terrible se prépare... La fin, probablement. Alors, oui, à court terme, je compte pour la communauté. Mais si je veux aussi compter à long terme, il faut que je m'en aille et que je trouve une solution.

— Tu vas l'annoncer à tout le monde ?

— Oui.

Telles des ombres sur l'eau, les bateaux tanguaient paresseusement. Les soleils de Sam qui brillaient faiblement à travers les hublots éclairaient de temps à autre une silhouette qui passait à proximité.

— Alors tu as intérêt à leur dire toute la vérité.

— Toto ! cria Sam. Viens par ici.

Une fois que Toto les eut rejoints sur le pont, Sam alluma un soleil juste au-dessus de sa tête, qui les éclairait tous trois comme un petit projecteur.

— Toto est là pour vous prouver que je ne mens pas, cria Sam pour se faire entendre des autres bateaux. Tout d'abord, je ne crois pas qu'il faille s'inquiéter au sujet de Drake. Il est parti... pour l'instant, du moins.

— Il croit ce qu'il dit, déclara Toto.

— Parle plus fort, ordonna Edilio.

— Il croit ce qu'il dit !

— Je vous demande à tous de regagner la berge. On a des

enfants venus de Perdido Beach. Ils ont perdu des proches en chemin ; il va falloir prendre soin d'eux.

Des grognements s'élevèrent dans l'obscurité, ainsi que quelques questions chargées de méfiance.

— Parce que les gens bien aident les personnes dans le besoin, voilà pourquoi, cria Sam. Écoutez, ça va mal à Perdido Beach. Il paraît que Caine n'est plus le chef et qu'Albert a disparu.

— Il croit ce qu'il dit !

— Astrid est...

L'émotion lui noua la gorge mais il se ressaisit rapidement. Il se rendait compte qu'il n'avait rien à cacher ; tout le monde savait qu'il s'inquiétait pour elle.

— Elle est quelque part, perdue dans l'obscurité. Pareil pour Brianna, Dekka et Orc. Quant à Jack, eh bien, on ne sait pas s'il va s'en tirer.

— C'est vrai, dit Toto, puis, plus fort : c'est vrai !

— Drake détient Diana et Justin, et on ne sait pas trop ce qu'il mijote. Quoi qu'il en soit, je crois que ça a un rapport avec la tache qui occulte la lumière.

Cette fois, Toto se contenta de hocher la tête. Sam leva les yeux. La tache avait fini de s'étendre. Le petit cercle bleu sombre avait disparu.

— Cette fois, je n'ai pas de plan. Je n'ai pas de plan. (Il avait répété cette phrase avec étonnement.) J'ai la réputation du gars qui tire toujours tout le monde d'affaire. Eh bien, cette fois, ce n'est pas le cas.

Quelqu'un fondit en larmes assez bruyamment pour être entendu de tous. Des « Chut ! » fusèrent.

— Ce n'est pas grave. Pleurez si vous en avez envie. Moi-même, j'ai envie de pleurer avec vous.

— C'est vrai, dit Toto.

— Vous avez le droit d'être tristes et d'avoir peur. Mais si on s'en est sortis jusque-là, c'est parce qu'on se serrait les coudes, pas vrai?

Comme personne ne répondait, Sam répéta plus fort:

— Pas vrai?

— Un peu, ouais! cria quelqu'un.

— Eh bien, on va continuer. Edilio est là. C'est lui qu'il faudra écouter.

— Mais le chef, c'est toi! protesta une voix, suivie de quelques autres. On a besoin de toi, Sam.

Sam baissa les yeux, un peu flatté malgré lui. D'un autre côté, il commençait à prendre conscience d'une réalité. Elle mit quelques instants à se former dans son esprit.

— Non, non. Je suis un chef minable, dit-il enfin.

Après un silence, Toto déclara:

— Il croit ce qu'il dit.

Sam rit, surpris par la certitude qui l'envahissait.

— Je suis un chef minable, répéta-t-il. Je veux bien faire. Et j'ai des pouvoirs. Mais c'est grâce à Albert que vous mangez. Et ici, celui qui supervise tout, c'est Edilio. Même Quinn est un meilleur chef que moi. Moi, je m'énerve quand on a besoin de moi et je fais la tête. Non. Edilio a l'âme d'un chef. Moi... moi je ne sais pas à quoi je sers, si ce n'est à faire jaillir de la lumière de mes mains.

Il sortit du cercle de lumière, étonné du tour inattendu qu'avait pris sa déclaration. Malgré son intention de maintenir la discipline et l'esprit de groupe, il avait fini par se ridiculiser devant tout le monde dans des circonstances capitales.

Ce fut au tour d'Edilio de prendre la parole d'une voix mesurée. Il avait encore des vestiges de son accent hondurien.

— Peut-être que, comme il le dit, Sam n'est pas un grand chef. Mais c'est un grand combattant. C'est notre soldat à tous. Et, comme tous les soldats, il va devoir partir se battre contre nos ennemis pour nous protéger.

— Il croit ce qu'il dit, déclara Toto bien que ce ne soit pas nécessaire.

— Oui, murmura Sam en contemplant ses paumes ouvertes. Je suis maudit. Je ne suis pas le chef, je suis le soldat.

Il rit et se tourna vers Edilio, dont le visage était dissimulé dans l'ombre.

— Je suis lent à comprendre, hein ?

Edilio sourit.

— Fais-moi plaisir. Quand tu auras retrouvé Astrid, répète-lui mot pour mot cette phrase, puis essaie de fixer sa réaction dans ta mémoire. Tu me raconteras. (Retrouvant son sérieux, il ajouta :) Je prendrai soin d'eux, Sam. Va chercher nos amis. Et si tu tombes sur ce salaud de Drake, tue-le.

Des ténèbres absolues s'étaient refermées sur le ciel.

Astrid percevait sa propre respiration et les pas hésitants de Cigare. Il ralentit puis s'arrêta.

— On n'est plus très loin de Perdido Beach, dit-elle.

Comme les mots – et les battements de son cœur – résonnaient bizarrement dans le noir !

— Il faut qu'on essaie de mémoriser la direction qu'on a prise, sans quoi on va marcher en cercle.

«Ne pas paniquer, se dit-elle. Ne pas se laisser paralyser par la peur.»

Elle chercha la main de Cigare mais ne rencontra que du vide.

— On devrait se tenir la main, reprit-elle. Pour ne pas se perdre.

— Tu as des griffes avec des seringues empoisonnées au bout, gémit Cigare.

— Non, non, ce n'est pas la réalité. C'est ton cerveau qui te joue des tours.

— Le petit garçon est ici.

— Comment tu le sais?

Astrid se guida au son de la voix de Cigare. Elle ne devait pas être très loin de lui. Elle essaya de faire appel à ses autres sens. Pouvait-elle percevoir les battements de son cœur et la chaleur de son corps?

— Je le vois. Pas toi?

— Je n'y vois rien.

Elle aurait dû apporter quelque chose pour s'éclairer. Quelque chose qui brûle. Évidemment, en s'éclairant, elle aurait pris le risque de se faire repérer.

Mais la pression de l'obscurité – car c'était bien ce qu'elle ressentait, la pression d'un linceul noir emmailloté autour d'elle – était trop forte. Rien n'avait changé hormis la lumière. Les objets étaient exactement à la même place. Et pourtant, il lui semblait que tout était différent.

— Le petit garçon te regarde, dit Cigare.

Astrid frissonna.

— Il parle?

— Non. Il aime le silence.

— Oui, il a toujours aimé le silence. Et l'obscurité. Il aimait être dans le noir. Ça l'apaisait.

Pete avait-il créé ces ténèbres pour obtenir le silence et la paix qu'il aimait tant?

— Pete? appela-t-elle.

Elle se sentit soudain ridicule. Elle s'adressait à quelqu'un qu'elle ne pouvait pas voir et qui n'était probablement pas là. Quelqu'un qui, s'il existait, n'était pas humain, et n'avait pas de présence physique.

L'ironie de la situation lui arracha un ricanement.

— Il n'aime pas quand tu ris, dit Cigare.

— Dommage, fit-elle.

Le silence revint. Seule la respiration de Cigare attestait sa présence.

— Il est entré dans ma tête, chuchota Cigare. Je l'ai senti à l'intérieur de moi. Mais il est parti.

— Tu prétends qu'il a pris le contrôle de toi-même?

— Je l'ai laissé faire. Je voulais qu'il me rende mes yeux d'avant. Mais il n'en a pas le pouvoir.

— Où est-il maintenant?

— Il est parti, répondit tristement Cigare.

Astrid soupira.

Elle tendit l'oreille, flaira l'air. Elle avait la vague impression d'avoir trouvé la direction de l'océan. Mais elle savait aussi que près de la mer on trouvait des terres fertiles grouillant de vers qui n'avaient sans doute pas été nourris depuis longtemps.

Il y avait des champs qui la séparaient de l'autoroute,

mais une fois qu'elle l'aurait retrouvée, elle n'aurait plus qu'à la suivre jusqu'à la ville. Même dans le noir, elle était capable de marcher en ligne droite sur du béton.

Sam était tenté de suivre la route du lac qui rejoignait l'autoroute, parce que c'était là qu'il avait le plus de chances de trouver Astrid, bien qu'aucun des réfugiés de Perdido Beach ne l'ait croisée en chemin.

Mais chercher Astrid n'était pas une priorité. Pas encore. Elle le ralentirait, pour peu qu'il la retrouve. Et elle n'était pas un soldat, à l'inverse de Dekka, de Brianna ou d'Orc. Eux pouvaient lui prêter main forte dans une bataille. Pas Astrid.

Mais, oh! comme il avait besoin de l'avoir près de lui! Pas pour faire l'amour avec elle mais pour sentir sa présence dans le noir. Entendre sa voix, surtout. Le son de sa voix, c'était la raison; or, il s'apprêtait à entrer au royaume des ombres, à s'enfoncer dans des ténèbres absolues.

Après avoir laissé derrière lui le cercle de lumière ténue répandue par les soleils disséminés sur le lac, il en alluma un nouveau et chercha du réconfort dans la sphère qui grandissait dans ses mains. Mais elle n'éclairait qu'à quelques pas devant lui.

À mesure qu'il s'enfonçait dans l'obscurité, il sentait son cœur se serrer. « C'est pareil qu'avant, se dit-il. Sauf qu'il fait plus sombre. »

« Rien ne change quand la lumière s'éteint, Sam, lui avait répété sa mère des milliers de fois. Tu vois ? Clic. On allume. Clic. On éteint. C'est le même lit, la même commode, le même linge que tu as jeté par terre... »

«Ce n'est pas le problème, pensait le jeune Sam dans ces cas-là. Je suis vulnérable dans le noir. Alors, non, ce n'est pas pareil si mon ennemi peut me voir et pas moi. Ce n'est pas pareil s'il sait qu'il peut agir sans se cacher.»

Ils voulaient toujours savoir s'il lui était arrivé malheur dans le noir parce que, d'après eux, la peur était toujours liée à quelque chose, un lieu, un événement. Il y avait toujours un lien de cause à effet. Comme si la peur entrait dans une équation d'algèbre.

Mais ils ne comprenaient rien à la peur. La peur, ça n'avait rien de logique. La peur, c'était lié aux éventualités. Pas aux choses qui s'étaient produites, mais à celles qui risquaient de se produire. À la menace éventuelle d'un monstre, d'un fou, d'un meurtrier à quelques pas de lui, qu'il ne pouvait pas voir, et qui pouvait se moquer sans bruit ou agiter son couteau, son pistolet, ses griffes sous son nez sans qu'il s'aperçoive de rien.

Sam sentait déjà la tension dans ses jambes. Il jeta un regard vers le lac qui s'étendait au-dessous de lui, avec sa triste série de soleils évoquant une lointaine galaxie.

Il alluma un autre soleil. Celui-là, il n'avait pas envie de le laisser derrière lui. Sa lumière révélait quelques rochers, un bout de bois, un tas de broussailles, et Sam songea qu'il valait mieux ne pas se donner cette peine. Le peu qu'il voyait rendait les ténèbres alentour encore plus épaisses. Mais ses soleils étaient un peu l'équivalent des petits cailloux du Petit Poucet. Grâce à eux, il pourrait retrouver le chemin de sa maison. Avec un peu de chance, ils lui épargneraient aussi de s'éloigner de sa trajectoire.

Le revers de la médaille, c'est qu'à cause d'eux il risquait de se faire repérer.

« Au royaume des aveugles, les borgnes sont rois, songea-t-il. Mais dans l'obscurité, celui qui tient une bougie est une cible. »

Et sur cette réflexion il se remit en marche.

Quinn avait rassemblé tout le monde sur la place autour d'un grand plat de poisson grillé. Le feu brûlait encore, mais plus pour longtemps.

Lana avait soigné tous ceux qui en avaient besoin. Pour le moment, le calme était revenu.

Les enfants s'étaient introduits dans la maison d'Albert et en avaient rapporté des piles et des lampes torches, que Quinn s'était empressé de confisquer. Elles étaient plus précieuses que l'or et que la nourriture, désormais.

Avec l'aide d'une seule et unique torche, une partie des équipages de Quinn était allée chercher des bancs dans l'église pour alimenter le feu.

La lueur orangée des flammes se reflétait sur les murs de l'hôtel de ville et du McDonald's abandonné depuis longtemps, ainsi que sur la fontaine cassée et sur les jeunes visages graves. Autour, les rues disparaissaient dans l'obscurité. Le reste de la ville était devenu invisible. L'océan, à peine audible par-dessus les craquements du bois et les conversations à voix basse, aurait aussi bien pu être un mythe.

Le ciel était d'un noir de jais. La Zone se résumait désormais à ce feu.

Caine s'était assis près des flammes. Les enfants lui avaient laissé plein de place car il empestait. Il pleurait encore des larmes de souffrance tandis que deux autres gamins – le troisième duo à se relayer – travaillaient, penchés sur ses mains, à la lueur du feu. Ils en étaient au passage délicat, et donnaient de petits coups de burin très douloureux qui faisaient souvent couler le sang.

De temps à autre, Lana venait soigner une coupure ou deux pour que le sang ne rende pas le ciment trop glissant.

Quinn se trouvait là quand un coup sec de burin sépara les mains de Caine.

— Les paumes en premier, dit « le roi ».

Malgré tout, il trouvait encore la force de donner des ordres.

À l'aide d'une pince, les deux garçons ôtèrent de petits bouts de ciment, et la peau avec. Chaque fois qu'ils lui demandaient s'il tenait le coup, Caine serrait les dents et répondait : « Allez-y. »

La chair de ses mains était à nu.

Quinn avait du mal à soutenir la scène du regard. Il devait bien admettre que derrière la nature égocentrique et brutale de Caine se cachait un garçon courageux.

Lana entraîna Quinn un peu à l'écart dans Alameda Avenue. Là, il ne distinguait même plus sa main devant son visage.

— Je voulais que tu mesures à quel point il fait noir, dit-elle.

Elle se trouvait à quelques centimètres de lui et il ne voyait pas ses traits.

— Tu as un plan ? demanda-t-elle.

Quinn soupira.

— Non, Lana. Pas de plan.

— Si le feu s'éteint, ils incendieront les bâtiments.

— On peut encore l'alimenter pendant quelque temps. Tout le bois de la ville y passera s'il le faut. Et puis on a de l'eau. Le nuage du petit Pete en produit encore. Ce qui m'inquiète, c'est la nourriture.

Le souvenir de la faim était encore très vif dans leurs esprits. Un silence s'installa.

— On va rassembler toutes nos réserves, à commencer par ce qu'on trouvera dans la maison d'Albert. Les enfants n'avaient pas grand-chose chez eux. Au total, on aura de quoi tenir deux jours, peut-être. Et ensuite, ça recommencera.

— La famine.

— Oui, répondit Quinn en se demandant quelle était l'utilité de cette conversation. Tu as un plan, toi ?

— On ne tiendra pas deux jours, Quinn. Tu sens l'obscurité se refermer sur toi ? D'un coup, les enfants vont prendre conscience qu'ils sont prisonniers d'un grand bocal. La peur du noir, la peur d'être enfermé. La plupart vont résister au début, mais ceux qui m'inquiètent, ce sont les faibles. Ces gosses qui sont déjà complètement paumés.

— Celui qui pète les plombs, on s'en occupe, dit Quinn.

Le bruit d'une troisième respiration s'éleva.

— Salut, Pat. Ça, c'est un bon chien.

Quinn entendit Lana chercher son compagnon dans le noir et lui gratter vigoureusement le cou.

— Ils vont tous perdre la boule, reprit-elle. Quand ça arrivera… il faudra demander l'aide de Caine. Il fera ce qu'il faut pour les maîtriser.

— Attends une minute ! Tu es en train de me dire qu'il faudra que je laisse Caine se charger de tous ceux qui sortent des clous ?

— Tu te sens capable d'arrêter une bande de gamins qui ont décidé de garder toutes les réserves pour eux ? Sans parler de ceux qui vont mettre le feu à tout ce qu'ils trouveront.

— À quoi bon, Lana ?

Quinn sentait toute force l'abandonner. Lana lui avait demandé de prendre les choses en main, et voilà qu'elle lui suggérait de se servir de Caine comme d'une arme.

— À quoi bon, hein ? répéta-t-il. Pourquoi je devrais m'en prendre à quelqu'un qui perd la tête alors que ça nous menace tous ?

Lana ne répondit pas. Elle garda si longtemps le silence que Quinn en vint à se demander si elle ne s'était pas éloignée à pas de loup. Mais, d'une voix sourde qui ne lui ressemblait guère, elle dit :

— Quand il fait noir comme maintenant, je le sens si près de moi ! Comme il n'y a rien d'autre à voir, il est encore plus présent.

— Tu ne m'as pas répondu, Lana.

— Il est toujours vivant. Et il a peur, si peur ! J'ai l'impression qu'il est en train de mourir. C'est dire s'il a peur. Je vois… je vois des images qui ne signifient rien. Il n'arrive plus vraiment à m'atteindre. Il n'en a plus le temps. C'est le bébé qu'il veut. Tous ses espoirs sont placés dans ce bébé.

— Le bébé de Diana ?

— Il ne l'a pas encore, Quinn. Ce qui signifie que ce n'est pas fini. Même dans le noir complet, même morts de trouille. Ce n'est pas fini. Il faut que tu y croies, d'accord ? Ce n'est pas fini.

— Ce n'est pas fini, répéta Quinn, perplexe.

— Si les enfants paniquent, ils vont se blesser. Je ne pourrai pas les retrouver pour leur venir en aide, et ils mourront. Je ne vais pas laisser le gaïaphage faire ça. Je ne peux pas le tuer, je ne peux pas l'empêcher de s'emparer du bébé. Mais ce que je peux faire, et tu peux le faire aussi, Quinn, c'est nous garder en vie aussi longtemps que possible. D'abord parce que c'est bien, mais aussi… (Elle toucha la poitrine de Quinn, tâtonna le long de son bras et lui prit la main qu'elle serra avec une force étonnante.) Mais aussi parce que je ne veux pas le laisser gagner. Il veut nous exterminer tous parce que tant qu'on est vivants on représente une menace pour lui. Eh bien non ! On ne va pas renoncer.

Elle lâcha sa main.

— C'est le seul moyen qu'il me reste de le combattre, Quinn. Il ne faut pas que je meure, et il ne faut pas que je laisse ces enfants mourir non plus.

31

PENNY N'AVAIT ENCORE jamais éprouvé cet effroi mêlé de respect. Jusqu'à maintenant, elle n'avait jamais compris ces gens qui s'extasiaient sur un coucher de soleil ou sur une nuit étoilée. Mais à présent, elle ressentait un bonheur similaire.

Elle n'y voyait rien. Il faisait aussi noir que si on lui avait arraché les yeux – le souvenir de Cigare amena un sourire sur ses lèvres – et pourtant elle savait où elle allait.

Ses pieds meurtris ne la faisaient plus souffrir. Quand elle se cognait l'orteil contre un rocher, elle ne sentait rien. Le fait qu'elle doive tâtonner comme une aveugle pour trouver son chemin n'avait aucune importance, car elle éprouvait... elle éprouvait une sensation magnifique.

Bien qu'elle n'ait jamais foulé cet endroit auparavant, elle s'y sentait chez elle. Elle rit tout haut.

— Tu sens sa présence, pas vrai ?

Penny sursauta en entendant une voix féminine à la place de celle de Drake. Bien sûr, c'était Brittney.

— Oui, répondit Penny, je la sens.

— Quand tu seras suffisamment près, tu entendras

sa voix à l'intérieur de ta tête, expliqua Brittney. Ce n'est pas un rêve, c'est bien réel. Quand tu seras arrivée tout en bas, tu pourras même le toucher.

Penny trouvait la situation bizarre. Brittney n'était pas Drake. Lui, elle pouvait le respecter. Son fouet et surtout sa détermination à s'en servir faisaient de Drake un allié puissant.

… Et séduisant. Au pensionnat, elle ne prêtait pas grande attention à lui car il n'y avait que Caine qui comptait. Caine avait à la fois une beauté ténébreuse et un cerveau. Drake était d'un tout autre genre. Il ressemblait à un requin, avec ses petits yeux froids et son sourire féroce.

Elle s'était trompée au sujet de Caine. Il était sous l'emprise de cette sorcière de Diana. Drake, lui, n'était sûrement pas amoureux de Diana. À vrai dire, il la détestait autant qu'elle.

Drake s'était peut-être arrangé physiquement, après tout. Et puis Diana pouvait toujours essayer de le lui chiper comme elle lui avait chipé Caine !

Brittney fermait la marche. Penny cheminait devant, suivie de Diana et de Justin qui ne cessait pas de pleurnicher. Malheureusement, à cette distance, Penny ne pouvait pas maintenir l'illusion qui avait paralysé Brianna. Ce qui signifiait que Brianna était libre de se lancer à leur poursuite.

Penny sourit dans l'obscurité. Bonne chance pour les rattraper. Qu'elle revienne, tiens ! Sa vitesse ne lui était plus d'aucune aide. Elle n'était plus rien désormais. La Brise ? Ha ! Si elle s'approchait, Penny la ferait courir jusqu'à ce qu'elle se brise les jambes.

— Il va me parler, et il va te parler aussi, dit Brittney d'une voix d'illuminée. Il nous expliquera quoi faire.

— La ferme! aboya Penny.

— Non, protesta Brittney d'une voix vibrante de sincérité. Il ne faut pas qu'on se batte entre nous.

— Ah ouais? fit Penny d'un ton moqueur. Je te conseille de la boucler jusqu'au retour de Drake. (Puis, agacée par le silence réprobateur de Brittney, elle ajouta:) Je ne reçois d'ordres de personne. Ni de toi, ni de Drake, ni même de... comment vous l'appelez, déjà?

Mais elle se lécha nerveusement les lèvres en prononçant ces derniers mots.

— Le gaïaphage, répondit Brittney. (Elle eut un rire condescendant.) Tu verras.

Penny «voyait» déjà. Non qu'elle distinguât quoi que ce soit dans le noir, mais elle sentait le pouvoir de la créature. Ils avaient atteint l'entrée de la mine. Les ténèbres, déjà impénétrables, se refermèrent sur eux.

Il était plus facile de trouver le chemin à présent: il suffisait de s'appuyer aux poutres qui soutenaient le plafond. En revanche, il était difficile de respirer.

Diana laissa échapper un gémissement.

Penny éprouva l'envie fugitive de lui donner une raison d'avoir peur. Mais la peur était l'air même qu'ils respiraient.

— Il y a des endroits dangereux, annonça Brittney. Et un sacré précipice. Si tu tombes, tu te casses les jambes.

Penny secoua la tête.

— Ah non, ah non. Je suis déjà passée par là, hors de question que je recommence.

— Tu peux toujours t'en aller, répliqua Brittney d'une voix mielleuse.

— Tu ne crois pas... (Penny cherchait son souffle.) Tu ne crois pas que je vais le faire?

— Non. Tu vas là où tu as toujours voulu être.

— Je n'ai pas d'ordres..., rugit Penny.

— Fais attention, dit Brittney d'un ton dédaigneux. Il y a eu un éboulement dans ce coin-là. Tu vas devoir ramper par-dessus les rochers. (Puis, de cette drôle de voix incantatoire qu'elle avait parfois, elle ajouta:) À genoux nous rampons vers notre seigneur.

Immobile, Brianna essayait de reprendre sa respiration. L'obscurité, c'était un peu sa kryptonite. On ne pouvait pas avancer très vite quand on ne savait pas où on allait.

Il faisait si noir! C'était encore pire que les images que Penny lui avait mises dans la tête. À quoi pouvait-elle se raccrocher dans ce néant? À rien. Enfin, presque rien. Quand elle tenait sa machette devant elle, elle percevait une odeur légèrement acide de métal. Quand elle dégainait son arme à feu, elle sentait la crosse sous ses doigts, et l'odeur de la poudre. Elle imaginait la détonation, l'éclair de lumière. Maintenant qu'elle y pensait, elle avait quoi sur elle? Douze balles? Intéressant.

Il y avait aussi les bruits. Elle les entendait marcher à quelque distance devant elle. Ils avaient probablement déjà atteint l'entrée de la mine.

Brianna percevait la présence obscure du gaïaphage. Si elle n'était pas immunisée contre ce poids sur son âme, elle ne se sentait pas effrayée. Elle avait l'impression que la créature la mettait en garde, qu'une voix dans sa tête lui disait : «N'approche pas, n'approche pas !» Mais Brianna n'était pas du genre à se laisser impressionner. Elle avait entendu l'avertissement du gaïaphage. Elle percevait sa malveillance ; elle savait qu'il ne plaisantait pas et qu'il possédait un immense pouvoir doublé d'une grande volonté de faire le mal.

Seulement Brianna était quelqu'un d'à part. Elle le savait déjà avant l'apparition de la Zone, et cette certitude s'était renforcée depuis qu'elle était devenue la Brise.

Un souvenir d'enfance lui revint en mémoire. Quel âge avait-elle alors ? Trois ans ? Elle jouait avec deux enfants plus âgés qu'elle, un garçon et son idiote de sœur, qui vivaient trois maisons plus bas. Un jour, ils lui avaient proposé d'aller fouiner dans les ruines d'un restaurant italien ravagé par un incendie. L'endroit avait presque l'air normal de l'extérieur, à l'exception du ruban adhésif jaune que la police avait collé sur la porte noircie par le feu.

Les deux enfants dont elle ne se rappelait plus le nom avaient essayé de lui faire peur. «Oh, regarde, c'est ici qu'un type a flambé. Son fantôme doit encore traîner dans le coin. Bouh !»

Mais ils n'avaient pas réussi à l'effrayer. À vrai dire, la petite Brianna avait été déçue d'apprendre qu'il n'y avait pas de fantôme, en fin de compte.

C'est là que les rats étaient entrés en scène. Il y en avait au moins deux douzaines qui avaient surgi de la cuisine calcinée comme s'ils avaient le diable aux trousses et déferlé dans la salle où se trouvaient les enfants. Les Olafson – c'était leur nom, Jane et Todd Olafson ! Pas étonnant qu'elle ne s'en soit pas souvenue tout de suite – avaient poussé un hurlement et pris leurs jambes à leur cou. La fille, Jane, s'était salement égratigné le genou en tombant.

Brianna, elle, n'avait pas bougé d'un pouce. Elle se rappelait qu'un des rats s'était arrêté pour la regarder avec des yeux ronds, comme s'il n'en revenait pas qu'elle ne se soit pas enfuie. Sur le moment, elle avait eu envie de lui dire : « Tu n'es qu'un rat. »

Elle progressait lentement, un pas après l'autre. Bien trop lentement pour une personne normale, alors pour la Brise !

— Oh, je sens ta présence, vieux salaud, marmonna-t-elle. Mais tu n'es qu'un rat.

Sam se retourna et vit la succession des dix soleils derrière lui. Ils formaient une ligne un peu vacillante mais à peu près droite. Bien sûr, il ne distinguait plus le lac ni ses lumières pareilles à des lucioles.

Il songea aux autres personnes perdues dans cette terrible obscurité. Certaines d'entre elles avaient peut-être des lampes torches qui s'épuisaient peu à peu. D'autres avaient probablement allumé des feux. Mais la plupart devaient se résoudre à marcher dans le noir.

Ses pieds rencontrèrent une pente ascendante. Peut-être y verrait-il mieux de là-haut. Il aurait voulu qu'Astrid soit là pour qu'il puisse lui parler de la sensation étrange de se déplacer comme un aveugle, en sentant sans la voir une colline sous ses pieds.

Tout était une affaire de toucher, désormais. Au lieu de la voir de ses propres yeux, il sentait la montée dans le poids de son corps et le contact du sol sous lui. Comme elle devenait brusquement plus raide, il se laissa surprendre et trébucha.

Il alluma un soleil. D'abord, il distingua une vieille cannette de bière rouillée à ses pieds. Puis il s'aperçut qu'il se trouvait à moins de deux mètres d'un précipice. Il se serait rompu le cou s'il était tombé. Mais peut-être ne s'agissait-il que d'un fossé de quelques mètres de profondeur ? Il s'avança au bord et tendit l'oreille. Il pouvait presque entendre le vide sous lui ; il semblait infini.

Il ramassa la cannette de bière à ses pieds et la jeta dans le précipice. Elle tomba pendant une seconde ou deux, heurta quelque chose, et se remit à dégringoler de plus belle avant de s'immobiliser.

Sam poussa un soupir qui lui parut assourdissant dans l'obscurité. Il allait devoir rebrousser chemin et contourner la colline, ou risquer une chute vertigineuse. Il se tourna lentement vers sa droite. Il était à peu près certain que le lac était masqué par la colline, et pourtant il discernait au loin un point lumineux, comme une étoile, mais moins brillant et orangé. Probablement un feu à Perdido Beach. Ou dans le désert, voire sur l'île. À moins que son imagination ne lui joue des tours.

La vue de ce point lumineux lui arracha un soupir. Au lieu d'éclairer les ténèbres, il les faisait paraître encore plus vastes. Infinies. Cette minuscule source de lumière ne servait qu'à souligner l'immensité du néant.

Sam revint sur ses pas. En arrivant devant le soleil qu'il avait allumé au pied de la colline, il dut rassembler tout son courage pour partir à gauche, dans la direction de la ville fantôme. C'est du moins là qu'il la situait.

Allongée dans la poussière, Dekka poussait des hurlements atroces entrecoupés de halètements.

Après avoir identifié sa plus grande peur – les insectes –
Penny l'avait décuplée. Dekka aurait préféré mourir mille
fois plutôt que d'endurer un tel calvaire.

Elle entendait quelqu'un alterner cris, sanglots, paroles
sans suite, et s'aperçut peu à peu qu'ils provenaient d'elle.
Enfermée et dévorée vivante, de l'intérieur, jusqu'à la fin
des temps, prisonnière d'une pierre blanche indestructible,
de l'albâtre sans doute, d'une tombe qui s'était formée en
elle et l'immobilisait, si bien qu'elle ne pouvait même pas
se débattre tandis qu'ils lui dévoraient les entrailles...

Plus jamais. Elle se tuerait avant.

Elle ratissa des poignées de terre avec ses ongles et
serra les poings. Le sable coulait entre ses doigts, alors
elle en ramassait encore, il s'échappait de nouveau et elle
recommençait. Elle avait besoin de quelque chose à quoi
se raccrocher, elle devait sentir son corps bouger, échapper
à cette terrible prison de pierre blanche.

Elle n'était qu'une gamine. Une adolescente avec un
prénom stupide. Elle s'était assez battue comme ça. Et
pour quoi? Pour le néant. Pour la solitude. Tout ça pour
en arriver là, à déblatérer comme une folle en ramassant
des poignées de sable.

Tu vas mourir ici, Dekka, et ce n'est pas grave. Ferme
les yeux. Il n'y a plus rien à voir, de toute façon, Dekka.
Tu m'entends? Il ne reste que la peur. Or la mort n'est-elle
pas la fin de tous les tracas?

Le calme. La paix.

Ce ne serait même pas du suicide. Se laisser glisser...
Où était le mal?

— Fais-moi une faveur, Dieu, OK? Tue-moi. Parce que tant que je vivrai, elle peut recommencer, elle peut me recouvrir de pierre blanche et m'étouffer, et je vais sentir ces...

— J'ai pas envie de te tuer, moi.

Dekka rit. L'espace d'un instant, elle avait cru entendre la voix de Dieu. Elle attendit en retenant son souffle. Il y avait quelqu'un près d'elle, elle le sentait.

— C'est toi, Dekka? On dirait ta voix.

Dekka ne répondit pas. Ces inflexions graves lui semblaient familières.

— Je marchais quand je t'ai entendue chialer et hurler et prier, reprit Orc.

— Oui, fit Dekka.

Elle avait la bouche et le nez remplis de terre, le corps moite de sueur.

— Alors tu veux mourir?

Il ne pouvait pas voir qu'elle gisait face contre terre, vaincue.

— Tu n'as pas le droit de faire ça, poursuivit Orc.

— Je n'y arrive pas...

— Si tu te suicides, tu iras en enfer.

Dekka ricana en recrachant la terre qu'elle avait dans la bouche.

— Tu crois à l'enfer?

— Tu veux dire aux fourches et tout?

Dekka attendit pendant qu'il réfléchissait, curieuse malgré elle d'entendre sa réponse.

— Non, dit-il enfin. On est tous des enfants de Dieu, alors Il n'aurait pas fait ça. C'est juste une histoire qu'Il a inventée.

Dekka l'écoutait. Elle préférait encore entendre des bêtises que se souvenir.

— Une histoire?

— Ouais, parce qu'il savait que des fois nos vies tourneraient mal. Comme quand tu deviens un monstre et que ton meilleur ami se fait tuer. Alors il a inventé cette histoire d'enfer pour qu'on puisse toujours se dire: «Ça pourrait être pire.» Et c'est comme ça qu'on trouve la force de continuer.

Dekka n'avait pas d'argument à opposer à cela. Les propos d'Orc la laissaient sans voix. Et elle était presque en colère contre lui car la perplexité dans laquelle il l'avait jetée allait à l'encontre du désespoir. «Oui, l'étonnement, ça implique qu'on s'intéresse encore à ce qui se passe autour de soi», songea-t-elle.

— Qu'est-ce que tu fais ici, Orc?

— Je cherche Drake. Et si je le trouve, je le bute.

Avec un soupir, Dekka tendit le bras et sa main rencontra une jambe caillouteuse.

— Aide-moi à me relever. J'ai les jambes qui flageolent un peu.

Les énormes mains d'Orc la soulevèrent. Ses genoux se dérobèrent sous elle. Elle se sentait vidée. Mais elle n'était pas morte.

— Ça va?

— Non, répondit-elle.

— Moi non plus.

— Je...

Dekka fixa l'obscurité sans trop savoir si elle regardait dans la direction d'Orc, et s'interrompit pour réprimer un sanglot.

— J'ai peur de ne plus jamais redevenir moi.

— Ouais, je connais ça, dit Orc avec le soupir de quelqu'un qui vient de marcher pendant des milliers de kilomètres. C'est à cause des trucs que j'ai faits, et aussi de ce qui s'est passé, comme la fois où les coyotes m'ont bouffé. Et puis, tu sais, ce qui est arrivé après. Je n'ai pas envie de m'en souvenir. Mais rien ne s'efface, pas même quand je bois. C'est toujours là.

— Même dans le noir. Surtout dans le noir, ajouta Dekka.

— Dans quelle direction faut qu'on marche? demanda Orc.

— Je doute que ça ait de l'importance. Remets-toi en route. Je te suivrai au bruit de tes pas.

Cigare cria en serrant la main d'Astrid avec une force incroyable.

Ce n'était pas la première fois qu'il criait. C'était même assez récurrent chez lui. Mais ce coup-ci, c'était différent.

Astrid avait perçu un déplacement d'air, une odeur de viande en décomposition, puis un grondement de bête.

Cigare lui lâcha brusquement la main et, d'instinct, elle s'accroupit par terre. Le coyote rata son coup et, au lieu de refermer sa mâchoire sur sa jambe, il lui rentra dedans avec assez de force pour la faire basculer sur le dos.

Elle tâtonna dans l'obscurité, sentit le métal de son arme

sous ses doigts puis le frôlement d'un coyote passant en trombe près d'elle.

S'ils étaient capables de chasser dans le noir, il leur était tout de même plus difficile de tuer leur proie.

Astrid roula sur le ventre, tendit le bras pour attraper son fusil. Cigare poussait des hurlements désespérés tandis que les grognements des bêtes s'intensifiaient. Les coyotes semblaient frustrés ; incapables de plaquer leur proie à terre, ils donnaient des coups de dents à l'aveuglette en suivant les indications fournies par leur ouïe et leur odorat.

Astrid saisit son arme de ses doigts tremblants. Elle trouva la détente en enfonçant au passage le canon dans le sable et pria pour ne pas avoir enrayé le mécanisme de tir. Elle essaya de localiser Cigare, roula sur le dos et tira.

Le bruit de la détonation la fit sursauter. Il y eut un éclair de lumière aveuglant. En une fraction de seconde, Astrid vit trois coyotes qui encerclaient Cigare et un quatrième à quelques pas d'eux, les babines retroussées en un rictus féroce.

Elle se redressa sur un genou, braqua son arme sur l'endroit où se tenait le quatrième coyote et pressa de nouveau la détente. Rien ! Elle avait oublié de glisser une balle dans le chargeur. Elle s'exécuta d'une main tremblante, visa et tira de nouveau.

Cette fois, elle vit que le coyote avait disparu et, avec lui, les bêtes qui encerclaient Cigare. Le garçon la fixait de ses terribles yeux blancs et ronds comme des billes.

Quelque chose était arrivé aux coyotes. Ils avaient... explosé. L'éclair de lumière n'avait révélé qu'un tas d'entrailles à l'endroit où ils se trouvaient un instant plus tôt.

Le silence et les ténèbres revinrent.

Cigare respirait bruyamment. Astrid aussi. La puanteur des entrailles de coyotes se mêlait à l'odeur de la poudre.

Astrid mit un certain temps à retrouver sa voix et à rassembler ses esprits.

— Le petit garçon est là ? dit-elle enfin.

— Oui, répondit Cigare.

— Qu'est-ce qu'il a fait ?

— Il les a touchés. Est-ce… est-ce que c'est bien réel ? demanda Cigare d'une voix hésitante.

— Oui, je crois que oui.

Astrid fixa le vide, son arme encore fumante à la main. Elle tremblait de froid. Les ténèbres l'enveloppaient tel un linge humide.

— Pete. Parle-moi.

— Il ne peut pas, dit Cigare.

Un silence.

— Il dit que ce ne serait pas bon pour toi.

— Et toi, pourquoi ça ne te fait rien ?

Cigare rit tristement.

— Moi, je suis déjà fichu.

Astrid soupira.

— Est-ce qu'il veut dire par là que ça me rendrait… ?

Elle chercha un adjectif susceptible de ne pas vexer Cigare. Mais il en était au stade où on ne s'attache plus aux euphémismes.

— Folle ? Moi, je suis déjà fou. Mais il ne sait pas comment on fait. Peut-être que ça te rendrait folle, oui.

Astrid avait mal aux doigts à force d'agripper son arme. Son cœur battait si fort que Cigare devait l'entendre. Elle frissonna. Tout sauf la folie. Elle pouvait obtenir toutes les réponses qu'elle cherchait par le biais de Cigare, bien qu'il n'ait que de brefs moments de lucidité entre deux crises de démence.

— Je ne prends pas le risque, dit-elle. En route.

Sauf qu'elle ne savait pas dans quelle direction marcher. Depuis que la nuit avait recouvert la zone, elle s'était contentée de suivre Cigare, qui lui-même suivait soi-disant le petit Pete.

Astrid était au bord de la panique. Les ténèbres l'oppressaient à tel point qu'elle avait du mal à respirer. Elles étaient si impénétrables qu'elle pouvait tourner en rond sans s'en apercevoir, ou fouler un champ infesté de vers et ne s'en rendre compte qu'à la seconde où ils auraient commencé à la dévorer.

— Bon sang, rallume la lumière, Pete, cria-t-elle.

Mais sa voix se perdit dans l'obscurité.

— Répare-la ! C'est toi qui as fait ça ! Répare-la !

Silence.

Cigare se remit à glousser, à gémir et à divaguer à propos d'une histoire de bonbons.

Elle se revit sur la péniche, blottie contre Sam dans sa couchette. Elle avait pris plaisir à toucher ses muscles. Elle s'était fait penser à ces filles qu'elle méprisait, et qui s'entichaient toujours d'acteurs ou de rock stars, de types avec des abdos bien dessinés. Elle n'était pas différente d'elles, en fin de compte.

Elle se rappelait avoir posé la main sur le biceps de Sam quand il avait plié le bras pour la soulever comme si elle ne pesait rien, elle revoyait le muscle gonfler et durcir comme du bois. Il l'avait reposée délicatement, elle s'était appuyée sur son torse pour garder l'équilibre et...

Et maintenant, elle errait dans le noir en compagnie d'un fantôme et d'un fou.

Pourquoi?

Risquer sa santé mentale pour apprendre quelque chose. Et qu'apprendrait-elle si le petit Pete lui détruisait le cerveau?

— Répare-la! Répare-la! cria-t-elle, le visage tourné vers les ténèbres.

— Ma jambe, ce n'est pas ma jambe... C'est un bâton avec des clous qui dépassent, gémit Cigare.

Une envie terrible de mettre fin à ses souffrances s'empara d'Astrid. Elle serra les dents. Non, non, elle avait déjà sacrifié Pete. Elle ne prendrait plus jamais une vie innocente.

«Une vie innocente!» fit une voix railleuse dans sa tête. Le petit Pete, innocent? Astrid Ellison, procureur, juge et bourreau. «Il n'y a rien d'innocent chez Pete, reprit la voix. C'est lui qui a créé cet univers et tout est sa faute.»

— En route, dit-elle. Donne-moi la main, Cigare.

Elle tâtonna dans l'obscurité jusqu'à trouver la main du garçon.

— Debout.

Il obéit et demanda:

— Dans quelle direction?

Astrid ricana.

— J'ai une blague pour toi, Cigare. La raison et la folie cherchent la sortie dans une pièce toute noire.

Cigare rit comme si c'était l'histoire la plus drôle qu'il avait jamais entendue.

— Est-ce qu'au moins tu connais la chute, pauvre fou?

— Non, admit-il.

— Moi non plus. Et si on marchait jusqu'à ce qu'on n'en puisse plus?

Dehors

Assise sur une banquette dans un restaurant, Connie Temple buvait son café à petites gorgées. Une journaliste nommée Elizabeth Han était assise en face d'elle. En plus d'être jeune et jolie, Han était une fille intelligente. Elle avait déjà interviewé Connie à plusieurs reprises. Elle travaillait pour le *Huffington Post* et suivait l'affaire Perdido Beach depuis le début.

— Ils vont faire exploser une bombe atomique ?

— Cette histoire de pollution chimique, c'est un prétexte. Ils veulent juste nous éloigner du dôme. Ils sont délibérément partis à la dernière minute pour donner l'impression qu'il s'agissait d'une véritable urgence.

Han ouvrit les bras.

— Une explosion nucléaire, même souterraine, se verrait sur tous les sismographes du monde !

Connie acquiesça.

— Je sais. Mais...

À ce moment, Abana Baidoo entra dans le restaurant, passa devant la serveuse et se glissa sur la banquette à côté de son amie. Connie l'avait appelée sans l'informer de quoi que ce soit. Très vite, et sans révéler le nom de Darius, elle lui raconta toute l'histoire.

— Ils sont devenus dingues ! s'exclama Abana.

— Ils ont peur, c'est tout, dit Connie. C'est dans la nature humaine : ils ne veulent pas rester les bras croisés, ils veulent qu'il se passe quelque chose.

— On veut tous qu'il se passe quelque chose, répliqua Abana avec colère. (Elle posa une main rassurante sur le bras de Connie.) On est tous morts d'inquiétude. On est tous fatigués de ne pas savoir.

Elizabeth Han laissa échapper un ricanement.

— Ils ne peuvent pas faire ça sans l'accord des autorités. Et là, je parle d'un personnage très haut placé ! (Elle secoua la tête d'un air songeur.) Ils savent quelque chose. Ou du moins ils ont des soupçons. Le Président n'est pas du genre impulsif.

— Il faut empêcher ça, insista Connie.

— On ne connaît toujours pas l'origine du dôme, dit la journaliste. Quoi qu'il en soit, il aura fallu réécrire les lois de la nature pour le créer. Ils n'ont pas pris cette décision en une seule nuit. Ça fait longtemps que leur plan est en place. Au départ, ce n'était sans doute qu'une option parmi d'autres. Alors pourquoi se décider maintenant ?

— Le dôme change, expliqua Connie. Ils nous ont briefés là-dessus. (Elle se tourna vers son amie.) Abana, ils ne veulent pas que nos enfants sortent, voilà la raison. Ils pensent que l'enceinte s'affaiblit, et ils ne veulent pas qu'ils sortent.

— Ou plutôt, ils ne veulent pas que la chose qui est à l'origine de tout ça sorte, objecta Abana. J'ai du mal à croire que ce sont nos gosses qu'ils visent. Ce qu'ils ont dans le collimateur, c'est cette chose.

Connie baissa la tête, consciente qu'Abana et Elizabeth échangeaient des coups d'œil inquiets.

— Bon, dit-elle en évitant le regard des deux femmes, ce qui s'est passé à l'intérieur... les enfants qui ont développé des pouvoirs... Je n'en ai jamais parlé à personne, et je le regrette amèrement. Mais avec Sam... (Elle se mordit la lèvre puis leva les yeux, l'air résolu.) Sam et Caine... leurs pouvoirs se sont développés avant l'anomalie. J'étais au courant de ce qui se passait. La chose, les mutations, tout ça s'est produit avant l'apparition du dôme.

Elizabeth Han pianotait frénétiquement sur son iPhone, prenant des notes.

Elle fronça les sourcils et leva les yeux.

— Pourquoi le gouvernement serait-il plus effrayé par le fait... Ils pensent que le dôme est la cause des mutations, c'est ça ?

Connie hocha la tête.

— Si c'est bien le cas, quand le dôme sera détruit, les mutations cesseront. Mais si les mutations sont antérieures à la paroi, alors peut-être que ce sont elles qui en sont à l'origine. Ce qui signifie qu'elle n'est pas juste une erreur de la nature, ni une histoire de quantum de flux magnétique, ni même une intrusion venue d'un univers parallèle, et j'en passe. Il y a quelque chose ou quelqu'un à l'intérieur de ce dôme qui détient un pouvoir incroyable.

Elizabeth se remit à prendre des notes, l'air sombre.

— Vous devez me donner le nom de la personne qui vous a parlé de la bombe. Il me faut une source.

Du coin de l'œil, Connie vit Abana s'écarter d'elle. Pour la première fois depuis l'apparition de l'anomalie, une distance s'était instaurée entre elles. Connie lui avait menti. Pendant tout ce temps où elles avaient souffert ensemble, Connie lui avait caché la vérité.

Et maintenant, Connie le voyait bien, Abana se demandait si, d'une manière ou d'une autre, son amie n'aurait pas pu empêcher la catastrophe de se produire.

— Je ne peux pas vous révéler son nom.

— Alors je ne peux pas publier d'article.

Abana se leva brusquement et donna un coup de poing sur la table qui fit trembler les tasses.

— Je vais arrêter ça. Je vais appeler les parents, les familles, contourner ce barrage routier, et s'ils veulent faire exploser ma fille, il faudra d'abord qu'ils me passent sur le corps.

Connie la regarda sortir du restaurant.

— Que voulez-vous que je fasse ? s'exclama la journaliste avec colère. Vous refusez de me donner le nom de votre informateur. Qu'est-ce que je suis censée faire ?

— J'ai donné ma parole.

— Votre fils...

— Darius Ashton ! dit Connie entre ses dents. (Puis, d'un ton plus calme, elle répéta, la mort dans l'âme :) Le sergent Darius Ashton. J'ai son numéro de téléphone. Mais si vous révélez son nom, il finira en prison.

— Si je ne diffuse pas la nouvelle immédiatement, tous ces enfants vont peut-être mourir. Qu'est-ce que vous préférez ?

— Sergent Ashton ? Sergent Darius Ashton ?

Il se figea. La voix derrière lui ne lui était pas familière. Pourtant le ton, la répétition de son nom lui apprenaient tout ce qu'il avait besoin de savoir.

Il se retourna avec un sourire forcé et vit un homme et une femme qui, eux, ne souriaient pas. Tous deux brandissaient un badge.

À cet instant, son téléphone sonna.

— C'est moi, dit-il. Excusez-moi un instant.

Les agents du FBI semblèrent un instant hésiter sur la marche à suivre : devaient-ils le laisser prendre l'appel ? Darius leva un doigt pour leur signifier : « Juste une minute. » Il écouta la personne à l'autre bout du fil.

Il était conscient qu'il signait sa perte. Sous les yeux de deux agents du FBI, il s'apprêtait à commettre l'équivalent d'un suicide.

— Oui, dit-il dans le combiné. Ce qu'elle vous a dit est cent pour cent exact.

Les agents du FBI lui arrachèrent son téléphone.

32

D IANA S'ÉTAIT ÉGRATIGNÉE et cognée en de nombreux endroits. Les paumes de ses mains, la plante de ses pieds, ses mollets, ses chevilles étaient meurtris. Quant aux bourrelets sur son dos, ses épaules, ses fesses et l'arrière de ses cuisses, ils étaient l'œuvre du fouet de Drake.

Pourtant, elle ne sentait presque pas la douleur, cette sensation lointaine éprouvée par une autre qu'elle, une enveloppe de chair qu'elle avait jadis habitée, peut-être, mais ce n'était plus elle, parce que la nouvelle Diana vivait un calvaire cent fois pire que tout ce qu'elle avait connu jusque-là.

Ce calvaire, il se trouvait à l'intérieur d'elle-même. Dans son ventre. Le bébé. Il poussait, il donnait des coups de pied. Et il grandissait. Elle sentait son ventre un peu plus gros chaque fois qu'elle le touchait, comme un ballon qu'on remplit d'eau avec un tuyau sans avoir assez de jugeote pour arrêter avant qu'il n'explose...

Elle fut prise d'un spasme qui la laissa exsangue. Une contraction, plus exactement : le mot venait de surgir du tréfonds de sa mémoire.

Son ventre grossissait-il vraiment ? L'impatience du bébé était-elle bien réelle, ou Penny s'amusait-elle à déformer sa perception des choses ? Elle sentait la présence obscure du gaïaphage et, pire encore, son impatience. Il la forçait à presser le pas, comme un enfant réclamant une friandise. Donne-le-moi ! Donne-le-moi !

Mais le plus atroce, c'était l'écho qui lui venait du bébé. Lui aussi, il sentait la volonté écrasante du gaïaphage. Il lui appartenait déjà, elle le savait.

Depuis combien de temps rampait-elle ? Combien de fois Drake l'avait-il soulevée brusquement à l'aide de son fouet pour lui faire franchir un précipice ?

Les ténèbres autour d'elle étaient si épaisses qu'elles s'immisçaient dans ses souvenirs et en effaçaient le soleil.

Enfin, au terme d'une éternité, elle distingua une lueur au loin. D'abord elle crut qu'elle était victime d'une hallucination. Elle avait accepté le fait que la lumière s'était éteinte pour toujours.

— Avance ! la pressa Drake. Le sol est plat maintenant. Avance !

Elle obéit en titubant. La peau de son ventre était tendue comme un tambour. Il avait pris des proportions inimaginables. Une autre contraction la plia en deux. Il lui semblait qu'un étau se resserrait à l'intérieur d'elle et que ses os étaient sur le point d'éclater.

L'atmosphère était chaude, irrespirable. Diana était en nage. La sueur collait ses cheveux sur sa nuque.

La clarté s'intensifia. Elle semblait provenir du sol et des parois de la caverne. Elle éclairait les irrégularités de la roche, les stalagmites s'élevant du sol, les tas de pierres éboulées semblables aux cubes d'un jeu de construction.

Sous ses pieds nus, Diana sentit la décharge électrique de l'enceinte, qui la força à s'agripper aux parois éclairées.

Elle sentit le gaïaphage bouger sous elle, comme si elle marchait sur des millions de fourmis agglutinées les unes aux autres ; les cellules du monstre vibraient.

Drake gambadait dans la caverne en faisant claquer son fouet et en criant :

— J'ai réussi ! J'ai réussi ! Je t'ai amené Diana ! Moi, Drake Merwin, j'ai réussi !

Où était passé Justin ? Diana se souvint qu'elle ne l'avait pas entendu depuis un long moment. Elle jeta un regard affolé autour d'elle, tout étonnée d'y voir. Une lumière verdâtre nimbait son champ de vision.

Penny surprit son regard paniqué et comprit à son tour qu'ils avaient perdu le petit garçon quelque part en chemin. Elle n'en menait pas large non plus. Elle avait l'air presque aussi épuisée que Diana. La traversée du tunnel avait été une épreuve. Elle avait dû se cogner la tête très fort à un moment donné, car du sang coulait sur son œil d'une énorme plaie dans son cuir chevelu.

Mais Penny s'était déjà désintéressée de Justin. Elle observait d'un œil jaloux Drake qui laissait exploser sa joie. Il ne prêtait aucune attention à elle. Il ne l'avait même pas présentée à son maître.

Diana fut prise d'une autre contraction qui la fit tomber à genoux. C'est dans cette position qu'elle sentit un liquide tiède couler entre ses cuisses.

«Impossible !» Elle se mit à pleurer.

Mais elle savait depuis longtemps que ce bébé n'était pas un enfant normal. Il avait déjà trois barres, cet enfant aux pouvoirs encore inconnus, issu d'un père malfaisant et d'une mère qui avait essayé sans succès de se repentir. Ses larmes brûlantes n'avaient pas suffi à effacer la tache, pas plus que le liquide qui coulait entre ses jambes.

Diana Ladris avait beau se flageller et prier le ciel pour qu'il la pardonne, elle donnerait quand même le jour à un monstre.

Brianna avait glissé un petit pigeon rôti dans son sac à dos. Dotée d'un solide appétit, elle aimait garder un en-cas à portée de main. Quand on avait vécu la famine, on devenait anxieux par rapport à la nourriture.

Elle dépeça le pigeon, chercha avec ses doigts sales les morceaux de cartilage et déposa les bouts de viande dans la main du petit garçon.

— Tiens, mange. Ça va t'aider à te sentir mieux.

Ils se trouvaient tout au fond de la mine. Elle avait failli tailler Justin en pièces avec sa machette avant de comprendre que ce n'était pas un coyote.

Et maintenant, quoi ? Elle aurait pu le faire sortir de la mine, mais à quoi bon ? Il faisait aussi noir dehors que dedans. Enfin, dehors, le sentiment d'oppression causé par la proximité du gaïaphage était tout de même moins intense.

— Dis-moi, petit, tu l'as vu ?

— J'ai rien vu du tout, répondit Justin en reniflant.

Ses larmes s'étaient taries, et il semblait en état de choc à présent. Brianna éprouva un élan de compassion inhabituel chez elle. Pauvre gosse. Il n'était pas normal qu'un enfant aussi jeune ait à subir ce genre d'épreuve. Comment sa mémoire pourrait-elle l'effacer?

— Il y a un grand trou, dit-il sans crier gare. C'est là qu'ils m'ont oublié.

— Ah oui? C'est bien, petit, ça m'aide de savoir ça.

— Tu vas sauver Diana?

— J'avais plutôt envisagé de tuer Drake, mais si ça revient à sauver Diana, je ferai avec.

Elle arracha un autre morceau de son précieux pigeon et le donna à l'enfant. Quelle importance? Elle s'était embarquée dans une mission suicide dont elle ne reviendrait probablement pas. Elle n'avait pas besoin de manger.

— La dame. Diana. Je crois que son bébé va sortir.

— Eh bien, il a choisi son moment, celui-là, répliqua Brianna en soupirant. Petit, il faut que je me remette en route, tu comprends? Tu peux rebrousser chemin ou t'asseoir ici et m'attendre.

— Tu vas revenir?

Brianna eut un rire bref.

— Ça m'étonnerait. Mais la Brise ne s'arrête jamais, mon petit gars. Si un jour tu arrives à sortir de la Zone et à rentrer chez tes parents, tu feras passer le mot autour de toi, hein? Tu pourrais même aller voir ma famille...

Sa voix s'étrangla et elle sentit les larmes lui monter aux yeux. Qu'est-ce qui lui arrivait? Elle secoua la tête avec colère et poursuivit:

— Je disais donc: tu raconteras aux gens que la Brise ne s'est jamais dégonflée. Qu'elle n'a jamais renoncé. Tu feras ça pour moi, dis?

— Oui, madame.

— Madame! répéta Brianna d'un ton moqueur. Bon, à plus tard, OK?

Elle reprit sa marche dans le tunnel. Elle avait trouvé un moyen de progresser un peu plus vite qu'une personne normale, en agitant sa machette au-dessus de sa tête. Dès que la lame rencontrait une paroi, elle s'arrêtait pour chercher le passage, comme un aveugle se repérant au moyen de sa canne.

De temps en temps, elle ramassait une pierre et la jetait devant elle en guettant le bruit qu'elle ferait en tombant afin de localiser le « grand trou » dont avait parlé Justin. À un moment donné, elle n'entendit pas son projectile heurter le sol.

— Ah, je crois qu'on a trouvé le grand trou.

Elle avança à petits pas jusqu'à sentir le vide sous son pied, puis rampa jusqu'au bord du précipice et se positionna de façon à regarder en bas. « Garde les yeux bien ouverts, c'est pas le moment de ciller », se dit-elle et, pointant le canon de son arme vers le trou, elle pressa la détente.

En général le bruit d'une balle n'était pas vraiment discret, mais, dans la mine, il s'apparenta à l'explosion d'une bombe. L'éclair de lumière causé par la détonation éclaira le trou sur une dizaine de mètres. Le bruit se répercuta pendant quelques secondes, semblable à celui d'un avion franchissant le mur du son. Drake avait dû l'entendre, à moins que le boyau soit plus profond que Brianna ne l'imaginait.

Elle sourit.

— Eh oui, Drakounet, j'arrive.

Deux explosions. Deux éclairs lumineux.

Impossible de déterminer à quelle distance. D'après le bruit, c'était loin. À en croire la lumière, c'était plus près.

Ç'aurait pu être n'importe qui. Brianna, Astrid ou un gamin armé perdu dans le désert.

— En tout cas, c'est un flingue, dit Sam à voix haute.

Bizarrement, ces coups de feu avaient quelque chose de rassurant.

Sam n'avait pas l'impression qu'ils provenaient de la mine. C'était plus vers sa droite, du côté de Perdido Beach. Or, ce n'était pas sa destination. Il n'était pas parti dans l'intention de voler au secours d'Astrid, si c'était elle. Il avait une mission à accomplir...

— Tant pis pour la mission ! grommela-t-il.

Si c'était Astrid – et il s'était déjà persuadé que c'était elle –, il devrait se déplacer vite. Il devrait même carrément courir dans l'obscurité.

Sam fixa dans sa mémoire la direction des coups de feu et s'élança en levant haut la jambe à chaque pas pour éviter de trébucher. Il avait parcouru une bonne distance quand son pied se prit dans quelque chose. Il tomba à plat ventre dans la terre, se releva et se remit à courir.

C'était de la folie furieuse de courir à l'aveuglette, sans la moindre idée de ce qu'il trouverait devant lui : un mur, une branche, un animal sauvage.

Mais il n'avait pas le choix s'il voulait avoir une chance d'atteindre son but.

« C'est la vie », pensa-t-il et, alors qu'un sourire las se formait sur ses lèvres, il tomba dans un tas de broussailles, parvint à s'en libérer non sans mal, se releva et repartit de plus belle en ôtant des épines de ses bras et de ses mains tandis qu'il courait.

Toute sa vie, Sam avait eu peur du noir. Plus jeune, il attendait, pétrifié dans son lit, l'attaque du monstre invisible qu'il se représentait dans les moindres détails. Mais à présent, dans ces ténèbres absolues, il lui semblait qu'il avait moins peur de ce qui s'y cachait peut-être que de sa propre réaction. Il avait passé des centaines voire des milliers d'heures à essayer de deviner comment il se comporterait face au terrible danger sorti de son imagination. Il en avait honte, de cet interminable jeu de guerre avec des créatures qui ne se matérialisaient jamais. Dans ses innombrables scénarios, Sam ne paniquait pas. Il ne s'enfuyait pas. Il ne versait pas une larme.

Car, plus que n'importe quel monstre, Sam craignait de se montrer lâche et peureux. Il avait terriblement peur d'avoir peur.

Or, la seule solution, c'était de refuser ça en bloc. Mais c'était plus facile à dire qu'à faire quand il faisait noir comme dans un four et qu'il y avait d'authentiques monstres tapis dans les ténèbres.

Sam ne pouvait plus compter sur une veilleuse ou sur l'un de ses soleils. L'obscurité était si épaisse qu'elle niait l'idée même de voir. Et le fait de réfléchir à sa peur ne suffisait pas à la calmer. En revanche, continuer à courir en ligne droite, si.

— Tant que tu ne te mets pas à pleurer, songea-t-il tout haut.

— Howard me manque, grommela Orc.

Dekka n'était pas d'humeur bavarde. À vrai dire, elle avait à peine desserré les lèvres depuis qu'ils s'étaient remis en route. En temps normal, Orc ne parlait pas beaucoup non plus, mais dans le noir il n'y avait pas grand-chose d'autre à faire.

Orc marchait en tête et Dekka le suivait en se repérant au bruit de ses pas. L'avantage avec sa stature, songea-t-il, c'est qu'elle l'empêchait de trébucher. La plupart du temps, il passait à travers les obstacles qu'il rencontrait et, dans le cas de broussailles ou d'un terrain bosselé, il pouvait prévenir Dekka.

— Désolée pour lui, dit-elle. Je sais que vous étiez amis.

— Personne n'aimait Howard.

Dekka ne jugea pas utile de le contredire.

— Aux yeux de tout le monde, ce n'était qu'un vendeur de drogue et d'alcool. Mais, des fois, il était différent.

Orc écrasa une boîte de conserve sous son pied et, au pas suivant, aplatit une motte de terre.

— Moi, il m'aimait bien, reprit-il.

Dekka ne fit pas de commentaire.

— Toi, t'as beaucoup d'amis, donc tu comprends pas pourquoi Howard...

— Non, je n'en ai pas beaucoup, l'interrompit Dekka.

Sa voix tremblait encore. Quoi qu'il ait pu se passer avant qu'il tombe sur elle, ce devait être quelque chose car, d'après ce qu'en savait Orc, Dekka était une fille coriace. Howard en faisait souvent la remarque. Parfois aussi, il lui donnait des noms d'oiseau, peut-être parce qu'elle le regardait de travers.

— Sam, dit Orc.

— Oui, fit Dekka d'un ton radouci. Sam.

— Et Edilio.

— On travaille ensemble. On n'est pas vraiment amis. Et toi et Sinder? Elle a l'air de bien t'aimer.

Cette idée surprit Orc.

— Elle est gentille avec moi, admit-il. (Il réfléchit quelques instants.) Et elle est jolie, aussi.

— Ce n'est pas ce que je voulais dire.

— Oh non, je sais bien, répliqua Orc en se sentant rougir comme s'il avait encore de la peau sur le visage. C'est pas ce que je voulais dire non plus. (Il eut un rire forcé.) Ce genre de truc, c'est pas pour moi. Les filles ne s'intéressent pas aux types comme moi.

Il ne voulait pas donner l'impression qu'il s'apitoyait sur son sort, mais c'était pourtant la réflexion qu'avait dû se faire Dekka.

— Eh bien, il se trouve qu'elles ne s'intéressent pas à moi non plus, lâcha-t-elle.

— Tu veux dire «ils». Les garçons.

— Non, je parle bien des filles.

Orc en trébucha de surprise.

— T'es une de ces... lesbos, là?

— Une lesbienne. C'est comme ça que ça s'appelle. Et *a priori*, ici, je suis la seule.

Soudain, Orc se sentit très mal à l'aise. Pour lui, du temps de l'école, le mot «lesbienne» n'était qu'une insulte dirigée contre une fille très laide. Jusqu'à présent, il n'avait jamais vraiment réfléchi à ce qu'il signifiait vraiment.

Une pensée lui traversa l'esprit.

— En fait, t'es comme moi.

— Hein?

— T'es unique en ton genre. Comme moi, quoi.

Dekka laissa échapper un ricanement. Elle semblait agacée. Cependant, pour Orc, c'était mieux que son silence coutumier.

— Ben oui, poursuivit-il, toi et moi, on est des cas spéciaux. Moi, je suis le seul à être fait de pierre, et toi, t'es la seule lesbos.

— Lesbienne, corrigea Dekka, mais sa voix ne trahissait plus de colère.

Quelque chose accrocha le visage d'Orc.

— Fais gaffe, y a un arbre. Tu n'as qu'à tenir ma taille, je vais le contourner.

Lana avait vu juste. Les ennuis ne tardèrent pas à arriver. Quinn arrêta un gamin qui avait tiré un bâton enflammé du feu et prenait la direction de chez lui.

— Je veux juste récupérer mes affaires.

— Pas de feu en dehors de la place, dit Quinn. Désolé, mon pote, mais on ne veut pas d'un autre incendie.

— Alors donne-moi une lampe torche.

— On ne peut pas.

— Alors occupe-toi de tes oignons. C'est pas un pêcheur qui va me donner des ordres.

Quinn agrippa le tison. Le gamin tenta de libérer son bras mais, contrairement à Quinn, il n'avait pas passé des mois à ramer.

Quinn lui arracha le tison des mains sans grande difficulté.

— Tu peux aller où ça te chante. Mais sans feu.

Au moment où il ramenait le fauteur de troubles sur la place, il vit deux torches s'éloigner dans la direction opposée. Il jura entre ses dents et envoya quelques-uns des membres de son équipe les chercher. Mais après avoir coupé du bois, distribué la nourriture et creusé une fosse d'aisances, ils étaient épuisés.

Lana avait vu juste, oui. Elle le regardait en ce moment même sans mot dire ; elle savait qu'il en était arrivé à la même conclusion qu'elle.

— Caine, dit Quinn. Ton pouvoir est revenu ?

Caine avait disparu pendant quelque temps. Plus tard, Quinn avait compris qu'il avait marché jusqu'à l'océan pour se laver. Ses vêtements étaient mouillés mais ils avaient retrouvé un semblant de propreté. Il avait lissé ses cheveux en arrière, et Lana avait soigné les plaies laissées par les agrafes que Penny avait plantées dans son crâne.

Le dos de ses mains était encore recouvert d'une fine couche peu épaisse de ciment. Il avait du mal à plier les doigts. Cependant, ses paumes étaient à peu près propres.

Même à la lueur du feu, il avait le teint gris. Il semblait être passé du stade d'adolescent séduisant à celui de vieillard abattu. Mais il se leva d'un air digne et se tourna vers l'hôtel de ville. L'église avait été vidée de tous les objets inflammables qu'elle contenait. Le reste du toit s'était effondré avec un craquement sonore en projetant de la poussière qui formait des étincelles au-dessus du feu. À présent, les équipes fatiguées démembraient des chaises, des tables, des rampes d'escalier et des cadres de tableaux provenant de l'hôtel de ville.

Caine fixa son attention sur un bureau et tendit les bras, paumes ouvertes. Le bureau s'éleva du sol, vola au-dessus des visages levés et finit sa course dans le feu.

Quinn s'attendait à ce que Caine annonce publiquement qu'il reprenait sa place de chef. Qu'il était toujours le roi. Et, la triste vérité, c'est que Quinn s'en serait réjoui. Il pensait n'avoir pas les épaules suffisantes pour endosser cette responsabilité.

— Dis-moi ce que tu veux que je fasse, dit Caine d'un ton tranquille.

Puis il s'assit en tailleur et reporta son attention sur le feu.

Lana s'avança d'un pas nonchalant.

— Il faut admettre que ce gars-là a le don de ne jamais faire ce qu'il faut. Pour une fois qu'on a besoin qu'il joue les méchants, il devient doux comme un agneau.

Quinn était trop fatigué pour plaisanter. Il baissa la tête et ses épaules s'affaissèrent.

— J'aimerais bien savoir combien de temps on va devoir tenir.

— Jusqu'à ce qu'on n'y arrive plus, dit Lana.

Soudain, il y eut un mouvement de panique. Quinn n'en comprit pas la cause. Les gamins rassemblés de l'autre côté du feu s'étaient mis à pousser des hurlements de frayeur. Ce n'était peut-être rien de plus qu'un rat, mais ceux qui se trouvaient près d'eux, et qui ignoraient les raisons de leur agitation, se mirent à crier à leur tour. La panique se répandit comme une traînée de poudre.

Lana poussa un juron et s'élança, Quinn sur les talons. Peace, la petite sœur de Sanjit, fonça dans Quinn.

— Qu'est-ce qui se passe? cria-t-il en l'agrippant par les épaules.

Incapable de répondre, elle secoua la tête et se dégagea brusquement.

Un gamin dont les vêtements avaient pris feu s'enfuit à toutes jambes en poussant des hurlements de douleur. Dahra Baidoo le plaqua comme un joueur de rugby pour éteindre les flammes.

D'autres enfants munis de torches avaient formé de petits groupes et se tournaient le dos comme des guerriers cernés par leurs ennemis.

Soudain, Quinn vit, horrifié, une fille courir droit vers le feu en hurlant: «Maman! Maman!»

Il se précipita pour la retenir mais il était trop tard. La chaleur des flammes le fit reculer. Comme mue par une intervention divine, la fille s'éleva brusquement au-dessus du feu, fut projetée à quelques mètres de là et roula sur le sol. La méthode, quoique expéditive, s'avéra efficace. Le feu qui s'était propagé à son short s'éteignit.

Quinn se tourna vers Caine pour lui témoigner sa gratitude mais celui garda la tête baissée.

De son côté, Lana fulminait contre les enfants et leur ordonnait de se calmer. Certains lui obéirent, mais d'autres s'éloignaient dans les ténèbres après avoir allumé des torches. Quinn comprit qu'avant peu ils verraient des feux brûler un peu partout dans cette pauvre ville déjà dévastée.

Lana revint au pas de charge, furieuse.

— Ils ne savent même pas ce qui s'est passé. Un idiot se met à crier et ils l'imitent tous comme des moutons. Ce que je peux détester les gens!

— Est-ce qu'on rattrape ceux qui se sont fait la malle ? songea Quinn tout haut.

Mais Lana n'était pas d'humeur à avoir une discussion calme.

— Parfois, vraiment, je les hais tous.

Quinn vit un léger sourire flotter sur les lèvres de Caine qui se tourna vers lui, l'air intrigué.

— J'ai une question pour toi, Quinn. Combien de temps tu serais resté en grève ?

— Hein ?

— Si je me souviens bien, tu étais prêt à déclencher une famine pour Cigare.

Quinn mit les poings sur ses hanches.

— Et toi, combien de temps tu aurais défendu Penny ?

Caine rit doucement.

— C'est pas facile d'être chef, pas vrai ?

— Moi, je n'ai torturé personne, Caine. Je n'ai livré personne à une espèce de psychopathe qui rend les gens dingues.

Les épaules de Caine s'affaissèrent un peu.

— Tu as bien failli me battre, Quinn, dit-il en détournant les yeux. Quant à Albert, il pensait déjà à la façon dont il se débarrasserait de moi.

— Albert avait son plan d'évasion.

Les yeux de Caine étincelèrent à la lueur du feu.

— Je n'ai pas dit mon dernier mot. J'aimais bien cette île. Je n'aurais jamais dû la quitter. Diana m'avait prévenu. Il y a d'autres bateaux. Peut-être que je rendrai une petite visite à ce bon vieil Albert un de ces jours.

— Tu devrais.

Quinn repensa aux petits yeux de Cigare émergeant de ses orbites noircies. « Qu'il aille récupérer son île », songea-t-il. Il serait curieux de voir si Albert mettrait sa menace à exécution.

Mais Caine semblait déjà s'être désintéressé du sujet.

— De toute façon, bientôt, on sera tous morts, dit-il.

Quinn hocha la tête.

— Tout de même, j'aurais bien aimé revoir Diana, ajouta Caine. Il n'y aura pas de bébé.

— Tu es soulagé ? demanda sèchement Lana.

Caine réfléchit longtemps à la question.

— Non, plutôt triste, répondit-il enfin.

— Qu'est-ce que c'est que cette lumière ?
Astrid écarquilla les yeux. Oui. Une lueur orangée. Un feu !

— Cigare, je crois que je vois la ville. Je crois que je vois un feu.

— Je le vois, moi aussi. On dirait qu'il y a des diables qui dansent autour.

Ils accélérèrent le pas. Bientôt, Astrid remarqua que le sol sous ses bottes était plus irrégulier, et que des mottes de terre s'accrochaient à ses semelles. Mais elle était trop accaparée par la lumière. Soudain, Cigare se mit à crier. Cela lui arrivait souvent, et Astrid poursuivit son chemin sans tenir compte de ses hurlements affolés. Il prétendait qu'il avait quelque chose dans le pied.

Tout à coup, une pensée traversa l'esprit d'Astrid, et c'est alors qu'elle sentit une pression contre le cuir de sa botte.

— Les vers ! cria-t-elle.

Elle recula en titubant, tomba à la renverse, se releva d'un bond comme si la terre était électrifiée, et courut jusqu'à ce que le sol redevienne plat et dur sous ses pieds.

À tâtons dans le noir, elle chercha le ver qui avait déjà traversé le cuir de sa botte et se tortillait contre son pied. Nouant les mains autour de la créature qui se débattait vigoureusement, elle tira dessus de toutes ses forces. Celle-ci parvint à se libérer et avec la rapidité d'un cobra elle enfonça ses petites dents voraces dans son bras. Astrid la saisit par la queue en hurlant et la jeta au loin.

Quant à Cigare, il poussait des cris pitoyables qui se muèrent en ricanements terribles. De ses mains tremblantes, Astrid dégaina son fusil et tira.

Elle vit Cigare, étendu dans le champ, immobile. Elle entendit les bouches avides des vers creuser des sillons dans sa chair. Ça faisait un bruit semblable à celui d'une meute de chiens affamés en train de se nourrir.

— Pete ! Pete ! Aide-le !

— Oh, fit soudain Cigare d'une petite voix déçue.

Puis le silence revint, seulement troublé par la besogne implacable des vers.

Astrid s'assit par terre, les genoux ramenés contre elle, et, la tête dans les mains, elle se mit à pleurer.

Elle n'aurait su dire combien de temps s'était écoulé avant que les vers cessent leur bruit atroce… mais la puanteur demeura.

Elle était seule à présent. Complètement et absolument seule dans des ténèbres qui lui évoquaient une créature vivante. Elle avait l'impression de se trouver dans le ventre de quelque monstre indifférent.

— Très bien, Pete, dit-elle enfin. Pas le choix, hein, frérot ? Le truc dingue derrière la porte numéro un ou l'autre

truc dingue derrière la porte numéro deux? Montre-moi
ce que tu veux me montrer, Pete.

Soudain, elle aperçut, non pas son frère, non pas une
lumière, mais une vague silhouette qui semblait drapée
dans l'obscurité. Un petit garçon.

— Tu es là? demanda-t-elle.

Un froid terrible l'envahit, comme si quelqu'un enfonçait
un glaçon à l'intérieur de son crâne puis de sa cervelle.

— Pete? murmura-t-elle.

Peter Ellison s'immobilisa. Sans bouger le reste du corps,
il effleura du bout des doigts la tête de sa sœur.

L'avatar qui la représentait possédait un réseau étonnant et complexe de lignes, de détails et de signes tracés
à l'intérieur de labyrinthes intégrés dans des cartes qui
elles-mêmes faisaient partie de planètes qui...

Il retira sa main. Sa sœur dissimulait en elle un jeu
magnifique de complexité. C'était donc ça d'être la fille
aux cheveux jaunes et aux yeux bleus perçants? S'il avait
encore eu un corps, il en aurait eu le souffle coupé.

Il ne devait pas jouer avec ces spirales et ces structures
compliquées. Chaque fois qu'il avait essayé, il avait cassé
l'avatar. Celui-là, il ne voulait pas l'abîmer.

C'est moi, Pete, dit-il.

L'avatar frissonna. Quelques structures se contorsion-
nèrent comme de minuscules serpents lumineux.

— Tu peux la réparer, Pete? La Zone. Tu peux arrêter ça?

Il entendait cette voix, la voix de sa sœur, qui provenait
directement de l'avatar, ces mots de lumière qui flottaient
vers lui.

Il se posait la question. Pouvait-il la réparer ? Pouvait-il défaire la grande et terrible chose qu'il avait créée ?

La réponse lui vint comme un regret. Il tendit la main vers le pouvoir, la chose qui lui avait permis de créer cet endroit. Mais il n'y avait plus rien.

Il était dans mon corps, dit-il. *Le pouvoir.*

— Tu ne peux pas arrêter ça ?

Non. Non, je ne peux pas. Je regrette.

— Tu peux remettre la lumière ?

Il s'écarta d'elle. Ses questions le mettaient mal à l'aise.

— Non. Ne t'en va pas, dit-elle.

Il se souvenait que sa voix le faisait beaucoup souffrir quand il avait un corps et qu'à cause de son cerveau mal réglé, il y avait toujours trop de bruit et de couleurs.

Il résista à l'envie de s'aventurer à l'intérieur de cet avatar fascinant pour apaiser son chagrin. Il était trop maladroit, il s'en rendait compte maintenant. La fille prénommée Taylor, il l'avait taillée en pièces en essayant de l'améliorer.

— Pete, que fait l'Ombre ?

Pete réfléchit. Il n'était pas allé voir de ce côté-là récemment. Il voyait la créature, la lueur verdâtre qui émanait d'elle, ses tentacules de pieuvre qui tentaient de s'insinuer dans le néant où il vivait à présent.

L'Ombre s'était affaiblie. Son pouvoir, qui s'étendait à toute la paroi, régressait. C'était de cette créature que s'était servi Pete pour créer le mur. Dans un moment de panique, alors que des bruits terribles retentissaient autour de lui, que la peur se lisait sur tous les visages et qu'il hurlait à l'intérieur de sa tête, il avait réussi, grâce à son pouvoir, à enfermer l'Ombre dans cette enceinte.

Et voilà qu'elle s'affaiblissait. Bientôt elle se fendillerait et finirait par tomber en morceaux.

— Le gaïaphage est en train de mourir ?

Il veut renaître.

— Pete, qu'est-ce qui se passera s'il y arrive ?

Il n'en savait rien. Il était à court de mots. Il ouvrit son esprit à sa sœur. Il lui montra des images : la grande sphère qu'il avait bâtie, la paroi qui n'obéissait à aucune règle, aucune loi, qui avait été créée à partir du gaïaphage et qui était devenue l'œuf de sa renaissance, les nombres tous mélangés, et la distorsion terrible quand quelque chose passait d'un univers à l'autre. Et maintenant sa sœur Astrid se tenait la tête en hurlant, il le voyait dans son avatar. C'était drôle, ces cris, comme des mots qui surgissaient puis explosaient autour de lui et...

Il recula.

Il lui faisait mal.

Il avait recommencé. Il l'avait blessée avec sa bêtise et ses gros doigts.

Son avatar s'éloigna en tourbillonnant comme un flocon de neige soufflé par la tempête.

Le petit Pete fit volte-face et s'enfuit en courant.

— Oh mon Dieu, il arrive ! cria Diana.

Elle transpirait à grosses gouttes, allongée sur le dos, les jambes écartées, les genoux relevés. Maintenant, une poignée de minutes séparaient une contraction de la suivante, mais elles duraient si longtemps qu'elle n'avait aucun répit, à peine le temps d'aspirer une bouffée d'air fétide et surchauffé.

Elle n'avait plus la force de pleurer. Son corps avait pris le contrôle : il faisait ce qu'il était censé faire, avec cinq mois d'avance. Elle n'était pas prête. Le bébé n'était pas prêt. Mais son ventre gonflé faisait entendre une tout autre chanson. D'après lui, le moment était venu.

Qui était là pour l'assister dans cette épreuve ? Personne. Drake semblait à la fois fasciné et horrifié. Penny l'observait avec une moue de dédain. L'un comme l'autre, ils ne levaient pas le petit doigt. Il était clair que le seul à se préoccuper du bébé, c'était le monstre vert dont les vibrations emplissaient la caverne.

Diana percevait son impatience.

Elle se doutait que ça ferait mal, mais ce ne serait jamais aussi douloureux que les coups de fouet de Drake. Et ce n'était pas la souffrance qui lui arrachait des cris, mais le désespoir, la certitude qu'elle ne serait jamais la mère de cet enfant, que là encore elle échouerait. Le constat démoralisant de ne jamais obtenir le pardon, d'être toujours bannie de la race humaine, de porter encore et toujours la marque de ses mauvaises actions.

D'avoir éternellement le goût de la chair humaine dans la bouche.

Elle avait si faim ce jour-là. Elle se sentait si proche de la mort.

J'ai dit que je regrettais. Je me suis repentie. J'ai imploré votre pardon, qu'est-ce que vous voulez de plus ? Pourquoi vous n'aidez pas ce bébé ?

Penny s'approcha à petits pas pour épargner ses pieds

meurtris. Elle se pencha pour observer le visage tendu de Diana.

— Elle est en train de prier, s'esclaffa-t-elle. Tu veux que je lui donne un dieu ? Je peux lui faire voir...

À travers un voile de larmes sanglantes, Diana vit Penny reculer en titubant. Telle une marionnette, elle heurta de plein fouet la paroi.

Drake gloussa.

— Idiote. Si le gaïaphage veut quelque chose, il te le fera savoir. Tu ferais mieux de faire profil bas. Il n'y a qu'un dieu ici ; ce n'est pas celui de Diana, et toi encore moins, Penny.

Diana essaya de se rappeler ce qu'elle avait lu dans les livres sur la grossesse. Malheureusement elle s'était contentée de survoler les passages ayant trait à l'accouchement puisqu'il devait avoir lieu dans plusieurs mois.

« Encore une contraction. Oh, et mauvaise avec ça... Encore une autre. Respire. Respire. »

Diana poussa un cri de douleur, qui lui valut les moqueries de Drake. Mais tandis qu'il riait, elle s'aperçut qu'il était en train de se transformer. Un fil de métal couvrait maintenant ses dents jaunes.

« Tiens le coup, se dit Diana. Ne pense pas. Attends juste... »

Une autre contraction. Diana avait l'impression qu'un poing gigantesque lui écrasait les entrailles. Brittney s'agenouilla entre ses jambes.

— Je vois le sommet de son crâne.

— Il faut que... Il faut que... Il faut que..., hoqueta Diana avant de crier : Pousse !

Il y eut un éclair de lumière. La tête de Brittney se détacha de son corps, rebondit sur le ventre de Diana et roula lourdement sur le sol.

Un autre mouvement, et un gros morceau de chair se détacha de l'épaule gauche de Penny en projetant des gouttelettes de sang.

Brianna se matérialisa devant Diana.

— Tirons-nous d'ici !

— Je... je ne peux pas... ooooooh !

— Tu fais ça maintenant ? demanda Brianna d'un ton à la fois incrédule et scandalisé. Il faut que ce soit maintenant ?

Diana agrippa Brianna par le col de son tee-shirt.

— Sauve mon bébé. Ne t'occupe pas de moi, sauve mon bébé !

Pour retrouver Astrid, Sam se laissa guider par le bruit de ses pleurs et de ses gloussements hystériques.

Il alluma des soleils pour éclairer les parages et la vit assise par terre, prostrée. À quelques mètres d'elle se trouvait un squelette encore grouillant de vers.

Sam s'assit sans un mot à côté d'elle et mit un bras autour de ses épaules. D'abord, elle ne parut pas s'apercevoir de sa présence. Puis, avec un sanglot déchirant, elle enfouit son visage dans son cou. Les rires nerveux et les gémissements désespérés laissèrent place à des pleurs silencieux.

Immobile, Sam laissa les larmes d'Astrid mouiller son cou. Le guerrier qui avait quitté le lac pour sauver son peuple et pourfendre le mal n'était plus qu'un jeune garçon assis dans la terre, les mains enfouies dans une masse de cheveux blonds, les yeux perdus dans le vague.

Brianna ramassa la tête de Brittney. Elle était étonnamment lourde. Elle la jeta aussi loin que possible dans le tunnel.

Le corps de Brittney se leva en titubant et, comme il semblait sur le point de partir à la recherche de sa tête, Brianna lui tira une balle dans la jambe à bout portant, ce qui lui fit perdre l'équilibre.

Penny paraissait sous le choc : elle regardait le sang qui s'écoulait abondamment de sa vilaine blessure.

« Il faut que je l'achève », songea Brianna. Malgré tout, elle hésitait. Contrairement à la créature mi-Drake mi-Brittney, Penny était un être humain, même si elle ne valait pas grand-chose.

Brianna glissa une balle dans le chargeur de son arme et la leva dans sa direction. Soudain, le pistolet explosa dans ses mains. En le laissant tomber par terre, Brianna comprit qu'il ne s'agissait que d'une illusion créée par Penny. Cette sorcière se vidait de son sang mais ça ne l'empêchait pas de lui embrouiller la cervelle.

Brianna se pencha pour ramasser son arme, déterminée à ignorer une autre intrusion de Penny dans ses pensées, mais à ce moment précis Diana laissa échapper un hurlement de douleur assourdissant, et soudain une tête émergea de son entrejambe.

— Beurk ! fit Brianna. Oh, ça ne va pas du tout.

La tête continuait à sortir tandis que Diana grognait comme un animal, et si Brianna ne se décidait pas à lui venir en aide, le bébé atterrirait sur une pierre.

Après avoir ramassé son arme d'un geste précipité et tiré un coup de feu maladroit en direction de Penny, elle tendit les mains vers la tête du bébé.

— Il a un serpent autour du cou! s'écria-t-elle.

Diana se redressa – comment trouvait-elle encore la force de se redresser? – pour crier à son tour:

— C'est son cordon ombilical. Il va l'étouffer!

— Oh, je déteste les trucs gluants, gémit Brianna.

Elle repoussa doucement le bébé, ce qui n'était pas chose facile parce qu'il semblait vraiment prêt à sortir, et cria «Beurk!» deux ou trois fois en tirant sur le cordon pour libérer la petite tête.

Le bébé émergea d'un seul coup avec un bruit de succion. Une espèce de sac translucide était relié à l'enfant, et il avait un serpent visqueux soudé au nombril.

Diana frissonna.

— Plus jamais je refais un truc pareil, dit Brianna d'un ton solennel.

Levant les yeux, elle s'aperçut que Penny avait disparu ainsi que le corps de Brittney, qui était sans doute en train de ramper dans la direction de sa tête.

— Il faut couper le cordon, murmura Diana.

— Le quoi?

— Le cordon. Le truc qui dépasse de son nombril.

— Ah, le serpent.

Brianna leva sa machette et l'abattit sur le cordon ombilical.

— Ça saigne!

— Fais un nœud!

Brianna déchira une bande de tissu de son tee-shirt et la

noua autour des quelques centimètres de cordon ombilical encore fixés au nombril de l'enfant.

— Beurk, c'est tout gluant.

Puis elle glissa les mains sous le bébé. Son dos était visqueux, lui aussi. Baissant les yeux, elle vit quelque chose qui la fit sourire.

— Eh, c'est une fille !

— Emmène-la ! cria Diana.

— Elle respire. Dis donc, elle est pas censée pleurer ? Dans les films, les bébés pleurent.

Elle observa le bébé en fronçant les sourcils. Ses paupières étaient closes. Il y avait quelque chose de bizarre chez cet enfant. Il semblait parfaitement calme, sa naissance l'avait à peine perturbé.

— Emmène-la loin d'ici ! répéta Diana.

Brianna souleva la petite fille dans ses bras et ses yeux s'ouvrirent, révélant deux petites billes bleues. Brianna regarda l'enfant qui l'observa à son tour d'un air plein de sagesse.

— Quoi ? fit Brianna.

Car il lui semblait que la petite fille essayait de lui dire quelque chose. Elle voulait qu'elle la dépose dans son berceau. Oui, bien sûr, qui ne voudrait pas reposer dans ce joli berceau blanc ?

Une sirène se déclencha dans l'hôpital. Sans y prêter attention, Brianna se pencha pour déposer l'enfant dans son lit...

« Attends une minute. » Non, ce n'était pas une sirène. C'était une voix. « Cours ! Cours ! » hurlait-elle.

Mais Brianna avait du mal à respirer, et le bébé voulait

qu'elle le dépose dans ce joli berceau aux draps verts. Verts ?
Ils n'étaient pas blancs ?

Vert, c'était joli aussi.

Brianna se sentit soudain incroyablement lasse. Il lui
semblait que le bébé pesait une tonne. Elle était si fatiguée,
et les draps verts...

— Cours ! Cours ! Nooooon !

Brianna cligna des paupières et aspira une grande bouffée d'air.

Baissant la tête, elle vit le bébé allongé sur la roche. Il
était couvert d'une substance verte qui, de près, ressemblait à un tapis formé par des milliards de minuscules
fourmis. La matière verte enveloppa les petites jambes
potelées de l'enfant.

— Non, Brianna ! Nooooon ! cria Diana.

Brianna, horrifiée par ce qu'elle venait de faire, regarda
la masse verte et grouillante s'étendre au ventre et aux
bras du bébé, puis s'insinuer dans ses narines et dans sa
bouche.

Penny, qui pressait sur sa blessure un bout de tissu
ensanglanté, partit d'un éclat de rire, recula en titubant
et s'effondra par terre.

— Qu'est-ce que j'ai fait ! gémit Brianna.

Un bruit. Elle fit volte-face, se baissa et parvint à éviter
le fouet *in extremis*. Elle ramassa son arme, tira un coup
de feu dans le ventre de Drake, qui sourit d'un air féroce,
puis elle prit ses jambes à son cou.

Dehors

ABANA BAIDOO TREMBLAIT quand elle atteignit sa voiture garée devant le restaurant. Elle avait du mal à retrouver son souffle.

Elle ne pouvait pas laisser faire ça. Mais si elle voulait empêcher un massacre, elle devait rester concentrée. Et pour cela, il lui fallait laisser de côté sa colère contre Connie Temple.

Quelle menteuse !

Elle sortit son iPhone et, malgré sa fureur et ses doigts tremblants, parvint à trouver la liste d'adresses des familles dans sa messagerie électronique.

D'abord, elle rédigea un e-mail.

Alerte ! Ils vont faire exploser le dôme. J'en ai la preuve. Que toutes les familles préviennent immédiatement leurs sénateurs et membres du Congrès, ainsi que les médias. Et si vous êtes dans les parages, venez ! Cette histoire de pollution chimique est un mensonge ! Ne les laissez pas vous arrêter !!!!!

Puis un texto. Le même message, mais en plus court.

Ils vont faire exploser l'anomalie à la bombe atomique. Prévenez tout le monde ! Ce n'est pas une blague !!!

Enfin, elle ouvrit son compte Twitter.

#Familles Perdido. Explosion nucléaire dôme programmée. C sérieux. Avons besoin d'aide. Venez si vous pouvez !
Sur son profil Facebook, elle posta le même message en un peu plus long.

Connie sortait en courant du restaurant. Elle se précipita vers sa voiture, s'engouffra à l'intérieur, démarra en faisant crisser les pneus et vint se garer à côté d'Abana. Celle-ci baissa sa vitre.

— Tu me détesteras plus tard, dit Connie. Suis-moi. Je crois que je connais un chemin.

Sans attendre la réponse de son amie, elle démarra sur les chapeaux de roues.

— Ça, oui, je te suis, marmonna Abana, le volant dans une main, le téléphone dans l'autre, tandis que les tweets et les messages s'imprimaient sur son écran.

34

4 HEURES
21 MINUTES

— IL NE PEUT pas la contrôler, dit Astrid.

Il sembla à Sam qu'une éternité s'était écoulée avant qu'elle ne prenne la parole.

À un moment donné, elle avait cessé de pleurer. Mais elle ne s'était pas détachée de lui pour autant, et il avait d'abord cru qu'elle s'était endormie. Il avait alors décidé de la laisser se reposer.

Il savait qu'Edilio et le reste de la communauté s'attendaient qu'il résolve tous leurs problèmes. Il se souvenait de l'euphorie qu'il avait ressentie en comprenant qu'il n'avait pas l'âme d'un chef, qu'il n'était pas censé tout porter sur ses épaules. Il se rappelait son sentiment de délivrance. Il n'était qu'un guerrier. Un grand, un puissant guerrier, et rien de plus. Son pouvoir résidait dans ses mains, et il savait qu'il avait la force, le courage, la violence nécessaires en lui pour s'en servir.

Mais il était aussi, dans une égale mesure au moins, le garçon qui aimait Astrid Ellison. En ce moment même, il se sentait incapable de mettre de côté cet aspect de lui-même. Il n'aurait pas pu la laisser dans un état pareil

432

même si Drake avait décidé de montrer son nez et de le provoquer en duel.

— Il était un guerrier. Mais pas seulement.

— Qui ça ? demanda-t-il.

— Pete. Ça n'a plus de sens de l'appeler Pete. Il a changé.

— Astrid, Pete est mort.

Elle s'écarta de lui en soupirant.

— Je l'ai laissé entrer dans ma tête.

— Son souvenir ?

— Non, Sam. Et je ne suis pas folle. Même si je n'étais pas loin de le devenir quand tu es arrivé. Je m'en suis entièrement remise à toi. Ce que je peux être faible ! Mais j'étais sur le point de basculer. Il m'a fait péter les plombs. J'ai du mal à trouver les mots maintenant. J'ai l'impression d'avoir des bleus dans la cervelle. Désolée pour le manque de cohérence.

Il la laissa divaguer sans comprendre un traître mot de ce qu'elle racontait. Maintenant qu'elle parlait de folie, il se demandait si elle n'avait pas en effet perdu la tête.

Comme si elle lisait dans ses pensées, Astrid rit doucement.

— Non, Sam. Ça va. Pleurer m'a fait du bien. Désolée. Je sais que les larmes effraient les garçons.

— Tu ne pleures pas souvent.

— Je ne pleure jamais, répliqua-t-elle sèchement.

— Enfin... rarement.

— C'est Pete. Il... Je ne sais pas comment le décrire.

L'émerveillement perçait dans sa voix. Elle avait le même ton exalté que lorsqu'elle faisait une découverte.

— Il existe un espace, une réalité autres dans la Zone.

Pete est une sorte d'esprit. Son corps a disparu. Il s'est libéré de son cerveau. Oui, je sais que je délire. Je n'y comprends rien moi-même. J'ai l'impression que quelque chose m'échappe, et Pete n'arrive pas à m'expliquer ce qui se passe.

— OK, dit Sam, faute de mieux.

— Tiens, voilà une chose dont je me souviens très bien : le gaïaphage, Sam. Je comprends mieux maintenant. Je sais ce qui s'est passé.

Pendant la demi-heure qui suivit, Astrid s'expliqua. Elle commença d'abord par parler pour ne rien dire, mais, Astrid étant Astrid, ses pensées se firent plus claires, ses explications plus précises, et pour finir elle s'agaça contre Sam parce qu'il ne saisissait pas tout de suite certains détails.

Rien n'était plus rassurant pour lui qu'une Astrid impatiente, condescendante.

— Bon. Le gaïaphage fait partie de la paroi, résuma-t-il. Et la paroi fait partie du gaïaphage. Il est le matériau de construction dont s'est servi Pete pour créer la paroi. Et maintenant, il est à court d'énergie. Donc la paroi s'affaiblit, elle noircit, peut-être même qu'elle va s'effondrer. C'est une bonne nouvelle, ça. Une très bonne nouvelle, même.

— Oui, dit Astrid. La meilleure nouvelle possible. À moins que le gaïaphage réussisse à s'échapper de la paroi d'une manière ou d'une autre.

— Comment il s'y prendrait ?

— Je n'en sais rien mais j'ai quelques hypothèses. Pour donner à Drake ce fouet dégoûtant, le gaïaphage avait besoin des pouvoirs de Lana. Depuis, il n'a pas cessé d'essayer de l'attirer dans sa tanière. Et en même temps, il tentait aussi d'attirer Pete. Maintenant que Pete a perdu la plus grande partie de son pouvoir, il peut s'immiscer dans ce qu'il considère comme des données numériques – les gens et les animaux – mais il ne peut plus accomplir des miracles comme avant. D'une certaine manière, le pouvoir de Pete était une fonction corporelle. De même que le pouvoir de Lana fait partie de son corps.

— Le bébé, dit Sam. Le gaïaphage veut le bébé. On l'avait déjà deviné, mais on ne savait pas trop pourquoi.

— Diana est capable de mesurer le pouvoir des gens. Est-ce qu'elle a… ?

Sam acquiesça.

— Elle prétend que le bébé a trois barres. Pour l'instant, ce n'est qu'un fœtus. Qui sait combien de barres il aura à sa naissance ou en grandissant ? Diana n'est enceinte que de quatre ou cinq mois. Je devrais connaître le chiffre exact, mais je n'arrête pas d'oublier. Chaque fois qu'elle m'en parle, je… tu vois ?

Il fit mine de frissonner, comme si Diana lui donnait la chair de poule.

Astrid secoua la tête, l'air incrédule.

— Vraiment ? La grossesse te fait cet effet-là ?

— Elle m'a fait toucher son ventre. Et elle me parle de… euh… ses trucs. (Il désigna son torse et poursuivit dans un murmure :) Ses seins.

— Oui, fit sèchement Astrid. Je vois bien que ça t'a traumatisé.

Sur quoi Sam n'eut pas d'autre choix que de la prendre dans ses bras pour l'embrasser. Manifestement, elle était redevenue elle-même à cent pour cent.

— Et maintenant? demanda-t-elle quelques minutes plus tard.

— Drake a tout son temps pour emmener Diana à la mine. Pour les poursuivre, il faudrait une armée. Ce n'est pas un boulot pour moi seul, répondit Sam en réfléchissant tout haut. Dans tous les cas, même si Diana doit en baver, ils ne la tueront pas avant d'avoir le bébé, et ce n'est pas pour tout de suite.

— Cela signifie que le gaïaphage a encore quelques mois de sursis avant que la paroi ne se craquelle de partout. Comment on va faire pour survivre d'ici là?

Sam haussa les épaules.

— Ça, je n'en sais rien pour l'instant. Mais si on décide de s'attaquer à cette chose dans la mine, il nous faudra de l'aide. Brianna, si elle est toujours en vie. Dekka, Taylor, Orc. Et Caine. Surtout Caine. S'il accepte de nous aider.

— Donc il faut qu'on aille à Perdido Beach?

— Lentement et prudemment, oui. On sèmera des soleils derrière nous, histoire de baliser un chemin pour les autres. Il faudra que je rassemble mes troupes. Ensuite on s'occupera du gaïaphage.

Drake souleva le bébé avec des gestes doux. Il savait qui était cet enfant.

Il le déposa délicatement sur le ventre de Diana.

— Nourris-le, ordonna-t-il.

Diana secoua la tête.

«C'est vrai que les coups lui ont ôté l'envie de ricaner, à celle-là», songea Drake avec un sourire narquois. Il aurait tant aimé la faire ramper... Mais le gaïaphage avait clairement fait entendre sa volonté dans sa tête. Le corps du bébé devait être nourri et protégé. Ce bébé était maintenant le gaïaphage. Le dieu de Drake. Et il lui obéirait en tout. Même si le bébé en question était une fille.

Quel dommage. Il aurait vraiment préféré que ce soit un garçon. Mais après tout, qu'était un corps sinon une arme, un outil?

En prenant le bébé, Diana ferma les yeux comme pour refouler ses larmes. L'enfant s'agrippa à elle et commença à téter.

Sur une injonction irrésistible du gaïaphage, Drake s'avança vers Penny. Elle était blanche comme un linge et frissonnait, alors que, comme d'habitude, il faisait une chaleur étouffante dans la caverne. En se rapprochant, Drake vit qu'elle gisait dans une mare de sang.

«Bien fait pour elle», songea-t-il. Elle était beaucoup trop prétentieuse et elle se vantait sans cesse de son pouvoir. Le gaïaphage n'avait pas besoin d'elle.

La voix dans sa tête le força à se retourner. Assis bien droit sur le ventre de Diana, le bébé regardait Drake. Même si celui n'y connaissait rien en nourrissons, il savait que ce n'était pas normal du tout. Les nouveau-nés à peine sortis du ventre de leur mère n'étaient pas censés se tenir assis et regarder les gens dans les yeux.

À sa grande stupéfaction, le nourrisson fit mine de prendre la parole. Aucun son ne sortit de sa bouche, et pourtant Drake comprit sans le moindre doute ce que le gaïaphage souhaitait.

— Oui, répondit-il, agacé mais soumis.

Il enroula son tentacule autour de Penny. Elle était

petite, aussi la porta-t-il sans difficulté jusqu'à l'enfant tandis qu'elle frissonnait et murmurait des phrases incohérentes.

Quand Drake la déposa par terre, le bébé bascula en arrière. La scène aurait été comique dans d'autres circonstances. La tête du nourrisson était trop grosse, son corps avait du mal à en supporter le poids.

L'enfant bascula donc mais retomba à quatre pattes avec une rapidité surprenante et rampa jusqu'à Penny. Il tendit sa petite main potelée et toucha l'horrible blessure.

Penny laissa échapper un hoquet de douleur ou de plaisir, Drake n'aurait su dire. Il éprouva un pincement de jalousie à l'idée que le gaïaphage puisse faire don d'un fouet à Penny. Mais celui-ci se contenta de guérir sa blessure. Il parvint à reconstituer la chair en quelques secondes.

Puis le bébé retourna auprès de sa mère et se remit à téter.

Brianna ne s'attendait pas à retrouver Justin. Et pourtant il était là qui respirait doucement dans le noir. Brianna, elle, était couverte de bleus et d'égratignures, mais bien vivante.

— C'est moi, petit, dit-elle d'une voix lasse.

— Tu l'as sauvée?

— Non, je n'ai pas pu. C'était une bataille perdue d'avance. J'étais toute seule. Et puis...

Elle se tut, réticente à se lancer dans des explications sur le bébé, et sur le besoin irrésistible qu'elle avait éprouvé de le livrer au gaïaphage.

— Il faut que je trouve Sam, reprit-elle. Et ça ne va pas être de la tarte.

— Tu m'emmènes avec toi, dis?

— Bien sûr, mon petit gars. Tu crois quand même pas que je vais te laisser seul ici?

À vrai dire, cette pensée avait traversé l'esprit de Brianna. Elle serait déjà ralentie par l'obscurité. Avec Justin dans les pattes, elle devrait progresser encore plus lentement.

Ils commencèrent à tâtonner mètre par mètre pour retrouver l'entrée de la mine. Brianna, qui était animée d'un optimisme à toute épreuve, espérait encore qu'à leur sortie le monde aurait retrouvé comme par magie son aspect initial, et que le soleil brillerait de nouveau.

Mais quand, au terme d'une longue et pénible traversée, elle sentit de l'air frais sur son visage, elle comprit que ses espoirs avaient été vains.

De ténèbres confinées, elle était passée à des ténèbres en plein air. Elle était toujours aveugle. Et toujours lente.

Le feu sur la place brûlait avec beaucoup moins d'intensité. Ils avaient pris conscience qu'ils devraient économiser leur combustible s'ils voulaient qu'il dure longtemps. Même avec l'aide peu enthousiaste de Caine, transporter des matériaux inflammables n'était pas chose facile. Par conséquent, le grand brasier avait maintenant des airs de feu de camp. Sa lumière n'éclairait que la première rangée d'enfants rassemblés en cercle. Tous les autres étaient plongés dans le noir, incapables de distinguer le visage de la personne assise à côté d'eux.

Dans l'obscurité, des bagarres éclataient. Et Quinn n'avait pas d'autre moyen que d'élever la voix pour faire régner l'ordre. Une dispute, qui avait commencé par des insultes, se solda à coups de barre de fer. Quelques instants plus tard, l'agresseur dont nul n'avait vu le visage se précipita pour ramasser un pied de chaise enflammé et s'enfuit dans la nuit.

Un premier incendie s'était déclenché à l'ouest de la ville. Il projetait des étincelles jusqu'à une trentaine de mètres au-dessus du sol. Quinn était certain qu'il finirait par s'étendre. Dans l'immédiat, il ne semblait pas progresser très vite. Ses flammes avaient appâté quelques enfants. Quinn les entendait se bousculer et s'interpeller en titubant dans les ténèbres, attirés par sa lumière comme des papillons de nuit par une ampoule.

— Je donnerais cher pour savoir si Sanjit va bien, marmonna Lana.

— Je ne sais pas trop pourquoi mais je pensais à Edilio, dit Quinn. Je me suis toujours persuadé que tant qu'il restait debout, on n'était pas complètement fichus. (Il rit.) C'est bizarre, vu qu'au début je ne l'aimais pas beaucoup. Je le traitais de métèque. C'est pas la pire chose que j'aie faite, je suppose, mais si je pouvais, je l'effacerais.

Caine se reposait entre eux deux après avoir eu recours à son pouvoir pour arracher les portes des maisons alentour et les faire léviter afin d'alimenter le feu.

— Les regrets, c'est une perte de temps, lâcha-t-il. Le passé, ça n'a pas d'importance.

— Ton frère, il y pense tout le temps, objecta Quinn.

Il fit la grimace à l'idée d'avoir peut-être trahi un secret.

Mais ils avaient dépassé ce stade, non? C'était peut-être la dernière conversation paisible qu'ils auraient.

— Ah oui? fit Caine. C'est idiot.

«Tu parles d'une conversation paisible!» songea Quinn. Caine était redevenu lui-même. Bientôt il en aurait assez de se conformer aux circonstances. Bien sûr, pour le moment, il se satisfaisait d'être près du feu, comme tout le monde. Pas étonnant que les anciens aient vénéré cet élément. Par une nuit obscure, cernés par des lions ou des hyènes, ils devaient tirer des flammes un certain réconfort.

— J'ai faim! cria une voix dans les ténèbres.

Quinn l'ignora. Ce n'était pas la première plainte du même genre. Et ce ne serait pas la dernière.

Comme Lana se taisait depuis un long moment, Quinn lui demanda si elle allait bien. N'obtenant pas de réponse, il n'insista pas. Quelques minutes plus tard, Pat vint frotter son museau contre lui.

— Lana, je crois que Pat commence à s'inquiéter au sujet du dîner.

Cette fois encore, elle ne répondit pas. Quinn se pencha devant son ancien monarque pour la regarder et s'aperçut qu'elle contemplait les flammes d'un air hagard. Il tendit le bras pour la secouer.

— Hein? fit-elle, comme quelqu'un qui vient d'émerger d'un rêve.

— Tu te sens bien?

Lana secoua la tête, les sourcils froncés.

— Non. Il s'est libéré. Oh, mon Dieu, il a fini par y arriver.

— Qu'est-ce que tu racontes? fit Caine d'un ton irrité.

— Le gaïaphage. Il arrive.

Quinn vit Caine ouvrir de grands yeux.

— Je le sens, dit Lana.

— C'est peut-être juste...

Quinn s'apprêtait à la rassurer mais Caine l'interrompit.

— Elle a raison. (Il échangea un drôle de regard effaré avec Lana.) Il a changé.

— Il arrive, répéta-t-elle. Il arrive !

Quinn vit alors une chose qu'il n'aurait jamais crue possible : de la terreur dans les yeux de Lana.

35

4 HEURES
6 MINUTES

L E BÉBÉ S'EFFORÇA sans succès de marcher et bascula en arrière. Ses jambes étaient encore trop faibles et il manquait de coordination. Sauf qu'à son âge, il n'était pas censé essayer. Il n'aurait même pas dû naître, alors tenter de se lever...

— Je vais le porter, annonça Drake.

— Non, dit Penny. Tu auras peut-être besoin de ton fouet. C'est moi qui vais le porter. Mon pouvoir ne nécessite pas que je me serve de mes mains.

Diana s'aperçut que Penny agaçait beaucoup Drake. Il aurait été heureux de la voir mourir. Il était condamné à rester avec des femelles qu'il ne pouvait ni frapper ni intimider.

Penny montra Diana d'un geste dédaigneux et fit la grimace devant ses vêtements déchirés et tachés qui couvraient à peine son corps, ses plaies, son air épuisé.

— Qu'est-ce qu'on fait d'elle?

La mauvaise humeur de Drake s'aggrava.

— Le gaïaphage dit qu'il faut la laisser vivre.

Penny ricana.

443

— Pourquoi? Le gaïaphage est devenu sentimental maintenant qu'il a un corps de fille?

— Boucle-la, aboya Drake. C'est juste un corps. Une arme que le maître utilise. C'est toujours lui. Il n'a pas changé.

— Hmm, fit Penny avec un sourire narquois.

Drake s'accroupit devant Diana.

— T'es dans un sale état. On dirait que tu sors d'un accident de voiture. Et tu pues. Tu me dégoûtes.

— Alors tue-moi, dit Diana qui, visiblement, ne plaisantait pas. Vas-y, Drake. Vas-y, gros dur.

Drake poussa un soupir théâtral.

— Les bébés ont besoin de lait. Et la vache c'est toi, Diana. Meuh.

Sa blague le fit rire. Penny, après une hésitation durant laquelle Diana lut du mépris dans son regard, se joignit à lui. Le plus effrayant, c'est que le bébé lui-même eut un sourire étrange qui découvrit ses gencives roses.

— Avance, Blanchette.

— T'es débile ou quoi? répliqua Diana. Je viens d'accoucher. Je...

Ils la frappèrent à tour de rôle pour voir lequel des deux la forcerait à se lever, Drake avec son fouet, Penny avec ses visions. Diana avait le vertige et la nausée malgré son estomac vide, mais elle finit par leur obéir.

La lumière verte du gaïaphage – car toute la substance immonde n'avait pas été aspirée par le bébé – s'était affaiblie, si bien qu'ils n'y voyaient pas grand-chose. Au bout de quelques mètres, ils se retrouvèrent dans le noir complet.

Diana songea qu'au cours du trajet les occasions ne

manqueraient pas de se jeter dans le vide et de mettre un terme à sa vie misérable. Si Drake ne s'interposait pas. Mais ce n'était plus Drake, c'était Brittney. Elle respirait différemment. Réapparaissait-elle plus vite qu'auparavant ? Diana se prit à espérer que Drake s'affaiblissait, lui aussi, ou que Penny et lui finiraient par s'entretuer.

Elle se détendit un peu. Brittney était aussi dévouée au gaïaphage que Drake, mais elle n'avait pas la folie meurtrière de celui-ci. D'un autre côté, elle connaissait moins bien le chemin et elle n'intimidait pas Penny.

— Tu sais ce qui serait flippant, Diana ? dit cette dernière. Que tu retombes enceinte. Seulement, cette fois, tu aurais le ventre rempli de rats affamés.

Diana sentit son ventre gonfler.

— Non, intervint calmement Brittney. Non, c'est la mère de notre seigneur.

L'illusion cessa brusquement.

— La ferme, Brittney, maugréa Penny. Je veux bien écouter Drake, mais pas toi. Toi, tu n'es personne.

Brittney ne protesta pas et se contenta de répéter :

— C'est la mère de notre seigneur.

Penny devait avoir trébuché sur une pierre, car elle s'affala sur Diana avec le bébé dans les bras. Il heurta la roche avec un bruit sourd.

Une plainte furieuse s'éleva dans les ténèbres. C'était la première fois que le bébé pleurait, et ses cris ressemblaient à ceux de n'importe quel autre bébé.

Diana sentit son cœur se serrer. En tâtonnant dans l'obscurité, elle saisit le bras de l'enfant et l'attira contre elle pour le bercer. Le bébé s'agrippa à elle en tétant énergiquement son sein.

Lorsqu'elle prit sa fille dans ses bras, Diana put évaluer son pouvoir. Elle avait quatre barres maintenant. L'équivalent du pouvoir de Caine ou de Sam. Quatre barres ! Et elle n'était encore qu'un bébé.

— C'est à notre dame de porter notre seigneur, dit Brittney.

— T'es dingue ou quoi ? s'exclama Penny d'un ton incrédule. Tu crois que c'est le petit Jésus de la crèche et qu'elle c'est Marie, espèce d'abrutie ?

— Je vais marcher devant pour ouvrir la voie, annonça Brittney.

Baissant les yeux, Diana constata qu'elle distinguait la joue du bébé. Impossible. Comment pouvait-elle voir quoi que ce soit dans cette obscurité ? Et pourtant, elle apercevait la joue de sa fille, ses paupières closes, sa petite bouche en forme de bouton de rose qui tétait, son bras potelé, son minuscule poing pressé contre le sein de sa mère.

— Il brille ! s'écria Brittney. Notre seigneur nous donne sa lumière !

— C'est ça. J'essaie de supporter ton...

— Chut ! fit Brittney en levant la main, qu'illuminait la clarté émise par le bébé. Elle me parle. Elle nous ordonne d'avancer...

— Elle veut qu'on avance ? s'exclama Penny d'un ton lourd de sarcasme. Alléluia ! Drake est peut-être un psychopathe mais au moins ce n'est pas un crétin.

— Il faut marcher jusqu'à la paroi et se préparer à renaître.

Diana entendait tout cela, mais ses pensées étaient uniquement tournées vers le bébé. Après tout, c'était son enfant. Le gaïaphage s'était peut-être emparé de son esprit, mais elle n'en était pas moins sa fille et celle de Caine.

Si des épreuves terribles menaçaient cette petite, c'était leur responsabilité à tous deux.

Elle n'avait pas le droit de rejeter Gaia. Ce nom lui était venu à l'esprit comme si elle l'avait toujours connu. Elle en éprouva une certaine tristesse. Elle aurait préféré donner à sa fille un prénom ordinaire comme Sally, Chloé ou Mélissa.

Gaia ouvrit les yeux et observa Diana.

— Oui, dit celle-ci. Je suis ta mère.

— C'est un chemin de lumières, dit Dekka. Waouh, je vois mes mains.

S'approchant des soleils de Sam, elle chercha d'éventuelles cicatrices sur son corps. La vision de Penny avait bien marché. Même maintenant, Dekka avait du mal à croire qu'elle avait été victime d'une chimère. Pourtant, sa peau était intacte.

— Ils mènent quasiment tous dans cette direction.

Orc pointa le doigt vers l'horizon, et Dekka s'étonna de voir son geste. Elle distinguait mal sa silhouette, évidemment. Les petits cailloux qui recouvraient son corps se perdaient dans l'obscurité. Ses yeux disparaissaient au fond de deux puits insondables. Quant à la parcelle de peau humaine autour de sa bouche et sur sa joue, elle semblait aussi grise que le reste de son corps.

Néanmoins, il ne se limitait plus au son d'une voix.

— Oui, mais ceux qui vont dans d'autres directions?

Dekka voyait une demi-douzaine de soleils briller à sa droite, et quatre autres à sa gauche.

— Peut-être qu'ils ne mènent nulle part, supposa-t-elle. D'ailleurs, ils ne produisent pas beaucoup de lumière. Si on avait une boussole… C'est vrai, Orc, on ne sait même pas où est le nord. On ignore si Sam est parti à droite ou à gauche.

— J'ai une idée. Mais elle est peut-être idiote, dit Orc.

— C'est tout ce qu'on a, alors vas-y.

— Eh bien, on voit mieux d'en haut, non?

— Oui, c'est un fait. Et ce n'est pas bête du tout. Je ne sais pas pourquoi je n'y ai pas pensé.

Orc haussa les épaules.

— Tu as passé une mauvaise journée.

Sa remarque était un tel euphémisme, en plus d'être attentionnée, que Dekka ne put s'empêcher de rire.

— Ça, on peut le dire. Bon, Orc, ça te dirait de voler un peu?

— Moi?

— Pourquoi pas? Il y a des rochers là-bas. C'est mieux que la terre, qui a tendance à piquer les yeux quand je suspends la gravité.

Ils se dirigèrent vers l'affleurement rocheux. Orc se tenait bien droit, comme s'il cherchait à se montrer sous son meilleur jour. Dekka leva les bras et il s'éleva. Parvenu à quelques mètres de hauteur, il laissa échapper un gloussement ravi.

— Ah! C'est rigolo!

Bientôt, Dekka ne le distingua plus.

— Qu'est-ce que tu vois, Orc?

— Un feu, répondit-il. Et je crois que les soleils de Sammy vont dans sa direction.

— Je te fais redescendre.

Quand Orc eut regagné la terre ferme, Dekka demanda:

— À quoi il ressemblait, ce feu?

— On aurait plutôt dit deux ou trois feux différents mais très rapprochés.

— Perdido Beach?

— Peut-être, dit-il à contrecœur.

— Bon, on va suivre ces soleils. Ils nous mèneront jusqu'à la ville.

Mais Orc hésitait.

— Vas-y, Dekka. Moi, je veux retrouver Drake et le tuer.

— Orc, tu ne trouveras personne dans cette obscurité. Il peut s'écouler une éternité avant que tu tombes sur Drake.

Orc acquiesça mais il ne semblait pas convaincu.

— Moi, l'obscurité, ça me dérange pas, Dekka. Dans le noir, je peux être quelqu'un d'autre. Les gens peuvent pas me voir. Et puis, il risque d'y avoir de quoi picoler en ville, alors il vaut mieux que je poursuive mon chemin.

Il tendit sa grosse main à Dekka qui se sentit bizarrement émue en la serrant.

— Merci. Tu m'as sauvé la vie, tu sais.

— Naaan.

— Écoute, Orc. Je sais qu'il y a des choses qui pèsent sur ta conscience. Mais quand ça te pèsera trop, souviens-toi que tu m'as sauvée, d'accord?

Orc paraissait un peu dubitatif. Mais Dekka crut le

voir esquisser un sourire, et il disparut dans l'obscurité en caracolant pesamment.

Quant à Dekka, elle suivit les lumières à sa gauche.

— Il y a de la lumière par là-bas. Sur l'autoroute. Elle vient d'apparaître ! dit Lana.

— Un soleil de Sammy ! s'exclama Quinn.

Il ressentit un immense soulagement. Sam arrivait. Ce relâchement soudain lui donnait le tournis.

Quinn, Lana et Caine – escortés de Pat – s'étaient éloignés à pas de loup des braises mourantes du feu non sans avoir demandé à l'un des pêcheurs de Quinn de prendre le relais, même s'il n'était plus possible d'intervenir autrement qu'en criant des ordres que personne n'écoutait.

Des torches éclairaient les quatre coins de Perdido Beach : de petits groupes d'enfants étaient partis chercher de la nourriture, de l'eau, leurs jouets préférés ou retrouver leur lit.

À présent, les soleils de Sammy s'épanouissaient comme des fleurs radioactives sur l'autoroute.

Pat aboya et s'élança vers les soleils.

— Salut à toi, héros conquérant, marmonna Caine. Monsieur Soleil.

Au bout de dix minutes, une nouvelle sphère lumineuse apparut à quelques dizaines de mètres devant eux, et ils marchèrent avec prudence dans sa direction. L'autoroute était encombrée de débris, voire de camions entiers.

Soudain, Quinn vit deux silhouettes se détacher dans la faible clarté.

Les deux petits groupes se rejoignirent et Sam éclaira leurs retrouvailles.

— Quinn, Lana! dit-il, une main posée sur le collier de Pat. Caine.

— Salut, frangin. Comment ça va? Drôle de météo, pas vrai? lança celui-ci.

— Tes mains, ça va? demanda Sam.

Caine leva ses mains encore couvertes de ciment par endroits.

— Oh, ça? Ce n'est rien. Un peu de lotion hydratante fera l'affaire.

— Astrid? fit Lana. Tu es rentrée?

— Il était temps, dit Quinn à mi-voix.

— Bon, tout est bien qui finit bien, lâcha Caine d'un ton féroce. J'adore les fins heureuses.

Quinn était sur le point de répliquer, mais il se ravisa. Caine était peut-être méprisable et assoiffé de pouvoir, mais il venait de vivre un enfer, et le sarcasme n'était pas le pire de ses défauts.

— Tu es venu allumer quelques lumières? s'enquit Lana. C'est pas une mauvaise idée, mais on a des problèmes plus graves. Le gaïaphage arrive.

— Comment il s'y est pris? demanda Astrid. Je croyais que c'était une matière verte incrustée dans le fond d'une mine.

— Je ne sais pas, répondit Lana d'un ton évasif. Il arrive, c'est tout. C'est pour ça qu'on est venus ici. Ce n'est pas vous qu'on attendait, mais lui.

— Je ne te demande pas comment tu es au courant...

— C'est tout? J'ai une question pour toi, Astrid: pourquoi tu ne cherches pas à en savoir plus ? Je te raconte tout ça et tu l'encaisses sans broncher ? Toi, tu sais quelque chose.

— Oh, Astrid sait tout, ironisa Caine.

— Il retient Diana prisonnière. (Astrid se tourna vers Caine.) Et ton bébé par la même occasion, Caine. En tout cas, Diana prétend que c'est le tien.

— Oui, fit Caine. Oui, c'est le mien.

Il sembla sur le point d'ajouter quelque chose mais, se ravisant, il se contenta de marmonner :

— Oui, un bébé.

— Attendez, intervint Lana. Et Sanjit, est-ce qu'il... ?

— Il a bien failli y passer, répondit Sam. Mais il a réussi à atteindre le lac sain et sauf. Il m'a transmis ton message concernant Diana. Un peu tard. Astrid vous apportait une lettre, elle aussi.

— C'est drôle comme rien ne va plus quand les lumières s'éteignent, observa Quinn. On fait des tas de plans, et aucun ne marche.

— Le gaïaphage cherche un corps pour s'incarner, expliqua Astrid. La paroi est en train de mourir. Elle va s'ouvrir et tout sera bientôt fini. Mais quand ça se produira, le gaïaphage essaiera de sortir.

— Et c'est ton incroyable génie qui t'a soufflé tout ça ? répliqua Caine avec un sourire narquois. Tu sais à quelle heure c'est censé arriver ? Parce que je peux te dire que j'ai hâte de quitter cet endroit. Le plus tôt sera le mieux, en ce qui me concerne. J'ai vraiment envie de manger une glace.

— Je ne sais pas quand. Ça peut prendre des mois. Ton fils ou ta fille devrait naître...

— Arrête avec ça ! rugit Caine, renonçant à ses grands airs moqueurs. Ne joue pas à ce jeu-là avec moi, Astrid. Qu'est-ce que tu crois ? Que je vais devenir quelqu'un d'autre du jour au lendemain sous prétexte que j'ai couché avec Diana ?

— Tu l'as mise enceinte, rétorqua tranquillement Astrid. Je m'étais dit que, pour une fois, tu penserais un peu plus aux autres et un peu moins à toi.

— Oh, mais tu ne crois pas si bien dire, Astrid, rétorqua-t-il d'un ton féroce. J'ai soudain des envies de jouer à la baballe dans le jardin et de faire des barbecues comme un vrai papa. Le seul petit problème, c'est qu'il fait nuit noire.

Des flammes jaillirent dans le ciel non loin de la route. Ils entendirent les cris affolés de jeunes enfants.

— Merci, c'est mieux, cria Caine par-dessus son épaule. Alors je suis censé prendre des cours de parentalité sous prétexte que, d'après Lana, le gaïaphage arrive et que, selon vous, il retient Diana prisonnière ? Au fait, merci de l'avoir protégée, Sam, t'as fait du bon boulot. Ah, et puis la paroi va tomber, hein. Oui, oui, un jour. D'ici là, on sera sans doute tous morts de faim.

Durant tout son monologue, Sam l'observa comme s'il examinait un spécimen au microscope.

— Tu vas te battre, oui ou non ? demanda-t-il enfin.

— Qui ça, moi ? (Caine éclata de rire.) C'est quoi ton problème, Sam ? Ta copine prétend que la paroi va s'effondrer, et toi tu veux aller te faire tuer avant ? Moi je préfère attendre qu'elle se craquelle comme un œuf. Si le gaïaphage veut se faire la belle, je propose qu'on lui dise bon vent et qu'une fois qu'il aura disparu à l'horizon on fasse comme lui.

— Tu vas le laisser emmener Diana et ton... le bébé ? s'exclama Sam.

— Tu es au courant pour Albert ?

Caine voulut montrer la direction de l'île et de l'océan, mais tous les regards convergèrent vers sa main encore couverte de ciment, et il capitula.

— Dès qu'Albert a compris ce qui se passait, il est monté dans un bateau et il a mis le cap sur l'île, reprit-il. Et tu connais la meilleure ? Ça faisait longtemps qu'il préparait son coup. Il soudoyait Taylor. Apparemment, il avait mis la main sur des missiles... Va savoir comment il s'y est pris, mais bon, c'est Albert. Eh bien, il les a emportés avec lui.

Quinn vit Sam se rembrunir.

— En ce moment même, poursuivit Caine, Albert est en train de se gaver de fromage et de crackers, et il se fend la poire en pensant à nous.

Sam ignora cette dernière remarque, ou fit mine de l'ignorer.

— Écoute, Caine. J'ai perdu la trace de Brianna, d'Orc et de Dekka. Jack est peut-être mort au moment où je te parle. En tout cas, il n'est pas en état de se battre. Je ne sais pas si je peux vaincre Drake tout seul, ni ce que signifie l'arrivée du gaïaphage. Comment il viendra jusqu'à nous ? Sous quelle forme ? Avec quel genre de pouvoir ? Je ne sais même pas si...

Quinn leva la main et Sam s'interrompit.

— On a suivi Penny jusqu'à ce qu'elle ait traversé l'autoroute. Elle est quelque part dans le coin, elle aussi.

— On n'a aucune raison de penser qu'elle est tombée sur Drake, objecta Lana, mais elle semblait inquiète.

— Tiens, ça c'est quelqu'un dont je me chargerais avec plaisir, intervint Caine en levant un doigt incrusté de ciment. Montrez-moi Penny et je vous en débarrasse. Plutôt deux fois qu'une, d'ailleurs.

Les cinq adolescents et le chien observèrent un long silence. Ce fut Quinn qui le rompit.

— Tout le monde t'a vu traîner ton bloc de ciment, Caine. On t'a vu, voûté comme un singe, avec cette couronne agrafée sur la tête. Tu t'es fait humilier par Penny. Ça va faire rire les gamins un bon moment. Si la paroi tombe un jour, on en entendra même parler sur Internet.

Quinn fixa les mains de Caine d'un air inquiet. Il espérait que quelqu'un l'arrêterait avant qu'il ne le jette contre le rocher le plus proche. Quinn savait qu'il était dangereux de jouer la carte de l'humiliation avec Caine.

Ce dernier se tourna vers Quinn avec une lenteur inquiétante.

— À ton avis, à quoi ressemblera ton histoire, Caine ? continua Quinn. Tu passais ton temps à te vanter, à jouer les gros durs. Tu as un exploit à ton actif : tu as aidé Brianna à débarrasser la ville des insectes, et c'est pour ça que les gens se sont dit : « Oui, il ferait un bon roi. »

— Moi, j'ai aidé Brianna ? protesta Caine. C'est elle qui m'a aidé.

— Seulement, tout ce qu'on se rappellera, c'est que Penny t'a humilié…

— Ça suffit, OK ? dit Caine d'un ton tranchant.

— Ce que les gens retiennent, c'est la fin de l'histoire. Si la paroi tombe, on se souviendra juste que tu t'es fait dessus et que tu as dansé comme un singe savant pour Penny.

À la lumière du soleil de Sam, Quinn n'aurait pas pu jurer que Caine avait vraiment pâli. Mais il avait les yeux plissés et les lèvres retroussées comme les babines d'un loup.

Sans quitter Quinn des yeux, il dit à Sam :

— Il en a dans le froc, maintenant, ton pote le loser ?

— On dirait, oui, murmura Sam, stupéfait.

— Écoute, Quinn, lança Caine. Puisque tu t'inquiètes au sujet de ma réputation, je veux bien partir sur les traces de Drake avec mon frère. Mais à une seule condition.

— Laquelle ? demanda Quinn.

— Que tu viennes avec nous, répondit Caine avec un sourire cruel. Tu m'as mené la vie dure. C'est à cause de toi que je me suis disputé avec Penny.

Quinn ne put s'empêcher de tourner le regard vers l'obscurité.

— C'est un pêcheur, objecta Sam. Il n'est même pas armé.

Caine rit.

— Tu es déjà allé à Perdido Beach ? C'est une jolie petite ville. On n'a pas beaucoup de bouffe ni de divertissements, mais des armes, ça oui. On lui en fournira une.

— Je ne sais même pas tirer au pistolet, protesta Quinn.

Caine eut un ricanement sadique.

— Ce n'est pas pour Drake ni pour Penny, et encore moins pour le gaïaphage, s'il montre le bout de son nez. C'est pour que tu te tires une balle dans la bouche si jamais ils mettent la main sur toi.

36

18 MINUTES

APRÈS DES HEURES et des heures d'obscurité totale, la lumière ténue émanant de son bébé permettait à Diana de marcher avec un peu plus d'assurance. Gaia était un phare dans la nuit.

Diana éprouvait de l'horreur en repensant aux espèces de pixels verts du gaïaphage qui s'étaient introduits dans le nez et dans la bouche de sa fille. Comme tant d'autres images, celle-ci resterait gravée dans sa mémoire.

Mais malgré tout il y avait cette petite fille dodue qui l'observait avec une vivacité inquiétante, de ses yeux d'un bleu irréel.

Plus Diana progressait dans la ville fantôme qui s'étendait en contrebas de la mine, plus sa fille lui semblait lourde. Bientôt, elle n'aurait plus besoin d'être allaitée. Diana sentait déjà la morsure de ses petites dents.

Et ensuite, que ferait Gaia de sa propre mère?

— On s'en fiche, murmura Diana. On s'en fiche. Elle est à moi.

Brittney marchait à côté d'elle en jetant des regards avides vers l'enfant. Elle avait l'expression extatique d'une

457

illuminée. Diana savait que si Gaia lui avait ordonné de se jeter d'une falaise, elle l'aurait fait avec joie.

Mais l'enfant s'exprimait par la voix de sa mère, désormais.

Diana sentait que l'esprit de son bébé s'insinuait dans le sien. Ce n'était pas vraiment l'esprit d'un bébé, d'ailleurs, ni même l'intelligence glaciale du gaïaphage. Les deux êtres ne faisaient plus qu'un. Ils grandissaient ensemble, et il était difficile de savoir qui du monstre ou du bébé l'emportait.

Gaia fouillait la mémoire de Diana comme si elle feuilletait un livre d'images ; elle semblait chercher quelque chose de précis.

Diana ne pouvait pas se défendre contre Gaia. Elle ne pouvait rien lui cacher. Elle pouvait seulement regarder défiler, impuissante, des images de personnes et de moments passés.

Gaia examinait les gens que Diana connaissait. Brianna. Edilio. Duck. Albert. Mary.

Pas Panda, non. Pas lui.

Caine. Gaia s'attarda sur son visage. La première rencontre au pensionnat. Les flirts. La séduction. Les moyens qu'avait employés Diana pour attiser le désir de l'adolescent. Les noirs desseins qu'elle avait décelés chez lui. La première fois qu'il lui avait montré son pouvoir.

Les choses terribles qu'ils avaient faites. Les batailles. Les meurtres.

« D'accord, mais ne regarde pas au-delà. Tout ça je le confesse, Gaia, ma fille, mais ça suffit. Ça suffit, s'il te plaît. »

L'odeur. C'est ce que le bébé découvrit en premier. L'odeur de la chair humaine rôtie.

Les yeux de Diana se remplirent de larmes.

— Qu'est-ce qu'il y a? demanda Brittney.

Le bébé goûta ce qu'elle avait goûté, et sentit son estomac accueillir avec délice la viande qui provenait d'un garçon surnommé Panda.

«Oui, dit Diana à l'esprit qui occupait le sien. Je suis un monstre et toi aussi, petite Gaia. Mais ta maman t'aime.

— Il y a des lumières là-bas, dit Penny. On dirait un éclairage de Noël.

«Oui, là-bas», dit Gaia dans la tête de Diana.

— Marchez en direction des lumières, ordonna-t-elle sans même réfléchir. Puis suivez-les à votre gauche.

— Ferme-la, grosse vache, aboya Penny. On n'a pas à recevoir d'ordres de toi.

Gaia donna un coup de pied dans les bras de Diana qui la portait et se redressa pour regarder Penny par-dessus l'épaule de sa mère. Elle brandit son petit poing, ouvrit la main et Penny poussa un hurlement.

Diana s'arrêta pour observer la scène. Elle sentit une joie brutale l'envahir en voyant Penny se tordre de douleur. Elle éprouvait la même satisfaction que sa fille, qui émettait des gargouillis hilares de bébé.

Les cris de Penny durèrent assez longtemps pour que Drake profite à son tour du spectacle. Quand Penny se tut enfin et s'assit sur son maigre derrière pour regarder l'enfant d'un air horrifié, il lança:

— Alors, le bébé s'est amusé un peu? (Il ajouta en

dépliant son fouet:) Ne va pas t'imaginer que je n'ai plus le droit de faire ce qui me chante avec toi, Diana.

Diana soutint son regard inexpressif et songea qu'elle se sentait beaucoup mieux. Elle avait connu un véritable enfer mais, là, elle se sentait... bien. Elle examina son corps, s'étonna de ne pas trouver le moindre bleu, la moindre trace de coup. Même son ventre avait retrouvé son aspect normal.

Gaia l'avait guérie.

— À mon avis, Drake, c'est plutôt à toi de surveiller attentivement tes paroles et tes actes en ma présence.

Gaia, qui s'était de nouveau blottie dans les bras de sa mère, eut un large sourire qui révéla deux petites quenottes.

— Quelque chose arrive par l'autoroute, annonça Sam.

— C'est une lumière, ajouta Astrid.

— C'est l'Ombre, tu veux dire, marmonna Lana d'une voix lointaine.

— Elle suit les soleils et elle vient droit sur nous, lança Caine d'un ton qui n'avait plus rien de sarcastique.

Sam vit la même lueur dans son regard que dans celui de Lana. Ils savaient, du fond de leur âme, qui venait vers eux.

Lana s'approcha de Caine et posa la main sur son bras. Il ne fit pas mine de se dégager.

Un lien étrange les unissait: le souvenir du gaïaphage, des cicatrices qu'il avait laissées dans leur âme.

— « La peur tue l'esprit, récita Lana. La peur est la petite mort qui conduit à l'oblitération totale. J'affronterai ma peur.» Je... je ne me souviens pas de la suite. Ça vient d'un livre que j'ai lu il y a longtemps.

Sans que cela surprenne personne, Astrid intervint:

— *Dune*, de Frank Herbert. «Je ne connaîtrai pas la peur car la peur tue l'esprit. La peur est la petite mort qui conduit à l'oblitération totale. J'affronterai ma peur. Je lui permettrai de passer sur moi, au travers de moi. Et lorsqu'elle sera passée, je tournerai mon œil intérieur sur son chemin. Et là où elle sera passée, il n'y aura plus rien.»

Lana et Astrid récitèrent en chœur la dernière phrase de l'incantation:

— «Rien que moi.»

Puis elles poussèrent ensemble un soupir qui ressemblait fort à un sanglot.

Sam attira Astrid contre lui pour l'embrasser.

— Je t'aime, dit-il. De tout mon cœur et pour toujours. Mais il faut que tu files parce que je ne pourrai pas veiller sur toi.

— Je sais, murmura Astrid. Je t'aime aussi.

Lana fixait l'autoroute devant elle d'un regard empreint de défi. Sam lut dans ses pensées.

— Lana, tes pouvoirs ne peuvent rien contre lui. En revanche, ils peuvent sauver un paquet de gens. Pars maintenant.

Bientôt, il ne resta plus que les trois garçons, Sam, Caine et Quinn, qui regardaient la lumière se rapprocher. Ils distinguaient à présent trois silhouettes. Sam avait l'impression que celle du milieu tenait dans ses bras un soleil d'une autre couleur que les siens. Il ne reconnaissait aucun visage, mais il était sûr d'avoir vu un tentacule onduler.

— Ils sont trois, dit Caine. Ça signifie qu'il y a de grandes chances pour que Penny soit avec eux. (Il soupira.) Tire-toi de là, Quinn.

— Je ne crois pas, non, répondit Quinn.

— Eh, je te libère de tes obligations, OK ? Je fais une bonne action. Tu pourras dire à tout le monde que mes dernières paroles ont été : « Va-t'en, Quinn, essaie de rester en vie. »

— Quinn, intervint Sam, tu n'as rien à prouver, mon pote.

Ils avaient trouvé un pistolet pour Quinn. Un revolver, plus exactement, avec trois balles.

— Je suis de la partie, dit-il d'une voix tremblante.

— T'as un plan, Sammy ? demanda Caine.

— Oui.

Sam éteignit le soleil le plus proche, les plongeant dans les ténèbres. Le suivant se trouvait à une centaine de mètres plus bas sur l'autoroute.

— Quinn, tu commences à rebrousser chemin jusqu'à la dernière lumière. Ils ne mesurent pas mieux que nous les distances dans l'obscurité. Ils continueront à marcher vers toi. Caine, tu pars à gauche, moi à droite. On attaque quand ils seront à vingt mètres de nous. Avec un peu de chance, avant que Penny se trouve une cible.

— Super plan, lança Caine d'un ton sarcastique.

Mais il disparut dans l'obscurité à gauche de la route.

— Quinn. Mon ami. Au sujet de ce que Caine t'a dit... garde une balle.

Sur ces mots, Sam s'enfonça dans les ténèbres impénétrables.

Il regarda Quinn repartir en sens inverse. Il serait

protégé par l'obscurité jusqu'à ce qu'il atteigne le prochain soleil. Si Drake les avait repérés, il n'avait probablement pas pu distinguer combien ils étaient. Il finirait par voir Quinn. À ce moment-là, il s'arrêterait, prêt à frapper quiconque se mettrait en travers de son chemin.

Il y avait peut-être une occasion à saisir. Quelques secondes de confusion au cours desquelles Caine et Sam pourraient frapper à l'improviste. Avec de la chance et de la réactivité, ils pourraient éliminer au moins un de leurs trois adversaires.

Mais qui était la troisième personne?

Drake. Penny. Et quelqu'un – ou quelque chose – qui brillait comme une vieille lanterne.

« Quoi qu'il en soit, se dit Sam, la première cible à atteindre, c'est Penny. »

La plus à craindre, c'était elle.

— Papa, dit Gaia.

Diana baissa les yeux vers son enfant. Elle faisait déjà la taille d'un bambin de deux ans. Elle avait des dents, et des cheveux sombres comme ceux de ses parents. Ses mouvements étaient déjà délibérés et contrôlés, c'en était fini du manque de coordination des débuts. Diana se demanda si elle pouvait marcher.

— Tu viens de dire « papa »?

Gaia regardait fixement un point à sa droite. Droit devant eux, une silhouette solitaire se tenait sous un soleil de Sam. Au-delà, on distinguait au moins deux feux, dont un assez proche et d'une taille gigantesque.

Gaia s'était de nouveau insinuée dans les souvenirs de

sa mère. Elle y fit défiler des images de Caine. Et soudain, tout devint clair.

— C'est une embuscade, dit Diana.

— Ferme ta...

Drake n'eut pas le temps de finir sa phrase ; il fut violemment projeté en arrière et sortit du cercle lumineux.

Un rayon de lumière verte jaillit de la direction opposée.

Penny avait réagi plus promptement à la mise en garde de Diana. Elle s'élançait pour se cacher derrière elle quand le rayon transperça la nuit. La moitié de ses cheveux flamba en répandant une odeur infâme.

Un rugissement s'éleva de l'obscurité derrière elle, et Drake bondit, à l'affût d'une cible. Le rayon de lumière l'atteignit de biais. Il fit volte-face et retomba lourdement par terre. Mais il avait à peine touché le sol que sa brûlure guérissait déjà.

Diana vit Sam surgir des ténèbres.

— Diana, baisse-toi ! cria-t-il en faisant feu sur l'endroit où Drake se tenait un instant plus tôt.

Soudain, Caine apparut, éclairé par la lumière jaillissant des paumes de Sam.

Caine et Diana ne s'étaient pas vus depuis quatre mois. Leurs regards se croisèrent et Caine se figea. Une lueur de tristesse passa dans ses yeux.

Il hésitait... Soudain, il tituba en arrière en se frappant le corps et en hurlant.

— C'est Penny ! cria Sam. C'est seulement Penny, Caine !

Caine parut reprendre le contrôle de lui-même, et, d'un geste furieux, il envoya Penny valser dans l'obscurité.

Il venait de commettre une erreur. Penny était encore

plus dangereuse maintenant qu'elle avait disparu de son champ de vision.

Sam promena son rayon destructeur autour de lui pour éclairer les alentours et aperçut Penny qui s'enfuyait. Mais quand il déchaîna ses pouvoirs dans sa direction, brûlant les broussailles et transformant le sable en matière bouillonnante, elle s'était déjà volatilisée et Astrid se trouvait à sa place. Astrid, qui avait pris feu et courait vers Sam en poussant des hurlements. Elle dégageait une odeur de viande grillée, ses cheveux blonds s'étaient transformés en torche, les flammes dévoraient son front et ses joues.

— Astrid! cria Sam en se précipitant vers elle.

Il avait déjà ôté son tee-shirt pour étouffer le feu quand elle se mit soudain à enfler comme un marshmallow. Sa peau prit la couleur du charbon, la chaleur fit fondre ses yeux et…

La vision s'évanouit.

Sam se retrouva seul dans le noir, hors d'haleine. En se retournant, il vit Diana, qui tenait dans ses bras l'enfant répandant une clarté étrange, marcher calmement vers Quinn.

Et Caine? Où était-il passé?

Sam entendit claquer un fouet. Il courut dans la direction du bruit mais les ténèbres s'étaient refermées sur lui, et il aurait fallu allumer une profusion de soleils pour y voir de nouveau.

— Quinn! Cours! Tire-toi de là!

Quinn, d'abord décidé à faire acte de bravoure, parut comprendre qu'il commettait une bêtise.

Sam mit quelques minutes à retrouver Caine, qui reprenait à peine conscience. Il avait une vilaine marque rouge sur la gorge. Il accepta la main de Sam pour se relever.

— C'est Drake?

Caine hocha la tête en se massant le cou.

— Mais c'est Penny qui a détourné mon attention. Et toi?

— Penny aussi, répondit Sam.

— Bon, la prochaine fois on s'attaque à elle en premier.

Le petit groupe s'était reformé – Drake, Penny et Diana qui tenait toujours le bébé dans ses bras. Il continuait de progresser sur l'autoroute.

— On dirait qu'elle a eu le bébé, dit Sam. Félicitations?

— On a perdu l'effet de surprise, observa Caine, l'ignorant. Dorénavant, ils se tiendront prêts.

Comme pour confirmer ses propos, Drake, qui était arrivé au niveau du soleil le plus proche, se retourna pour les regarder et fit claquer son fouet en ricanant.

— Pourquoi ils ne nous ont pas donné le coup de grâce? s'étonna Sam.

— Ça va te sembler dingue mais c'est le bébé qui a empêché Drake de m'achever, répondit Caine. J'étais en train d'étouffer et il était derrière moi, si bien que je ne pouvais rien faire. Vu la façon dont il me tenait, si je l'avais fait valdinguer avec mes pouvoirs, il m'aurait arraché la tête. Là, j'ai vu le bébé qui me regardait droit dans les yeux. Et Drake m'a relâché.

Sam ne savait pas s'il devait le croire. Mais ça faisait bien longtemps qu'il avait cessé de mettre en doute une histoire simplement parce qu'elle était folle.

— Ils se dirigent vers la paroi.

— Peut-être qu'elle va vraiment s'ouvrir ?

— Peut-être, dit Sam. Mais avant, ils vont traverser la ville et s'en prendre à ton peuple, Majesté.

Un hurlement déchira l'obscurité.

— Bon, si je veux sauver ma réputation, il vaudrait mieux que j'aie une bonne histoire pour Quinn, déclara sèchement Caine.

— Penny d'abord, lui rappela Sam avant de se mettre à courir.

37

G AIA AVAIT RI et Diana n'avait pas pu s'empêcher de glousser à son tour. Ils venaient de passer devant une maison ravagée par les flammes. Des enfants rôdaient autour en s'approchant aussi près que possible de la lumière générée par l'incendie.

C'est alors que Penny les avait précipités dans le feu. D'abord, Diana en avait été horrifiée, mais, comme Gaia riait, elle s'était mise à rire, elle aussi.

Gaia avait le sens de l'humour, ce qui avait de quoi étonner chez un enfant de cet âge. Diana mettait cela sur le compte des gènes. Gaia tenait cette qualité de sa maman.

Tandis qu'ils descendaient la rue, la clarté émise par Gaia attirait les enfants comme des papillons de nuit. Ils venaient vers elle timidement ou en gambadant. Ils avaient besoin de cette lumière après tant d'heures passées dans le noir. Quand ils s'approchaient trop près, Drake les chassait à coups de fouet.

Gaia riait et tapait des mains. C'était fou comme elle apprenait vite.

La paroi allait s'ouvrir. Diana et son bébé seraient enfin libres. Elles pourraient aller au zoo ou... Comment s'appelait cet endroit où l'on pouvait commander une pizza et jouer à des jeux ? Et elles regarderaient la télé. Elles se trouveraient une maison. Qui pourrait les arrêter maintenant ? Drake et Penny deviendraient leurs serviteurs. Ha ! Leurs serviteurs !

Qui pouvait s'opposer à elles ? Elles avaient écarté Sam et Caine de leur chemin comme des moins-que-rien.

Gaia n'avait pourtant pas encore révélé l'étendue de ses pouvoirs.

Diana avait envie de rire à gorge déployée et de danser avec son bébé dans les bras. Mais en même temps qu'un bonheur extatique l'envahissait, elle sentait aussi la fausseté de tout cela. La tension qui l'habitait. Elle avait envie de hurler de joie et de frapper à coups de poignard son bébé, sa petite fille chérie.

Gaia la fixait. Elle semblait lire en elle, la percer à jour. Gaia voyait la peur qu'elle inspirait à Diana.

L'enfant rit, frappa dans ses mains, ses yeux bleus étincelèrent et Diana se sentit soudain très faible. Il lui sembla que toutes les souffrances endurées par son corps refaisaient surface. Une sensation de vide l'envahit. Elle avait l'impression d'être juchée sur des jambes fines comme des brindilles qui menaçaient de se casser à tout moment.

Les cris des enfants brûlés la poursuivaient tandis qu'elle serrait son bébé contre elle en contemplant avec effroi ses yeux étincelants.

La suspension de la voiture de Connie n'était manifestement pas adaptée à cette route. Elle ne cessait de bringuebaler avec un bruit de ferraille.

Mais le temps des hésitations était révolu. Le moment était venu pour Connie de se comporter comme une vraie mère. Une mère dont le fils – les fils – étaient en danger. Dans le rétroviseur, le 4x4 d'Abana semblait s'en sortir un peu mieux que sa voiture. Très bien. Si elles survivaient à cette journée, elles rentreraient à la maison avec. Du moins si Abana acceptait encore de lui adresser la parole.

La route se rapprocha dangereusement de l'autoroute alors qu'elles se trouvaient à moins d'un kilomètre de l'enceinte. La poussière soulevée par leurs véhicules allait les faire repérer.

Et en effet, au moment où l'anomalie de Perdido Beach apparaissait dans le champ de vision de Connie, elle entendit un hélicoptère vrombir au-dessus de sa tête.

Un haut-parleur rugit :

— Vous venez de pénétrer dans une zone interdite. Faites demi-tour immédiatement.

Cet avertissement fut répété plusieurs fois avant que l'hélicoptère passe devant elle, fasse demi-tour et entreprenne de se poser sur la route à quelques centaines de mètres.

Dans le rétroviseur, Connie vit le 4x4 d'Abana quitter brusquement le bitume et se diriger vers l'endroit où l'autoroute rencontrait le dôme, près de leur campement évacué à la hâte. On y trouvait encore quelques caravanes, toute une batterie d'antennes satellites, des bennes à ordures, des toilettes mobiles.

Connie poussa un juron, présenta des excuses à sa voiture et quitta la route à son tour pour suivre Abana.

Le véhicule ne cahotait plus, il faisait des bonds. Chaque

impact faisait vibrer les os de Connie. Sa tête heurtait le plafond de l'habitacle et le volant lui échappait sans cesse des mains.

Enfin, la voiture rejoignit le bitume et pénétra dans le campement en bringuebalant. L'hélicoptère, qui s'était lancé à leur poursuite, vrombissait au-dessus de Connie. Il exécuta une manœuvre culottée sinon suicidaire et atterrit pesamment à quelques mètres de la paroi.

Deux officiers de la police militaire en jaillirent, l'arme au poing, suivis d'un troisième homme.

Abana écrasa la pédale de frein, mais Connie, elle, accéléra en direction de l'hélicoptère.

Le véhicule heurta violemment le train d'atterrissage, l'airbag se déclencha et Connie sentit la ceinture de sécurité lui scier l'épaule. Elle entendit sa clavicule craquer et eut un sursaut de douleur.

Elle bondit hors de la voiture, trébucha sur les restes du train d'atterrissage et vit que le rotor avait labouré le béton. Elle tenta de courir, perdit l'équilibre et tituba tant bien que mal vers le dôme. Si elle pouvait l'atteindre avant qu'ils la rattrapent, elle parviendrait peut-être à empêcher l'explosion.

Un des militaires agrippa par la taille Abana qui courait dans sa direction. Connie les esquiva. Soudain, en entendant le troisième officier derrière elle, elle reconnut la voix de Darius.

— Connie ! Non ! criait-il.

Elle s'arrêta net et observa le mur grisâtre. Darius surgit derrière elle, hors d'haleine.

— Connie ! C'est trop tard, ma chérie. Il y a eu un problème avec le dispositif.

Elle se tourna vers lui ; trop émue pour comprendre ce qu'il disait, elle crut qu'il lui faisait des reproches.

— Je suis désolée, gémit-elle. Il y a mes fils là-dedans ! Mes garçons !

Il la prit dans ses bras et la serra fort contre lui.

— Ils ont essayé de stopper le compte à rebours.

— Quoi ?

Abana les rejoignit en courant. Les deux autres militaires, qui affichaient un air tendu, avaient renoncé à la maîtriser. Ils semblaient s'être désintéressés du sort des deux femmes.

— Écoute-moi, dit Darius. Il y a eu un problème et ils ne peuvent pas arrêter le compte à rebours.

Connie finit par comprendre le sens de ses paroles.

— Combien de temps reste-t-il ? demanda-t-elle.

Darius se tourna vers les deux autres militaires, et Connie comprit la raison de leur nervosité.

— Une minute et dix secondes, répondit le plus massif des deux hommes, un lieutenant.

À ces mots, il s'agenouilla sur le bitume, joignit les mains et se mit à prier.

Sam était tiraillé entre deux options : déchaîner ses pouvoirs et révéler sa présence, ou progresser sans lumière et donc plus lentement. Il choisit un compromis : il alluma quelques soleils tandis qu'il courait avec Caine vers la plage, puis d'autres en foulant le sable jusqu'à ce qu'ils aient pu se cacher sous les falaises.

Une faible phosphorescence émanait de l'océan qui formait une masse indistincte un peu moins sombre que les ténèbres impénétrables du ciel.

— Par ici.

Sam alluma un soleil et montra la muraille de pierre menaçante à sa gauche.

— La pente n'est pas trop raide.

— Pas besoin de grimper, lâcha Caine.

Sam se sentit décoller du sol et s'éleva dans le vide, la falaise face à lui. À la lumière de son soleil, la paroi luisait comme la lame émoussée d'un couteau. Il s'aida des pieds et des mains pour gravir les derniers mètres qui le séparaient du sommet. Il n'osa pas allumer un soleil. Ils étaient trop près de l'autoroute. Il situa l'hôtel Clifftop à sa droite. Il espérait qu'il ne s'était pas trompé. S'il se trouvait là où il croyait être, il pourrait facilement gagner l'allée de l'hôtel, trouver la bretelle d'accès, franchir le terre-plein de sable puis atteindre l'endroit où l'autoroute rencontrait la paroi.

Caine atterrit à côté de lui.

— Tu vas allumer un soleil?

— Non. On va tenter un deuxième effet de surprise.

Ils titubèrent sur le sol inégal en réprimant un juron chaque fois qu'ils manquaient tomber.

Ils se trouvaient juste à côté du terre-plein quand ils entendirent un craquement semblable à un coup de tonnerre, qui leur sembla durer une éternité.

— Ça commence, fit une voix de petite fille à la fois étrange et belle. L'œuf se craquelle! Bientôt! Bientôt!

— Elle parle! s'écria Diana.

— Tirons-nous d'ici ! rugit Drake. Ça s'ouvre !

— Maintenant, souffla Sam.

Caine et Sam longèrent le terre-plein. Aussitôt que Caine aperçut sa cible, il baissa brusquement les bras et bondit dans le vide, mais Penny le repéra sur-le-champ. Au moment où Sam s'avançait vers elle à son tour, Diana s'interposa calmement.

— Vas-y ! cria Caine, qu'une vision horrible avait jeté à terre.

Sam marcha dans sa direction en faisant jaillir de ses mains un rayon lumineux qui atteignit Drake en pleine figure. À défaut de se débarrasser de lui, il l'avait mis hors d'état de nuire pour quelque temps. Lorsqu'il écarta Diana d'un coup d'épaule, il vit étinceler une paire de petits yeux bleus.

Il ouvrit le feu au moment où Penny faisait volte-face ; sa jambe gauche prit feu. Elle poussa un hurlement déchirant et s'enfuit, affolée, tandis que les flammes se propageaient à ses vêtements.

— Non, Sam ! cria Diana.

Une force d'une puissance inimaginable, semblable au souffle d'une explosion, le fit voler dans les airs. Il s'immobilisa dans le vide. Alors, baissant les yeux, il aperçut le bébé, les yeux levés vers lui, qui riait en frappant dans ses mains. De ses petits doigts dodus, il mima le geste de quelqu'un qui étire un bout de pâte.

Sam eut l'impression que des mains invisibles écartelaient son corps. Il sentit l'air se comprimer dans ses poumons. Ses os craquèrent, et une douleur aiguë lui signala que ses côtes se détachaient de sa cage thoracique.

L'enfant l'attira vers elle comme pour mieux le voir. À cet instant, Diana tomba la tête la première en l'entraînant avec elle, mais toutes deux se figèrent avant de toucher le sol. Sam dégringola à son tour mais lui aussi fut stoppé dans sa chute. Dekka s'avança, hors d'haleine, comme si elle venait de courir un marathon. Elle se tenait au milieu de l'autoroute, le visage furieux, les bras levés vers le ciel. Elle avait l'air d'en avoir bavé, songea Sam, mais elle arrivait à point nommé.

Sam n'hésita pas une seconde. Dès que ses pieds eurent touché la terre ferme, il se redressa d'un bond au mépris de la douleur déchirante qui irradiait dans tout son corps.

Penny s'était roulée par terre pour éteindre le feu. Elle était sauve, mais sa peau avait la couleur d'un jambon braisé. Tandis qu'elle hoquetait de douleur – et cette fois, ce n'était pas une illusion –, il se précipita, s'assit à califourchon sur elle et dirigea ses mains vers sa tête.

— Tu es trop dangereuse pour que je te laisse vivre.

Le corps de Sam prit feu mais il la tenait à sa merci. Il lui suffisait de se concentrer pendant quelques secondes.

À cet instant, un gros bloc de béton s'abattit sur la tête de Penny avec tant de force que Sam sentit le sol vibrer sous ses pieds.

Le corps de Penny cessa immédiatement de bouger. Caine se dressa au-dessus d'elle, hors d'haleine.

— Œil pour œil ! cria-t-il en jetant au loin son projectile.

Le visage disloqué de Drake commençait à se reformer mais il avait encore la tête de quelqu'un qu'on vient de mettre au four à micro-ondes. Son fouet, quant à lui, était en parfait état de marche.

Il l'abattit sur Sam qui laissa échapper un hurlement de douleur. Caine fit léviter le bloc de béton dont il s'était servi pour tuer Penny et s'apprêta à le lancer sur Drake.

— Non, papa, dit Gaia.

38

— SOIT IL EXPLOSE en nous tuant tous, dit Connie qu'un calme étrange envahissait. Soit... il se passe autre chose.

Abana lui prit les mains.

Des voitures arrivaient sur l'autoroute. Il ne pouvait pas s'agir de véhicules de police, elles n'avaient pas de gyrophares. En outre, la police et l'armée avaient reçu l'ordre d'évacuer le périmètre. Non, c'étaient les vans et les voitures des parents et amis qui avaient reçu les mails ou les tweets, et affluaient pour empêcher une catastrophe désormais inévitable.

Connie et Abana échangèrent un regard à la fois triste, effrayé et coupable : en faisant venir ces gens, elles les avaient probablement condamnés à mort.

Connie se tourna vers les trois officiers. Le pilote de l'hélicoptère, une femme blonde avec des galons de capitaine, les avait rejoints en jurant ; son appareil avait subi d'importants dégâts.

— Je suis désolée pour ce que je vous ai fait, murmura Connie.

Elle entendit un craquement énorme pareil à un coup

de tonnerre au ralenti. Tout le monde se tut pour écouter. Le vacarme s'étira interminablement.

— Elle s'ouvre, chuchota Abana. L'enceinte, elle s'ouvre !

« Trop tard, pensa Connie. Trop tard. »

Elle alla se poster près de Darius et, côte à côte, ils attendirent la fin.

Le bébé n'était plus dans les bras de Diana. Il se tenait debout tout seul et avait désormais l'apparence d'un enfant de deux ans.

Caine fut projeté en arrière. Plaqué contre la paroi, il poussa un hurlement de douleur puis se tut tandis que la pression sur son corps s'intensifiait. Sam le vit s'aplatir tel un insecte écrasé.

— Dis-lui d'arrêter ! cria Sam à l'intention de Diana.

Elle semblait frappée d'hébétude comme si elle s'éveillait d'un cauchemar pour retrouver une réalité encore plus atroce.

— Elle est en train de le tuer !

— Ne fais pas ça, implora Diana d'une petite voix. Ne tue pas ton père.

Mais l'enfant avait une expression déterminée. Un rictus féroce étirait ses lèvres de chérubin.

Sam leva les bras, paumes ouvertes.

— Recule, Diana.

Diana ne bougea pas.

Sam lança un coup d'œil à Caine. Un insecte écrasé contre un pare-brise.

Soudain, deux rayons identiques de lumière destructrice

atteignirent l'enfant en plein cœur, et l'univers entier explosa dans une clarté aveuglante.

Caine retomba par terre. Diana recula en titubant et se couvrit les yeux. Drake fit de même avec son tentacule.

Sam fut brusquement aveuglé, non par la lumière jaillissant de ses mains ni par celle émanant de l'enfant, mais par les rayons brûlants du soleil de midi californien. Il cligna des yeux et vit l'impossible. Des adultes au nombre de quatre, de cinq... non, de six ! Un hélicoptère endommagé. Un fast-food. La même vision du monde du dehors que celle entrevue sur la falaise pendant une fraction de seconde. Mais, cette fois-ci, elle ne s'évanouit pas.

La paroi avait disparu !

Drake poussa un hurlement de terreur et courut vers la petite foule rassemblée en cinglant l'air de son fouet.

Groggy et blessé, Caine chercha un appui. Il retira brusquement sa main en constatant qu'il venait de toucher le mur. Au même moment, Drake fut stoppé net dans sa course, et son fouet rencontra une paroi dure et invisible.

Les adultes le regardèrent bouche bée. Ils le voyaient ! Ils voyaient Diana hurler, ils voyaient Drake abattre son fouet dans toutes les directions, ils voyaient la tête pulvérisée d'une adolescente étendue sur le bitume, ils voyaient une petite fille âgée de deux ans à peine, indemne.

Les adultes se rapprochèrent et sursautèrent en touchant la paroi. Le dôme était toujours là. Mais maintenant, il était transparent.

Le cœur de Sam bondit dans sa poitrine. Un visage venait soudain de se détacher des autres. Celui de sa mère. Elle disait des mots qu'il ne pouvait pas entendre, les yeux rivés sur lui, alors qu'il tendait les bras vers la petite fille sans défense.

Il ne pouvait pas reculer. Un rayon de lumière jaillit de ses mains. Sa mère, et les autres adultes avec elle, poussèrent un cri inaudible. Nooooon !

Les cheveux de la petite fille s'embrasèrent. Sam fit de nouveau feu et sa chair s'enflamma à son tour. Pendant tout ce temps, l'enfant, le gaïaphage, le dos tourné à l'assistance, le dévisageait avec une fureur incommensurable. Ses yeux bleus ne cillaient pas. Même alors qu'il brûlait, sa bouche angélique grimaçait un sourire cruel et moqueur.

Jusqu'à ce qu'enfin il ne soit plus qu'une colonne de feu et que ses traits se dissolvent dans les flammes.

Sam baissa les bras.

Le bébé, l'enfant, le monstre, le démon se détourna et s'enfuit sur l'autoroute. Diana, un masque de douleur sur le visage, courut après lui. Horrifié, Drake s'enfuit à son tour en donnant des coups de fouet impuissants dans le vide.

Quant à Sam et Caine, debout côte à côte, épuisés et couverts de bleus, ils regardaient, au-delà du cadavre mutilé de Penny, le visage de leur mère.

Plus tard

UN HÉLICOPTÈRE VENAIT de surgir au-dessus de leurs têtes. Il était orné du logo d'une station de radio située à Santa Barbara. Ils ne pouvaient pas l'entendre, bien sûr : le dôme ne laissait pas passer le bruit, mais Astrid distinguait des visages à l'intérieur du cockpit et s'imaginait des appareils photo à téléobjectif braqués sur eux.

La vue de l'hélicoptère était un peu brouillée par le fait qu'au-delà de la paroi transparente comme du verre il pleuvait. Les gouttes formaient des rigoles sur le dôme.

À l'intérieur, des deux côtés de l'autoroute, des enfants s'alignaient aussi près que possible de la paroi pour voir ce qui se passait au-dehors. Pour l'instant, ils étaient au nombre de trois ou quatre dizaines. D'abord, ils n'avaient vu que les soldats, la police d'État qui affluait dans un ballet de gyrophares, l'hélicoptère et une poignée de parents.

Mais d'autres arrivaient en voiture ou en 4x4 de leurs nouvelles maisons d'Arroyo Grande, de Santa Maria ou d'Orcutt. Ceux des parents qui avaient trouvé des logements plus loin, à Santa Barbara ou à Los Angeles, mettraient plus de temps à venir.

Certains adultes brandissaient des écriteaux dont les messages avaient été à moitié effacés par la pluie.

«Où est Charlie?»

«Où est Betty?»

«On t'aime!»

«Tu nous manques!»

«Tu vas bien?»

Il ne restait plus beaucoup de papier dans la Zone, et la plupart des enfants étaient accourus sans penser à emporter quoi que ce soit, mais quelques-uns avaient trouvé des planches ou des bouts de carton, et se servaient de cailloux pour écrire.

«Je vous aime aussi.»

«Dites à ma mère que je vais bien!»

«Aidez-nous.»

Le tout sous l'œil des caméras qui filmaient la scène depuis l'hélicoptère. Une demi-douzaine de curieux prenaient des photos avec leur smartphone. Astrid savait que beaucoup d'autres viendraient.

Des bateaux étaient apparus sur l'océan, de l'autre côté du dôme. Leurs occupants scrutaient aussi les enfants avec des jumelles ou des téléobjectifs.

Un couple de personnes âgées surgit d'un camping-car en brandissant une pancarte : «Pourriez-vous vérifier que notre chat Ariel va bien?»

Personne n'eut le cœur de leur répondre, parce que les chats avaient tous été mangés.

Sur d'autres écriteaux, on pouvait lire : «Où est mon enfant?», suivi d'un prénom masculin ou féminin.

Astrid se demanda avec amertume à qui incombait la tâche d'écrire les réponses.

Tué par des vers carnivores. Tuée par une attaque de coyotes. Assassiné à cause d'un sachet de chips. Mort par suicide. Morte parce qu'elle jouait avec des allumettes et qu'ici on n'a pas de pompiers. Tué parce qu'il était devenu incontrôlable.

Comment expliquer la vie dans la Zone à tous ces gens qui les observaient ? Une voiture d'apparence familière arriva en trombe et faillit emboutir un véhicule de police. Un homme en sortit, suivi d'une femme qui se déplaçait lentement, avec des gestes mal assurés.

Bouleversée, Astrid regarda son père s'avancer vers la paroi en soutenant sa femme comme si elle risquait de s'effondrer à chaque pas.

Les adultes qui se trouvaient dans la Zone quand Pete avait accompli son miracle insensé avaient donc survécu. Combien de fois Astrid avait-elle passé en revue tous les scénarios possibles ? Les parents morts, les parents vivants, les parents envoyés dans des univers parallèles, les parents amnésiques, les parents effacés du passé et du présent.

Mais ils étaient bel et bien là, qui pleuraient, agitaient les bras, et réclamaient des explications que la plupart des enfants – y compris elle-même – ne pouvaient pas réduire à quelques mots gravés avec un clou sur une planche de bois.

La mère d'Astrid prit un sac en toile, parce que la pluie ne lui permettait pas d'utiliser du papier, et inscrivit au marqueur sur le tissu : « Où est Pete ? ».

Astrid garda longtemps les yeux fixés sur les lettres, et pour toute réponse elle haussa les épaules en secouant la tête.

«Je ne sais pas où est Pete.»

«Je ne sais même pas ce qu'est Pete.»

Sam se tenait derrière elle sans oser la toucher, gêné par tous les regards qui convergeaient vers eux. Elle avait envie de se blottir contre lui et de fermer les yeux. Quand elle les rouvrirait, ils se seraient transportés au bord du lac.

De l'eau avait coulé sous les ponts depuis l'époque lointaine où Astrid désespérait de retrouver son ancienne vie auprès de ses parents. Désormais, elle pouvait à peine les regarder et cherchait désespérément un prétexte pour s'éloigner. Ils étaient devenus des étrangers. Et, comme Sam, elle savait qu'avant peu ils deviendraient ses juges.

Ils étaient une autre flèche en plein cœur alors qu'elle n'avait plus la force d'en supporter davantage. C'était trop pour elle. Elle ne pouvait pas passer aussi subitement d'un désespoir à un autre.

Dekka se tenait les bras croisés derrière Sam, comme si elle essayait de se cacher. Quinn et Lana, un peu à l'écart, s'émerveillaient de ce qu'ils voyaient au-delà du dôme, mais ils n'avaient encore vu aucun visage familier.

— On est des monstres dans un zoo, dit Sam.

— Non, objecta Astrid. Les gens aiment les singes, et regarde comme ils nous scrutent. Imagine ce qu'ils voient.

— Je n'ai pas arrêté d'y penser depuis le début.

Astrid hocha la tête.

— Tu veux savoir ce qu'ils voient? s'exclama Sam avec colère. Ce que ma mère voit? Un ado avec des rayons laser dans les mains qui a essayé de carboniser un bébé. Ils m'ont vu brûler vif un enfant. Rien ne peut justifier ça.

— On a l'air de sauvages. On est sales, maigres, habillés

comme des clodos, ajouta Astrid. Ils voient des armes partout. Ils voient une fille morte, la cervelle écrasée par un bloc de béton.

Elle se tourna vers sa mère. Oh, il était impossible d'échapper à ce regard rempli de... rempli de quoi ? De joie ? Non. De soulagement ? Non.

Un regard lointain, rempli d'horreur.

De chaque côté de la paroi, les parents comme les enfants prenaient conscience de l'immense fossé qui s'était creusé entre eux. Le père d'Astrid semblait minuscule. Sa mère semblait vieille. Tous deux lui évoquaient de vieilles photographies et non des êtres humains de chair et d'os. Ils lui semblaient moins réels que le souvenir qu'elle gardait d'eux.

Astrid avait l'impression qu'eux-mêmes essayaient de retrouver en elle le souvenir de leur fille. Ce n'était pas elle qu'ils cherchaient, mais une personne qu'elle n'était plus depuis longtemps.

Brianna arriva à toute allure et offrit un répit bienvenu à Astrid : de l'autre côté du dôme, les adultes faisaient des oh ! et des ah ! de surprise, tandis que les objectifs des caméras se tournaient vers la nouvelle venue. Brianna leur adressa un petit salut.

— Elle est prête pour son gros plan, observa sèchement Dekka.

— Il y a du soleil ou c'est moi ? s'exclama Brianna.

À ces mots, elle sortit sa machette, la fit tourbillonner à toute vitesse au-dessus de sa tête, la rengaina puis exécuta une petite révérence à l'intention des spectateurs médusés.

— Oui, oui, j'ai l'intention de jouer mon propre rôle

dans l'adaptation au ciné. On ne peut pas imiter la Brise avec des effets spéciaux.

Astrid eut l'impression de respirer à nouveau. Elle était reconnaissante à Brianna de détendre un peu l'atmosphère.

— Au fait, les affaires reprennent, annonça-t-elle. Ils se dirigent vers le désert. Ils forment une fine équipe, la mère, la fille et l'Oncle Fouettard. Je me suis approchée un peu trop près et le bébé a failli m'ensevelir sous une tonne de rochers. Méchante petite fille. (Elle hocha la tête, satisfaite.) Ça pourrait être ma dernière réplique, ça : « Méchante petite fille. »

— Non, fit Dekka. Franchement, non.

Astrid sourit et, croyant que ce sourire lui était adressé, sa mère l'imita.

— J'ai vu quelqu'un me filmer en train de brûler cette… cette créature, dit Sam. Je n'ose pas imaginer ce que les gens de l'autre côté vont penser.

Astrid voyait bien qu'il était bouleversé. Comme tout le monde, elle avait remarqué l'air horrifié de Connie Temple chaque fois qu'elle observait son fils.

« Son » fils au singulier : Caine, après avoir jeté un long regard à sa mère, avait regagné la ville.

— Ça fait longtemps que tu redoutes ce jour-là, Sam, dit Astrid à mi-voix. Le jour du jugement.

Sam acquiesça, les yeux baissés. Puis il releva la tête et Astrid, qui s'attendait à lire de la tristesse sur son visage, voire de la culpabilité, faillit pousser un soupir de soulagement en découvrant le regard de celui qui n'avait jamais reculé face à l'ennemi : d'abord Orc puis Caine et Drake, puis Penny. *Son* Sam Temple.

— Eh bien, qu'ils pensent ce qu'ils veulent, dit-il.

— Le soleil va bientôt se coucher, observa Dekka. À la nuit tombée, on ferait mieux d'enterrer Penny. Tous ceux qui se pointeront ici…

Dekka s'interrompit en voyant Sam se diriger d'un pas décidé vers l'endroit où gisait le cadavre de Penny, qui avait eu la tête écrasée sous un bloc de béton, telle la parodie grotesque d'un dessin animé de Tex Avery. Les caméras traquaient le moindre de ses mouvements. Des regards pour la plupart hostiles, accusateurs, suivaient chacun de ses gestes.

Sam regarda les caméras, puis sa mère, tandis qu'Astrid retenait son souffle. Alors, avec des gestes consciencieux, méthodiques, il brûla le corps de Penny jusqu'à ce qu'il n'en reste que des cendres.

Connie Temple fixait la scène, immobile comme une statue, incapable de détourner les yeux.

Quand Sam eut terminé, il hocha la tête à l'intention de sa mère et, lui tournant le dos, il se dirigea vers Astrid.

— Elle ne mérite pas d'être enterrée sur la place avec les gens bien. Si vous tenez absolument à inhumer quelqu'un, on ira chercher ce qui reste de Taylor et de Cigare.

Lana secoua imperceptiblement la tête.

— Je ne suis pas sûre que Taylor soit morte. Ou en vie, d'ailleurs.

— C'est le genre de chose que tous ces gens dehors vont avoir du mal à comprendre, dit Sam. Mais ils ne vont pas bouger de là, et nous on a des enfants à nourrir et un monstre à combattre. (Il tendit la main à Astrid.) Tu es prête à y aller ?

Astrid regarda derrière elle le visage inquiet de sa mère, puis elle prit la main de Sam.

— On a du pain sur la planche, reprit-il, le dos tourné aux adultes postés de l'autre côté de la paroi. Et cette guerre est loin d'être finie. Ils reviendront.

Il montra d'un signe de tête la direction qu'avait prise Gaia.

— Quinn, tu veux bien t'occuper des affaires ici, à Perdido Beach? Tu pourrais prendre la place d'Albert? Je pense que Caine serait d'accord.

— Ah non! s'exclama Quinn. Non, non, nooon.

Sam parut un peu surpris.

— Non? Bon, eh bien, je suppose qu'on trouvera un arrangement avec Lana, Caine, Edilio et Astrid.

— J'espère bien, répondit Quinn. (Il donna une claque amicale sur l'épaule de Sam.) Merci d'avoir encore sauvé notre peau. Mais moi, mon pote, je vais pêcher.

Astrid songea qu'elle aurait dû regarder ses parents. Leur expliquer qu'elle devait partir. Trouver une excuse. Ou rester là pour les rassurer.

Mais un changement aussi radical qu'une inversion du champ magnétique ou un bouleversement des lois de la physique s'était opéré en elle. Sa place n'était plus auprès de ses parents mais auprès de Sam, dans ce monde qui était devenu le leur.

À BLOG OUVERT

LE BLOG DES LECTURES
ADOS ET JEUNES ADULTES

Des scoops,
des avant-premières
et des exclusivités
pour lire, découvrir, partager…

www.ablogouvert.fr

Ouvrage composé par
PCA
44400 REZÉ

Impression réalisée par

La Flèche (Sarthe), le 23.10.2012

N° d'impression : 70421

Dépôt légal : novembre 2012

www.pocketjeunesse.fr
POCKET JEUNESSE

12, avenue d'Italie - 75627 PARIS Cedex 13